Alexa Garcia

CALLED TO BE CATHOLIC

Llamados *a ser* católicos

FUNDAMENTOS DE LA FE CATÓLICA PARA JÓVENES DE 12 A 15 AÑOS

ESSENTIALS OF THE CATHOLIC FAITH
FOR AGES 12–15

JOE PAPROCKI

LOYOLA PRESS.
UN MINISTERIO JESUITA
A JESUIT MINISTRY

IMPRIMATUR

Conforme al canon 827 del Código de Derecho Canónico, el Reverendísimo John F. Canary, Vicario General de la Arquidiócesis de Chicago, ha otorgado el 8 de agosto 2012 aprobación para la publicación. La aprobación para la publicación es una declaración oficial de la autoridad eclesiástica, la cual establece que el material en cuestión carece de errores morales o doctrinales. De lo establecido no se infiere que quienes han otorgado la aprobación están de acuerdo con el contenido, opiniones o expresiones vertidas en el trabajo ni asumen responsabilidad legal alguna relacionada con la publicación.

In accordance with c. 827, permission to publish is granted on April 20, 2012 by Rev. Msgr. John F. Canary, Vicar General of the Archdiocese of Chicago. Permission to publish is an official declaration of ecclesiastical authority that the material is free from doctrinal and moral error. No legal responsibility is assumed by the grant of this permission.

Reconocemos con gratitud a los autores, editores, fotógrafos, museos y agentes por autorizarnos a reproducir el material con derechos de autor que aparece en esta obra. Loyola Press ha hecho todos los intentos posibles para identificar a los propietarios de los derechos de autor. En caso de alguna omisión, Loyola Press se complacerá en reconocerlos apropiadamente en las ediciones futuras. Los reconocimientos comienzan en la página 106.

Grateful acknowledgment is given to authors, publishers, photographers, museums, and agents for permission to reprint the following copyrighted material. Every effort has been made to determine copyright owners. In the case of any omissions, the publisher will be pleased to make suitable acknowledgments in future editions. Acknowledgments begin on page 106.

Consultores/Advisers: Santiago Cortés-Sjöberg, M. Div., Jeannette L. Graham, M.A.; Jim Manney

Traducción al español de/Spanish translation by: Miriam C Álvarez

Diseño de portada/Cover design: Loyola Press

Ilustración de portada/Cover Illustration: iStockPhoto.com/Keith Bishop (*Crucifijo*/Crucifix), Veer/PicsFive (*fondo*/background)

Diseño interior/Interior design: Loyola Press

ISBN-13: 978-0-8294-3678-5
ISBN-10: 0-8294-3678-2

Impreso en los Estados Unidos de América/Printed in the United States of America.

LOYOLA PRESS.
UN MINISTERIO JESUITA
A JESUIT MINISTRY
3441 N. Ashland Avenue
Chicago, Illinois 60657
(800) 621-1008

www.loyolapress.com

19 20 21 22 23 24 Web 14 13 12 11 10 9

DEDICATORIA / DEDICATION

ESTA EDICIÓN BILINGÜE DE *LLAMADOS A SER CATÓLICOS* ESTÁ DEDICADA A
THIS BILINGUAL EDITION OF *CALLED TO BE CATHOLIC* IS DEDICATED TO

Miguel Arias

1971–2012

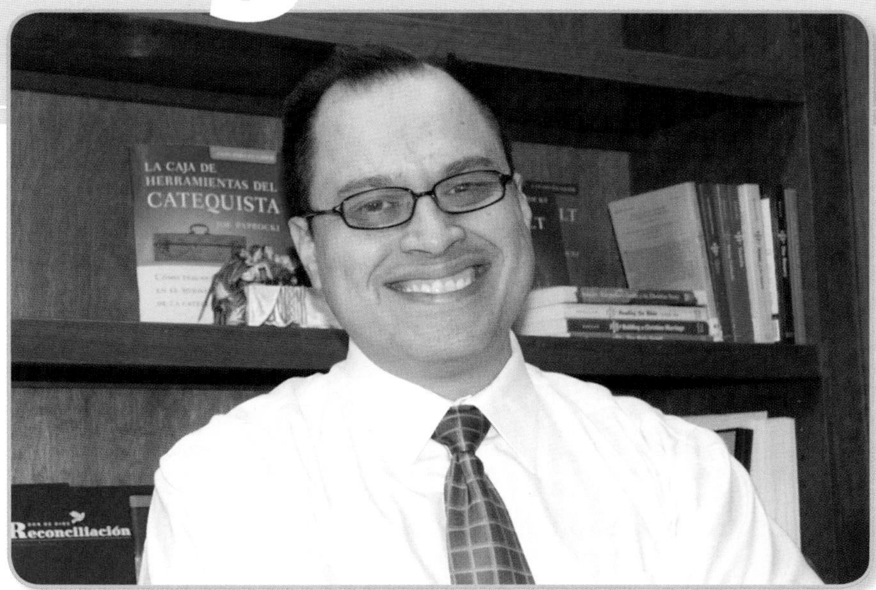

A nuestro amigo, colega y compañero en el ministerio,
quien dedicó su vida y trabajo a servir al pueblo hispano inmigrante.

Que la fe en Cristo resucitado,
que guió siempre a Miguel en su ministerio,
sea para quienes leamos estas páginas
fuente de sustento,
apoyo y fortaleza
en nuestro caminar hacia
una relación más profunda e íntima
con Dios, nuestro Padre.

To our friend, colleague, and companion in ministry,
who dedicated his life and work to serve the immigrant Hispanic community.

May the faith in the Risen Christ,
which guided Miguel in his ministry,
be for us who read these pages
a source of nourishment,
support, and strength
in our journey toward a deeper
and more intimate relationship
with God, our Father.

índice

contents

rezar

ORACIÓN AL ESPÍRITU SANTO

Ven Espíritu Santo, llena los corazones de tus fieles.

Y enciende en ellos el fuego de tu amor.

Envía tu Espíritu y serán creadas todas las cosas.

Y renovarás la faz de la tierra.

Oremos:

¡Oh Dios, que has instruido
los corazones de tus fieles
con luz del Espíritu Santo!,
concédenos que sintamos rectamente
con el mismo Espíritu
y gocemos siempre
de su divino consuelo.
Por Jesucristo Nuestro Señor.
Amén.

pray

PRAYER TO THE HOLY SPIRIT

Come, Holy Spirit, fill the hearts of your faithful.

And kindle in them the fire of your love.

Send forth your Spirit and they shall be created.

And you shall renew the face of the earth.

Let us pray:

O God, by the light of the Holy Spirit you have taught the hearts of your faithful. In the same Spirit, help us to know what is truly right and always to rejoice in your consolation.

We ask this through Christ, Our Lord. Amen.

rezar

MI ORACIÓN

Un viaje de mil leguas comienza con un solo paso.

Escribe una oración a Dios en la que reflexiones sobre dónde te encuentras en este momento en tu viaje de fe. Piensa en las preguntas, esperanzas, temores y deseos que tienes y comienza una conversación con Dios. Este es el comienzo, tu primer paso en este viaje.

Yo, ____________________________________, estoy emprendiendo un viaje para explorar los fundamentos de mi fe católica y profundizar en mi relación con Dios. A él le ofrezco la siguiente oración:

____

____

____

____

____

____

____

____

pray

MY PRAYER

A journey of a thousand miles begins with a single step.

Write a prayer to God, reflecting on where you are in your faith journey at this moment. Think about the questions, hopes, fears, and desires you have, then begin a conversation with God. That will be your starting point—your single step for this journey.

I, ______________________________, am about to begin a journey to explore the foundations of my Catholic faith and to deepen my relationship with God. This is my prayer:

____

____

____

____

____

____

____

____

LLAMADOS A SER CATÓLICOS

Carta de bienvenida

QUERIDO JOVEN:

Sé que si te lo propones, fácil y rápidamente podrías hacer una lista de cinco o diez cosas que sabes sobre tu mejor amigo o amiga: su canción, comida, película, pasatiempo o equipo favorito, etcétera. Probablemente puedas describir algunas cosas de su pasado, algunos de sus logros e intereses, lo que le enfada, sus creencias más profundas, así como sus esperanzas y sus sueños. Cuando una persona es importante para nosotros ponemos empeño en saber más sobre él o ella. Cuanto más sabemos sobre una persona, mejor la conocemos realmente como un amigo.

Jesús dijo una vez: "Ya no los llamo sirvientes, los llamo amigos". ¡Qué regalo tan especial tener un amigo como Jesús! Una manera en la que puedes profundizar tu amistad con Jesús es aprendiendo más sobre él: lo que más le interesa, cuáles son sus esperanzas, lo que le enfada, cuáles son sus creencias más profundas. También puedes conocer a Jesús aprendiendo sobre las cosas que ha dicho y hecho. Este libro, *Llamados a ser católicos*, te ayudará a hacer precisamente esto. Al aprender acerca de Jesús te podrás relacionar con él como un amigo y permitir que esa relación crezca y se haga más profunda.

Hay un canto cristiano que dice: "Yo tengo un amigo que me ama, su nombre es Jesús". Espero que te puedas dar cuenta del amigo que tienes en Jesús y que tomes tiempo para aprender más sobre él y lo llegues a conocer personalmente. ¡Tu vida nunca volverá a ser la misma!

Atentamente,

Joe Paprocki

Joe Paprocki, D.Min.
Consultor nacional para la formación en la fe, Loyola Press

CALLED TO BE CATHOLIC
Welcome Letter

DEAR YOUNG PERSON,

I bet if you put your mind to it, you could quickly and easily make a list of five or ten things you know about your best friend: his or her favorite song, food, movie, hobby, team, and so on. You can probably describe some things about his or her past, some of your friend's accomplishments, and interests, what angers him or her, what your friend believes most deeply, and what his or her hopes and dreams are. When someone is important to us, we make a point of getting to know more about him or her. The more we know about someone, the more we truly know this person as a friend.

Jesus once said, "I no longer call you servants, I call you friends." What a gift to have a friend like Jesus! One of the ways that you can deepen your friendship with Jesus is by learning more about him: what he is most interested in, what his hopes are, what angers him, and what he believes in most deeply. You can also get to know Jesus by learning about the things he said and did. This book, *Called to Be Catholic,* is going to help you do just that. By learning about Jesus, you will be able to relate to him as a friend and enable that friendship to grow and deepen.

There's a great Christian hymn called "What a Friend We Have in Jesus." I hope you recognize what a friend you have in Jesus and that you take the time to get to know more about him and come to know him personally. Your life will never be the same!

Sincerely,

Joe Paprocki

Joe Paprocki, D.Min.
National Consultant for Faith Formation, Loyola Press

Los fundamentos de nuestra fe

¿Qué cualidades convierten a una persona en buen amigo? ¿Saber escuchar, mostrarse amable, ser leal? ¿Qué te convierte a ti en buen amigo para los demás? Ahora piensa en tu relación con Dios. ¿Cómo la describirías?

Jesús se acercó y les habló: "Me han concedido plena autoridad en cielo y tierra. Vayan y hagan discípulos entre todos los pueblos, bautícenlos consagrándolos al Padre y al Hijo y al Espíritu Santo. . ."

–Mateo 28:18–19

Foundations of Our faith

What are some qualities that make someone a good friend? Is it someone who is a good listener, kind, and loyal? What makes you a good friend to others? Now think about your relationship with God. How would you describe that relationship?

Then Jesus approached and said to them, "All power in heaven and on earth has been given to me. Go, therefore, and make disciples of all nations, baptizing them in the name of the Father, and of the Son, and of the holy Spirit . . ."

–Matthew 28:18–19

fe

Dios en tu vida

Tus días están llenos de personas que requieren tu atención: amigos, padres, hermanos, maestros, entrenadores, compañeros, vecinos. Todos ellos dan consejos sobre qué hacer para vivir una vida buena. Dicen: "Debes ser educado. Trata bien a los demás. Aprende a trabajar duro. Desarrolla tus talentos. Juega limpio. Busca buenos amigos. Sé buen amigo".

Todo esto es importante, pero la Iglesia católica nos enseña que lo más importante de todo es la conexión con Dios. El mensaje fundamental que nos transmite el Evangelio es que Dios nos ama y quiere mantener una relación con nosotros. *Evangelio* quiere decir "buena nueva" y la idea de que Dios quiere ser parte de tu vida es una nueva muy buena.

¿Qué hace que una relación sea buena?

Dios quiere tener una relación estrecha contigo, pero, ¿cómo hacerlo? Piensa en cómo te relacionas con tus mejores amigos. Seguramente en todos los casos se dan estos cuatro elementos:

- **Sabes** ciertas cosas de tus amigos. Ellos te aprecian y puedes confiar en ellos.
- **Realizas** actividades con ellos. Se divierten cuando pasan tiempo juntos.
- **Actúas** como un amigo. Te comportas de forma respetuosa, les demuestras cariño y comparten sus pertenencias.
- **Te comunicas** con ellos. Les hablas y les cuentas tus esperanzas y sueños. También compartes las situaciones difíciles.

Los cuatro pilares de una relación con Dios

Estos cuatro elementos también están presentes en una relación con Dios. Considéralos como los pilares o las columnas que sostienen el techo de un gran edificio.

- **El Credo:** lo que *sabemos* sobre nuestra fe en Dios.
- **Los sacramentos:** cómo *celebramos* nuestra fe en Dios.
- **La vida moral:** cómo *vivimos* nuestra fe en Dios.
- **La oración:** cómo nos *comunicamos* con Dios.

Cuando colocas estos pilares en su lugar logras una conexión fuerte con Dios: la relación más importante que puedes tener en toda tu vida.

MI TURNO: Mi oración

Existen muchas maneras de rezar. Haz una lista de las formas en que sueles hacerlo.

____

____

____

____

____

God in Your Life

faith

Your days are probably filled with people demanding your attention: friends, parents, siblings, teachers, coaches, teammates, and neighbors. All these people offer ideas about what it takes to live a good life. They say: Get an education. Treat others well. Learn how to work hard. Develop your talents. Play fair. Find good friends. Be a good friend.

These things are important, but the Catholic Church says that the one thing that is more important than anything else is a connection with God. The basic message of the Gospel is that God loves you and wants to have a relationship with you. *Gospel* means "good news." The idea that God wants to be part of your life is very good news.

What Makes a Relationship Good?

God wants to have a close relationship with you. How does this work? Think about how you relate to your best friends. Most likely, four elements are present.

- You **know** certain things about your friends. They like you, and you can trust them.
- You **do** things together. You have fun when you spend time together.
- You **act** like a friend. You behave respectfully, show affection, and share your possessions with one another.
- You **communicate.** You talk with them and share your hopes and dreams with one another. You also share the difficult things.

Four Pillars of a Relationship with God

Four elements are also present in our relationship with God. Think about them as pillars, or columns, holding up a roof of a large building.

- **Creed:** What we *know* about our faith in God
- **Sacraments:** How we *celebrate* our faith in God
- **The Moral Life:** How we *live out* our faith in God
- **Prayer:** How we *communicate* with God

When you get these pillars in place, you'll have a strong foundation with God—the most important relationship you will ever have.

MY TURN: My Prayer

There are many ways to pray. List some of the ways you pray.

together

fe

Sabemos mucho acerca de Dios. Dios nos ha contado mucho sobre cómo es, qué ha hecho por nosotros y lo que desea de nosotros. Todo esto se encuentra en el **Credo** de la Iglesia católica, en la Biblia y en las antiguas tradiciones de la fe católica. Nos aferramos a nuestra fe, que nos es revelada a través de las Sagradas Escrituras y la Tradición, y la cual se resume en el Credo.

Expresamos nuestro amor a Dios participando en la liturgia y los sacramentos de la Iglesia. Los **sacramentos** son la manera más importante en que Dios nos demuestra su amor.

Mostramos una actitud afectuosa hacia Dios y hacia las demás personas. Los **Diez Mandamientos**, las **Bienaventuranzas** y las enseñanzas morales de Jesús nos muestran cómo vivir una vida de paz, justicia y amor. Vivimos nuestra fe de acuerdo con la moral católica.

Nos comunicamos con Dios por medio de la oración. La Iglesia nos enseña a rezar todos juntos en la misa y en otros momentos de culto, y también a cómo hacerlo individualmente.

Dios nos invita

La mayor parte del tiempo te tienes que esforzar para obtener lo que deseas. ¿Quieres destacar en algún deporte? Entonces tienes que hacer lo que te indica el entrenador, cuidar lo que comes, esforzarte durante el juego y, sobre todo, practicar, practicar, practicar. ¿Quieres hacer nuevos amigos? Lograrlo suele llevar tiempo y trabajo, hasta que te acercas a los demás y les demuestras que vale la pena tenerte como amigo. ¿Quieres sobresalir en la escuela? Dedícate a los libros. Pónte a estudiar. Sea lo que sea, decide qué es lo que quieres y disponte a lograrlo.

Con Dios sucede lo contrario. Dios da el primer paso y luego continúa invitándonos a medida que nuestra conexión con él se vuelve más profunda y más fuerte. Cumplimos con nuestra parte de la relación cuando trabajamos en respuesta a la invitación que Dios nos hace a conocerlo y amarlo. Dios nos invita; nosotros acudimos a su llamada.

Desde el comienzo de los tiempos Dios ha invitado a los hombres y mujeres a establecer una relación con él. Desde el principio los seres humanos han respondido a esa invitación de alguna manera.

juntos

We already know a lot about God. God has told us much about what he is like, what he has done for us, and what he wants. We find this in the **Creed** of the Catholic Church, the Bible, and in the ancient traditions of the Catholic faith. We hold on to our faith that is revealed to us through Scripture and Tradition and is summarized in the Creed.

We express our love for God through participation in the liturgy and sacraments of the Church. The **sacraments** are the most important ways that God shows his love for us.

We act lovingly toward God and other people. The **Ten Commandments,** the **Beatitudes,** and Jesus' moral teachings show us how to live lives of peace, justice, and love. We live our faith according to Catholic morality.

We communicate with God in prayer. The Church teaches us how to pray together at Mass and other times of worship, and also how to pray by ourselves.

God Reaches Out

Most of the time, you have to work hard to get what you want. Do you want to be good at a sport? Then you do what the coach says, watch what you eat, play hard, and—above all—practice, practice, practice. Do you want to make new friends? This usually takes some time and work as you reach out to others and prove yourself as someone worthy of being a friend. Do you want to excel in school? Hit the books. Study. Whatever it may be, decide what you want, and then go after it.

With God it's the other way around. God takes the first step, and he continues to reach out to us as our connection with him deepens and grows stronger. We hold up our end of the relationship when we work in response to God's invitation to know him and love him. God issues an invitation; we answer the call.

Since the beginning of time, God has been inviting human beings into a relationship with him; from the beginning of time, people have answered this invitation in some way.

fe

No se trata de ti

A medida que crece nuestra relación con Dios sucede algo sorprendente. Ya no ponemos tanta atención en nosotros mismos, sino que pasamos a dedicar más tiempo y energía a Dios y a las personas que Dios ha puesto en nuestra vida. Pero no te confundas, cada uno de nosotros es una persona muy importante. A Dios le importas tanto que se preocupa personalmente por tu vida. Pero parte de nuestra respuesta a la invitación de Dios es prestar más atención a lo que Dios quiere y hacia lo que Dios hace.

Durante miles de años la humanidad creía que la Tierra era el centro de todo. Día tras día veían el sol salir por el este, ocultarse por el oeste y aparecer nuevamente por el este. Parecía obvio que el sol giraba alrededor de la Tierra. Pero hace unos 500 años quedó incuestionablemente demostrado que la Tierra es la que gira alrededor del sol. Desde entonces hemos aprendido que la Tierra y el sol son apenas dos puntos diminutos dentro de un vasto universo formado por millones de estrellas. Conocer esta verdad nos hace humildes.

Lo mismo sucede a medida que conocemos a Dios. Es fácil pensar que nosotros somos el centro de nuestro mundo. Es un pensamiento placentero, apoyado de muchas maneras y de forma constante en nuestra sociedad, incluso por nuestros padres y maestros. Pero el centro de nuestro mundo es Dios y lo que él hace en nuestras vidas.

La persona que mejor sabía esto era Jesús, el Hijo de Dios. Durante su vida en la tierra la pasión que lo movía era cumplir la voluntad de su Padre. "Pero no se haga mi voluntad, sino la tuya", dijo Jesús a su Padre (Lucas 22:42). Cada vez que rezamos el Padrenuestro, la oración que Jesús nos enseñó, decimos lo mismo: "hágase tu voluntad en la tierra como en el cielo".

MI TURNO: La amistad

Piensa en todas las personas a quienes consideras buenos amigos. ¿Qué cualidades tienen en común todas esas personas?

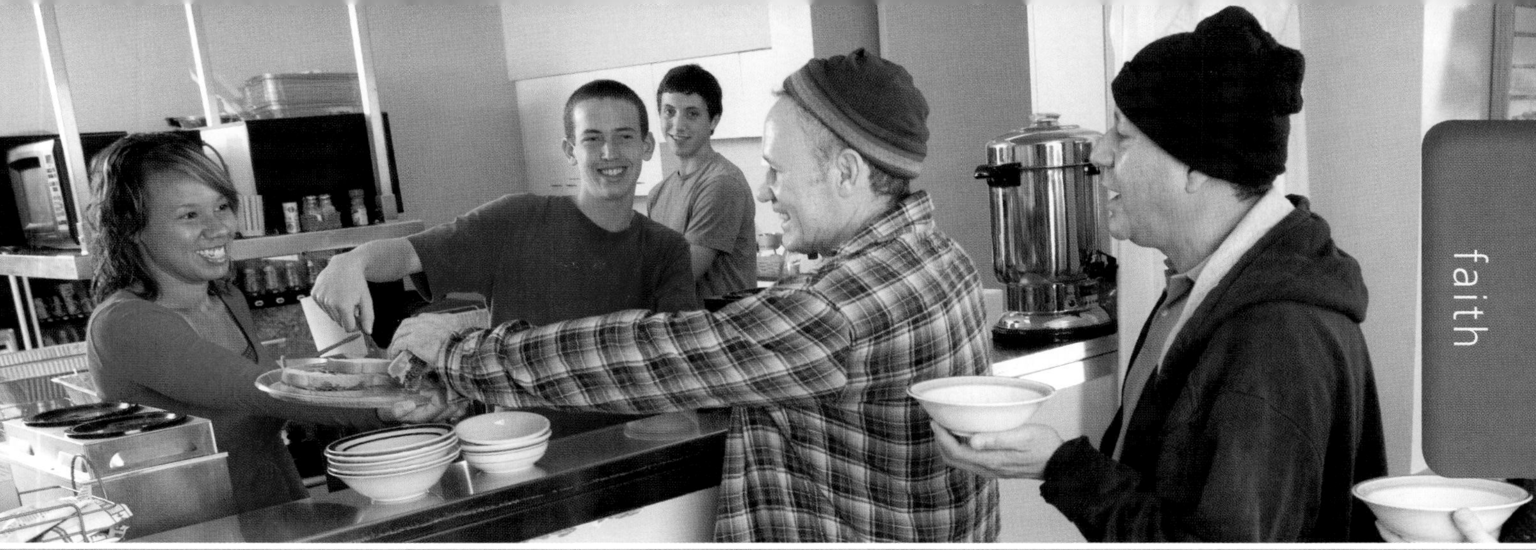

faith

It's Not About You

As we grow in a relationship with God, a surprising thing happens. We pay less attention to ourselves and dedicate more time and energy to God and to the people God has put in our lives. Don't misunderstand—you are a very important person. God cares deeply about you; he's personally concerned about your life. But part of our answer to God's invitation is to turn more of our attention to what God wants and what God is doing.

For thousands of years, human beings thought that the earth was the center of everything. Every day we could watch the sun rise in the east and set in the west. It seemed obvious that the sun revolved around the earth. But about 500 years ago, it was shown beyond a doubt that the earth was circling the sun. We've since learned that the earth and the sun are tiny specks in a vast universe of billions of stars. Knowing this makes us humble.

The same kind of shift in thinking happens as we get to know God. It's easy to think that we're the center of our world. It's a pleasant thought, and it's reinforced constantly in our society in many ways, even by parents and teachers. But the center of our world is God and what he is doing in our lives.

The person who knew this best was Jesus, the Son of God. During his life on earth, his driving passion was to do his Father's will. "[N]ot my will but yours be done," he told his Father. (Luke 22:42) We say the same thing every time we pray the Lord's Prayer, the prayer Jesus taught us, praying "thy will be done on earth as it is in heaven."

MY TURN: Friendship

Think of all the people you consider good friends. What qualities do these people share?

____

____

____

____

____

fe

La Revelación de Dios

Dios nos ha contado mucho acerca de quién es y cómo podemos conocerle y amarle. **Revelación** es lo que sabemos acerca de Dios. Gran parte de ese conocimiento está escrito. Otra parte abarca tradiciones de la fe y enseñanzas que se remontan a miles de años. La Iglesia católica preserva esta Revelación y nos enseña su significado.

La Revelación más importante de Dios es Jesucristo, que es completamente Dios y completamente hombre. Jesús vivió el modelo de vida humana. Nos mostró cómo rezar, cómo amarnos los unos a los otros y cómo servir. A través de su sufrimiento, muerte y Resurrección, Jesús libró a la raza humana de su carga de pecado. La obra de Jesús, dedicada a salvar y curar al mundo, continúa por medio de la Iglesia y de las obras de cada persona que se esfuerza por amar y servir a Dios.

La **fe** católica se refiere a quién fue Jesús, lo que nos enseñó y lo que hizo. Tener fe significa creer en las enseñanzas de Jesús y confiar en él como guía de nuestras vidas.

Las Sagradas Escrituras y la Tradición

La Revelación de Dios se nos presenta en dos formas: las **Sagradas Escrituras**, que son la palabra de Dios escrita, y la **Tradición**, o lo que es lo mismo, las enseñanzas de los discípulos de Jesús. Jesús es la fuente de las Sagradas Escrituras y de la Tradición.

Las Sagradas Escrituras conforman la Biblia, la Palabra de Dios escrita. Se han impreso más copias de la Biblia que de cualquier otra obra en toda la historia. En ella se narra la relación de Dios con la humanidad, desde la creación del mundo hasta las primeras comunidades cristianas y la fundación de la Iglesia en el siglo I. El Antiguo Testamento relata la historia del pueblo judío. El Nuevo Testamento contiene la historia de Jesús y de las primeras comunidades cristianas.

Escuchas lecturas del Antiguo y del Nuevo Testamento durante la misa. Estas lecturas son algunas de las partes más importantes de la Biblia, pero hay mucho más en la Biblia para leer y sobre lo que reflexionar.

Las enseñanzas de Jesús y sus apóstoles también se transmiten mediante la Tradición de la Iglesia. Seguir la Tradición no significa hacer las mismas cosas una y otra vez mientras todo lo demás cambia. La Tradición de la Iglesia representa las enseñanzas de Jesús, transmitidas por sus apóstoles, preservada a través de los siglos por la Iglesia y vivida en nuestros tiempos.

SIGNO SAGRADO: La Biblia

La Biblia, el libro sagrado de la fe cristiana, está compuesta por 73 libros de distinto tipo. La parte central del Antiguo Testamento es el *Pentateuco,* cinco libros históricos que narran la historia de la Creación y los orígenes del pueblo judío. La parte fundamental del Nuevo Testamento son los Evangelios de Mateo, Marcos, Lucas y Juan, quienes relatan la historia de Jesús.

God's Revelation

God has told us much about who he is and how we can know and love him. **Revelation** is what we know about God. Much of it is written down. Much of it consists of traditions of beliefs and teachings that stretch back thousands of years. The Catholic Church preserves this Revelation and teaches what it means.

The most important Revelation of God is Jesus Christ, who is both fully God and fully man. Jesus lived the model human life. He showed us how to pray, how to love one another, and how to serve. Through his suffering, Death, and Resurrection, Jesus delivered the human race from its burden of sin. Jesus' work of saving and healing the world continues through the Church and through the work of every person who strives to love and serve God.

The Catholic **faith** is about who Jesus was, what he taught, and what he did. Having faith means believing in Jesus' teaching and trusting him to guide your life.

Scripture and Tradition

God's Revelation comes in two forms: **Scripture,** the written word of God, and **Tradition,** the teaching of Jesus' disciples. Jesus is the source of both Scripture and Tradition.

Scripture is the Bible, the written Word of God. More copies of the Bible have been printed than any other book in history. It tells the story of God's relationship with people from the creation of the world to the first Christian communities and to the establishment of the Church in the first century. The Old Testament tells the story of the Jewish people. The New Testament is the story of Jesus and the early Church.

You hear readings from both the Old and New Testaments at Mass. These readings are some of the most important parts of the Bible, but there is much more in the Bible to read and consider.

The teaching of Jesus and his Apostles is also passed along through the Tradition of the Church. Tradition doesn't mean doing the same things over and over while everything else changes. The Church's Tradition is the teaching of Jesus, passed on by his Apostles, preserved through the centuries by the Church, and lived out in our time.

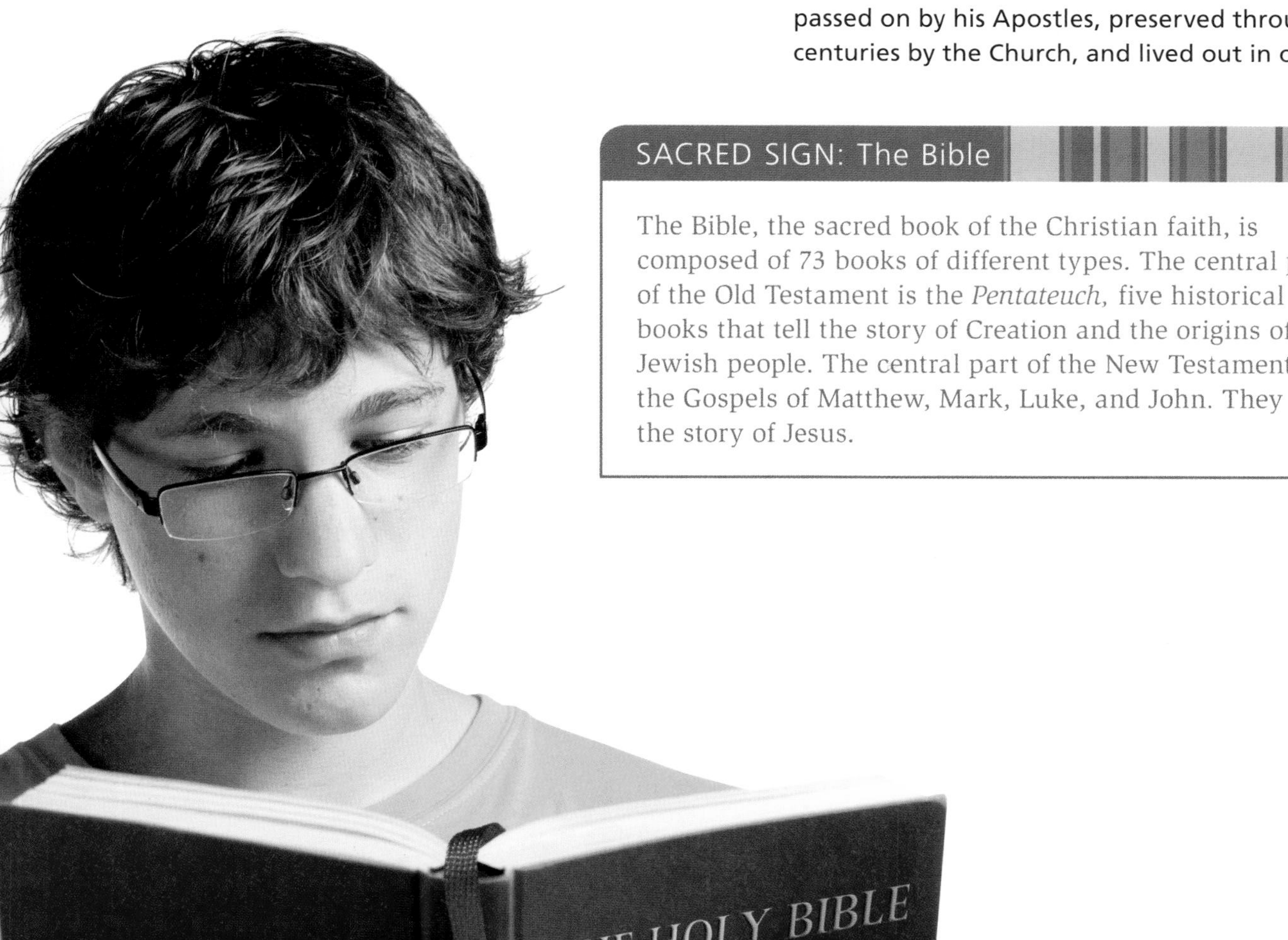

SACRED SIGN: The Bible

The Bible, the sacred book of the Christian faith, is composed of 73 books of different types. The central part of the Old Testament is the *Pentateuch,* five historical books that tell the story of Creation and the origins of the Jewish people. The central part of the New Testament is the Gospels of Matthew, Mark, Luke, and John. They tell the story of Jesus.

fe

La Revelación de las Sagradas Escrituras: los Diez Mandamientos y las ocho Bienaventuranzas

La Revelación de Dios en ambos, el Antiguo y el Nuevo Testamento, es la base de las enseñanzas católicas que nos indican cómo vivir una vida moral.

Una de las enseñanzas morales más importantes se encuentra en el Antiguo Testamento. Ahí aprendemos que Dios dio los Diez Mandamientos al pueblo judío a través de su líder principal, Moisés, quien los libró de la esclavitud en Egipto. El Primer Mandamiento es amar y servir a Dios sobre todas las cosas. Los demás mandamientos nos prohíben matar, robar, mentir y otros comportamientos incorrectos.

Las Bienaventuranzas son parte del Sermón de la montaña y una de las mejores formas en que se resumen las enseñanzas de Jesús sobre lo correcto y lo indebido dentro del Nuevo Testamento. Mientras que los Diez Mandamientos prohíben principalmente el comportamiento pecaminoso, con las Bienaventuranzas Jesús presta especial atención a las virtudes y actitudes del corazón de las personas. La primera dice: "Felices los pobres de corazón, porque el reino de los cielos les pertenece" (Mateo 5:3). Otras destacan a los que tienen sed de justicia, trabajan por la paz y son misericordiosos.

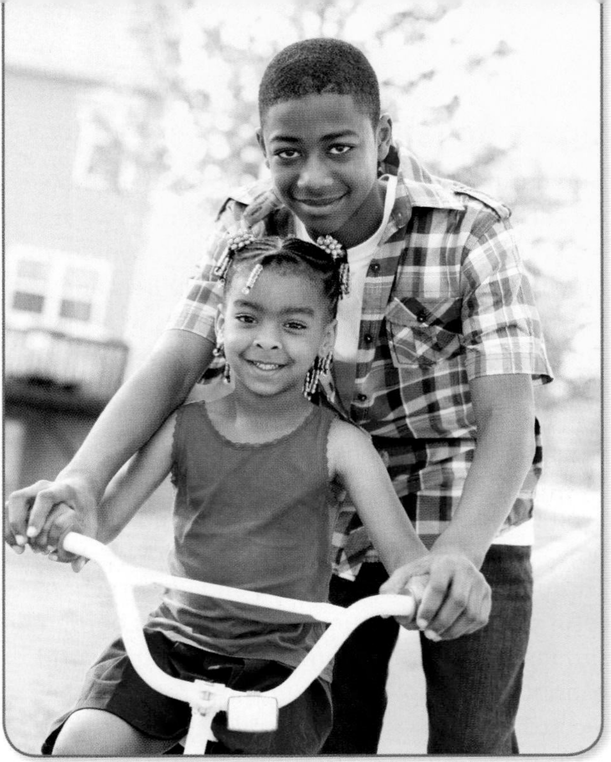

La Revelación de la Tradición: el Credo

Una revelación importante de la Tradición es el Credo Niceno, un resumen de lo que los cristianos creen acerca de Dios Padre, Hijo y Espíritu Santo. El Credo se reza en voz alta en todas las misas. Comienza diciendo: "Creo en un solo Dios, Padre Todopoderoso, Creador del cielo y de la tierra, de todo lo visible y lo invisible". El Credo es un texto antiguo, escrito en el siglo IV d. C. por los obispos de la Iglesia en las ciudades de Nicea y Constantinopla. Con el paso de los siglos la Iglesia ha confirmado el Credo como texto *ortodoxo*, es decir, como "creencia correcta".

RITO: Bautismo

Durante el Ritual del Bautismo el obispo, sacerdote o diácono vierte agua tres veces sobre la cabeza del candidato o sumerge al candidato en el agua tres veces. Cuando el candidato es sumergido o el agua se vierte sobre su cabeza, el celebrante dice las palabras: "Yo te bautizo en el nombre del Padre y del Hijo y del Espíritu Santo". El agua en el Bautismo simboliza que nuestros pecados son lavados.

Revelation from Scripture: Ten Commandments and Eight Beatitudes

God's Revelation in both the Old and New Testaments is the basis for Catholic teaching on living a moral life.

One of the most important of these moral teachings is found in the Old Testament. There we learn that God gave the Ten Commandments to the Jewish people through their great leader Moses, who delivered them from slavery in Egypt. The First Commandment is to love and serve God above all things. The remaining commandments forbid murder, stealing, lying, and other forms of wrong behavior.

In the New Testament, one of the best summaries of Jesus' teaching about right and wrong is the Beatitudes, part of the Sermon on the Mount. While the Ten Commandments mainly forbid sinful behavior, Jesus paid particular attention to the virtues and attitudes of a person's heart. The first beatitude is "Blessed are the poor in spirit, for theirs is the kingdom of heaven." (Matthew 5:3) Other beatitudes praise those who seek justice, who make peace, and who give mercy.

Revelation from Tradition: The Creed

An important Revelation from Tradition is the Nicene Creed, a summary of what Christians believe about God the Father, Son, and Holy Spirit. The Creed is prayed aloud at Masses that are celebrated on Sundays and major feast days. The Nicene Creed begins, "I believe in one God, the Father almighty, maker of heaven and earth, of all things visible and invisible." This Creed is an ancient text, written in the fourth century A.D. by the bishops of the Church in the cities of Nicaea and Constantinople. Over the centuries, the Church has affirmed the Creed as *orthodox*, meaning "correct belief."

faith

RITE: Baptism

During the Rite of Baptism, the bishop, priest, or deacon pours water three times over the head of the candidate or immerses the candidate in the water three times. As the candidate is immersed or the water is poured over his or her head, the celebrant says, "I baptize you in the name of the Father, and of the Son, and of the Holy Spirit." The water in Baptism symbolizes our sins being washed away.

fe

TESTIGO: Abrahán

Miles de años antes de Cristo, Dios convocó a Abrahán para que dejara su casa y viajase por el desierto hasta la tierra de Canaán. Junto a su esposa Sara, Abrahán aceptó la llamada de Dios y demostró una gran fe en el Creador a través de diferentes pruebas. Abrahán es el patriarca fundador del pueblo judío y el padre espiritual de los cristianos.

Autoridad en la que puedes confiar

¿Cómo sabemos que las Sagradas Escrituras y la Tradición dicen la verdad? Todo es cuestión de confiar en la autoridad de Dios. Respetas la autoridad de tus maestros y de tus padres porque has aprendido a confiar en ellos. El rumbo que te marcan tiene buenos resultados y, la mayoría de las veces, lo que te dicen resulta cierto. Cuando se trata de la fe toda la autoridad proviene de Dios. Dios Padre le otorgó toda la autoridad a su Hijo, Jesucristo. Dijo Jesús: "Me han concedido plena autoridad en cielo y tierra" (Mateo 28:18). Jesús estableció la Iglesia y les confirió a los apóstoles y a sus sucesores, los obispos, la autoridad para predicar y enseñar en su nombre: "Vayan y hagan discípulos entre todos los pueblos" (Mateo 28:19).

Dios no decepciona ni miente. Dios es amor y verdad. Vino a nuestro mundo hecho hombre en Jesucristo y predicó el Evangelio: la verdad sobre Dios y la verdad acerca de cómo vivir en paz y amor. La Iglesia preserva lo que Jesús predicó y nos ayuda a seguir sus enseñanzas y su ejemplo.

Dios se acerca a ti, quiere mostrarte el camino para conocerle y amarle. Jesús es el camino. Jesucristo está vivo en nuestro mundo actual, especialmente en la Iglesia que ha creado. Dios mismo nos lo dice. Y la de Dios es una palabra en la que puedes confiar.

MI TURNO: La autoridad

Piensa en las personas por las que sientes un gran respeto en tu vida que se encuentran en alguna posición de autoridad. ¿Qué las convierte en personas dignas de confianza?

Authority You Can Trust

How do we know that Scripture and Tradition are true? It comes down to trusting the authority of God. You respect the authority of teachers and parents because you've learned to trust them. The direction they give you has good results, and most times, what they tell you turns out to be true. When it comes to faith, all authority comes from God. God the Father gave all authority to his Son, Jesus Christ. Jesus said, "All power in heaven and on earth has been given to me." (Matthew 28:18) Jesus established the Church and gave the Apostles and their successors, the bishops, authority to preach and teach in his name: "Go, therefore, and make disciples of all nations . . ." (Matthew 28:19)

God doesn't deceive or lie. He is love and truth. God came into our world in the person of Jesus Christ, who proclaimed the Gospel—the truth about God and the truth about how to live in peace and love. The Church preserves what Jesus said and helps us follow Jesus' teaching and example.

God has reached out to you—showing you the way to know him and love him. The Way is Jesus. Jesus Christ is alive in our world today, especially in the Church he established. God himself says this. And God's is a word you can trust.

WITNESS: Abraham

About two-thousand of years before Jesus was born, God called Abraham from his home and invited him to journey through the desert to the land of Canaan. Abraham, along with his wife Sarah, accepted this call and showed great faith in God through many trials. Abraham is the founding patriarch of the Jewish people and a spiritual father to Christians.

MY TURN: Authority

Think of the people in your life whom you look up to and are in a position of authority. What makes them trustworthy?

fe

resumen

RESUMEN DEL TEMA

Dios quiere que tengamos una relación con él. Jesucristo es la manera más importante en la que Dios se nos revela. Podemos recurrir a las Sagradas Escrituras y a la Iglesia para que nos guíen en las maneras de acercarnos a Dios. Dependemos del Credo, los sacramentos, la vida moral y la oración para ayudarnos a estar cada vez más cerca de Dios por medio de la Iglesia.

RECUERDA

¿Cuáles son los cuatro pilares de una relación con Dios?

El Credo, los sacramentos, la vida moral y la oración son los cuatro pilares de una relación con Dios.

¿Cuáles son las dos formas de la Revelación de Dios?

Las Sagradas Escrituras y la Tradición viva de la Iglesia son las dos formas de la Revelación de Dios.

¿Qué significa tener fe?

Tener fe significa creer en las enseñanzas de Jesús y confiar en él para que guíe nuestras vidas.

¿Quién fundó la Iglesia?

La Iglesia católica fue fundada por Jesús y nos enseña con la autoridad que Jesús le ha dado.

ACTÚA

1. Piensa en las personas que conoces y sabes que están solas de la escuela, del vecindario, incluso de tu propia familia. Toma la decisión de acercarte a alguna de ellas. Escribe lo que podrías hacer por esa persona.
2. ¿En qué ámbito de tu vida necesitas más ayuda en este preciso momento? Cuando dispongas de tiempo para estar a solas, reza una oración pidiéndole a Jesús que te guíe en este momento de tu vida.

Palabras a saber

Bienaventuranzas
Credo
fe
Revelación
sacramentos
Sagradas Escrituras
Diez Mandamientos
Tradición

REFLEXIONA

Piensa en la fe que Jesús tiene en nosotros, sus seguidores. ¿Cómo has mostrado tu fe en otras personas? Escribe sobre alguna situación en la que hayas demostrado tu fe en otras personas.

Jesús, quiero conocerte mejor. Ven a mi corazón. Ayúdame. Ayuda a la gente que amo. Enséñame lo que necesito saber. Amén

summary

FAITH SUMMARY

God wants us to be in a relationship with him. Jesus Christ is the most important way in which God reveals himself to us. We can look to Scripture and the Church to guide us in ways to grow closer to God. We depend on the Creed, the sacraments, the moral life, and prayer to help us grow closer to God through the Church.

REMEMBER

What are the four pillars of a relationship with God?
The Creed, the sacraments, the moral life, and prayer are the four pillars of a relationship with God.

What are the two forms of God's Revelation?
Scripture and the Church's living Tradition are the two forms of God's Revelation.

What does having faith mean?
Having faith means believing in Jesus' teaching and trusting him to guide your life.

Who established the Church?
The Catholic Church was established by Jesus and teaches with his authority.

Jesus, I want to know you better. Come into my heart. Help me. Help the people I love. Teach me what I need to know. Amen.

Words to Know

Beatitudes
Creed
faith
Revelation
sacraments
Scripture
Ten Commandments
Tradition

faith

REACH OUT

1. Think of lonely people you're aware of—at school, in your neighborhood, maybe even in your family. Resolve to do something to reach out to one of them. Write what you could do.
2. Where do you most need help in your life right now? When you get some time alone, pray a prayer asking Jesus for guidance during this time in your life.

REFLECT

Think about the faith Jesus has in us, his followers. How have you shown your faith in others? Write about a time you demonstrated faith in others.

Unidos en el amor

Piensa en algún momento en el cual sentiste que de pronto entendías algo, por ejemplo un problema matemático o una habilidad deportiva. ¿Cómo te sentías al principio? ¿Asustado? ¿Confundido? ¿Cómo te sentiste después de haber entendido la solución? ¿Confiado? ¿Entusiasmado? Mirar un desafío con nuevos ojos nos ayuda a ver que aquello que en un principio parecía difícil sólo necesita que le dediquemos tiempo para comprenderlo.

Todo el pueblo se bautizaba y también Jesús se bautizó; y mientras oraba, se abrió el cielo, bajó sobre él el Espíritu Santo en forma de paloma y se oyó una voz del cielo: "Tú eres mi Hijo querido, mi predilecto". *–Lucas 3:21–22*

United in love

Recall a time when you felt something "click," like a math problem or a sports skill. How did you feel at first? Scared? Confused? How did you feel after it "clicked" for you? Confident? Excited? Seeing a challenge with new eyes helps us realize that what seems difficult at first just takes time and understanding.

After all the people had been baptized and Jesus also had been baptized and was praying, heaven was opened and the holy Spirit descended upon him in bodily form like a dove. And a voice came from heaven, "You are my beloved Son; with you I am well pleased." *–Luke 3:21–22*

amor

Tres Personas en un solo Dios

La Trinidad es importante porque nos revela algunas cuestiones sorprendentes acerca de quién es y cómo es Dios. Tu relación con Dios es la relación más importante de tu vida. En el capítulo anterior aprendiste sobre los cuatro pilares de la fe: *aprendemos* acerca de Dios (el Credo), *recibimos* el amor de Dios (los sacramentos), *vivimos* en la forma en que Dios quiere que vivamos (la vida moral) y nos *conectamos* con Dios (la oración). Todo es cuestión de llegar a conocer a Dios y entender que lo primero y lo más profundo que debemos saber es que Dios es Padre, Hijo y Espíritu.

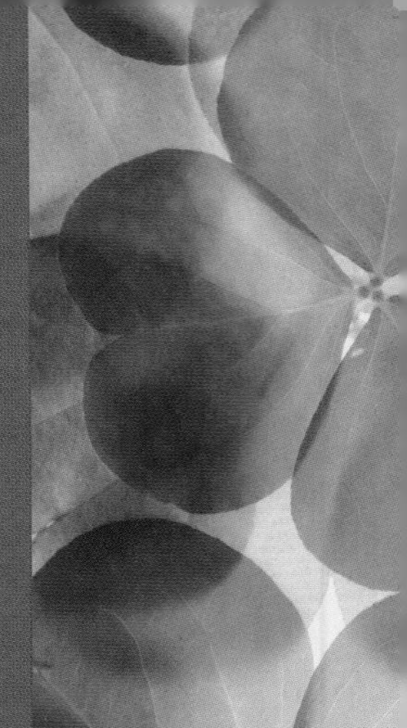

Llegar a conocer a Dios

Siempre que se reúnen los católicos mencionan a la **Trinidad**. No tienes que estar muy atento para notarlo. La misa siempre se inicia diciendo: "En el nombre del Padre, y del Hijo y de Espíritu Santo". Los católicos a menudo pronunciamos estas palabras al persignarnos con la **Señal de la Cruz**. Muchas alabanzas y oraciones terminan honrando al Padre, Hijo y Espíritu Santo. Incluso a veces, cuando ves un partido de béisbol o de fútbol en televisión, verás que algún jugador hace la Señal de la Cruz después de marcar un tanto para su equipo.

Piensa en la Trinidad por un momento. Creemos que existe un único Dios que es tres Personas: Padre, Hijo y Espíritu Santo. La Santísima Trinidad es el misterio central de la fe cristiana. Miles de millones de habitantes de la Tierra creen en Dios pero sólo los cristianos creemos en un Dios que es Padre, Hijo y Espíritu Santo. Esto nos hace únicos.

La doctrina de la Trinidad

Los **teólogos** han escrito millones de páginas sobre la doctrina de la Trinidad. Sus obras llenarían bibliotecas enteras. Pero las enseñanzas cristianas sobre la Trinidad se pueden resumir en tres puntos principales:

- **Dios es sólo uno.** Los cristianos no creen en tres dioses. Al igual que los judíos y los musulmanes, los cristianos creemos en la existencia de un solo Dios: el Creador del cielo y de la tierra.

MI TURNO: Explicar la Trinidad

San Patricio usaba un trébol de tres hojas para explicar la Trinidad. Piensa cómo podrías explicar tú qué es la Trinidad.

Three Persons in One God

The Trinity is important because it tells us some surprising things about who God is and what God is like. Your relationship with God is the most important relationship in your life. You learned about the four pillars of faith in the last chapter: We *learn* about God (Creed), we *receive* God's love (sacraments), we *live* the way God wants us to (the moral life), and we *connect* with God (prayer). It's all about getting to know God, and the fact that God is Father, Son, and Spirit is the first and deepest thing to know about him.

love

Getting to Know God

Wherever Catholics get together, you'll find mention of the **Trinity**. You don't even have to be paying much attention to notice it. Every Mass begins with "In the name of the Father, and of the Son, and of the Holy Spirit." Catholics frequently say these words as they make the **Sign of the Cross.** Many hymns and prayers end by honoring the Father, Son, and Holy Spirit. Sometimes when you're watching a soccer or baseball game on television, you'll see a player make the Sign of the Cross after scoring a goal or hitting a home run.

Think about the Trinity for a moment. We believe that there is one God, but that he is Three Persons: Father, Son, and Holy Spirit. The Trinity is *the* central mystery of the Christian faith. Billions of people on earth believe in God, but only Christians believe in a God who is Father, Son, and Holy Spirit. It makes us unique.

The Doctrine of the Trinity

Theologians have written millions of words about the doctrine of the Trinity. Their books would fill entire libraries. But the Christian teaching about the Trinity boils down to three main points.

- **God is One.** Christians do not believe in three gods. Like Jews and Muslims, we believe that there is one God—the Creator of Heaven and earth.

MY TURN: Explaining the Trinity

Saint Patrick used a shamrock plant to explain the Trinity. Think of a way you could explain the Trinity.

relationship

- **Dios es Padre, Hijo y Espíritu.** Dios existe en tres Personas. Cada una es distinta; cada una es completamente Dios. Los seres humanos no se inventaron la Trinidad: Dios se reveló a sí mismo como tres Personas por medio de su Hijo, Jesús y del Espíritu Santo.
- **Las diferencias se basan en las relaciones.** Dios es una comunidad de Personas. El Padre es Padre porque tiene un Hijo. El Hijo es Hijo porque tiene un Padre. Su amor mutuo se expresa como el Espíritu Santo, que trae la vida de Dios y su verdad al mundo.

¿Cómo sabemos lo que es la Trinidad?

No sabríamos lo que es la Trinidad si Dios no nos hubiera hablado de ella. Lo sabemos por la Revelación de Dios (las Sagradas Escrituras y la Tradición viva de la Iglesia de las que hablamos en el primer capítulo). Nuestra habilidad humana natural para pensar y resolver situaciones nos dicen mucho sobre Dios. Por ejemplo, casi todas las personas creen que hay un Dios. Cada sociedad humana de la que tenemos conocimiento tiene una manera particular de venerar a Dios. Pero la certeza de que Dios existe en tres Personas no es algo que podamos conocer usando el cerebro. Es Dios quien nos lo hace saber.

Dios nos revela la Trinidad mediante sus palabras y actos. Es como ir conociendo a tus amigos. No los conoces con sólo pensar en ellos. Observas lo que hacen y escuchas lo que dicen. Sabes que son leales cuando te respaldan en los momentos difíciles. Sabes que son generosos cuando te sorprenden con un regalo. Sabes que te aprecian cuando pasan tiempo contigo. Sabes que son sensatos cuando te dan buenos consejos. Pero por otra parte, nunca llegas a saberlo *todo* sobre tus amigos.

Lo mismo sucede con Dios. Lo conocemos a través de sus palabras y acciones. Dios le dijo al pueblo hebreo que sólo hay un Dios, no varios, como pensaban antes los seres humanos. Con Jesús se llevaron otra sorpresa. Dios tiene un Hijo, lo que significa que también es Padre. Dijo Jesús: "El Padre y yo somos uno" (Juan 10:30). Después vino la Tercera Persona, el Espíritu Santo y Jesús añadió: "Reciban el Espíritu Santo" (Juan 20:22). Este es el misterio de la Santísima Trinidad: tres Personas distintas, un solo Dios.

***Interpretación del icono de la Trinidad de Rublev,* Sophie Hacker, 1995.**

***Interpretation of Rublev's Icon of the Trinity,* Sophie Hacker, 1995.**

Conocemos a Dios como Padre, Hijo y Espíritu Santo por medio de las Sagradas Escrituras y la Tradición. El pueblo hebreo observó cómo el único Dios los cuidó y escuchaban lo que Dios les decía sobre él mismo. A través de Jesús la humanidad conoció a Dios hecho carne. Presenciaron sus milagros y escucharon sus enseñanzas. Observaron cómo trataba a las personas. Lloraron cuando murió y se maravillaron cuando resucitó de entre los muertos. Conocemos a Jesús a través del Nuevo Testamento y la Tradición viva de la Iglesia.

- **God is Father, Son, and Spirit.** The one God exists in Three Persons. Each Person is distinct; each is wholly God. Human beings didn't come up with the Trinity on their own—God revealed himself as Three Persons through Jesus, his Son, and through the Holy Spirit.
- **The differences have to do with relationships.** God is a community of Persons. The Father is Father because he has a Son. The Son is Son because he has a Father. Their love together is expressed as the Holy Spirit, who brings God's life and truth into the world.

How Do We Know About the Trinity?

We wouldn't know about the Trinity unless God told us about it. It comes from God's Revelation—the holy Scriptures and the living Tradition of the Church, which we talked about in the first chapter. Our natural human ability to think and figure things out can tell us many things about God. For example, almost all people believe that there *is* a God. Every human society we know about has a way of worshiping God. But the knowledge that God exists in Three Persons isn't something we know by using our heads. God tells us about it.

God reveals the Trinity to us through his words and actions. It's like getting to know your friends. You don't know your friends by thinking about them. You watch what they do and listen to what they say. You know they're loyal when they stick with you in tough times. You know they're generous when they surprise you with a gift. You know they like you when they spend time with you. You know they are wise when they give you good advice. At the same time, you never know *everything* about your friends.

So it is with God. We know him by his words and actions. God told the Hebrew people that there is only one God, not many, as human beings had previously thought. With Jesus came another surprise. God had a Son, which meant he was Father as well. Jesus said, "The Father and I are one." (John 10:30) Then came the Third Person, the Holy Spirit. Jesus said, "Receive the holy Spirit." (John 20:22) Here is the mystery of the Trinity—three distinct Persons, yet one God.

We know God as Father, Son, and Holy Spirit through Scripture and Tradition. The Hebrew people watched how the one God took care of them, and they listened to what God said about himself. In Jesus, people met God in human flesh. They observed his miracles and listened to his teaching. They watched how he treated people. They wept when he was killed, and they were astounded when he rose from the dead. We know about Jesus through the New Testament and the living Tradition of the Church.

amor

¿Qué nos dice la Trinidad sobre Dios?

Dios es Padre

El hecho de que Dios sea **Padre** significa que es el Creador. Todas las cosas se inician con él. La paternidad de Dios también significa que él nos protege y que cuida de su creación, en especial de los seres humanos.

Padre es un buen término para describir a Dios, pero no es la palabra perfecta. Por un lado nos hace recordar a los padres terrenales, por otra parte sugiere que Dios es un ser masculino. Posiblemente has visto obras de arte en las que se representa a Dios como un poderoso anciano de barba y pelo canoso. Dios es Padre pero no es hombre. Podríamos llamarle madre también, porque las madres, al igual que los padres, nos dan la vida, nos protegen y nos cuidan. Pero Dios no es hombre ni mujer. Dios es Dios, más allá de cualquier género, raza o cualquier otra categoría humana.

Dios es Hijo

El Padre tiene un **Hijo**: Jesús, que vivió hace aproximadamente dos mil años en una remota provincia del Imperio Romano. Jesús es el camino más importante por el que llegamos a conocer a Dios. Jesús nos muestra que Dios es misericordioso, amoroso, generoso y justo. Nos ama tanto que murió por nosotros. Jesús y tú tienen el mismo Padre. Eso significa que Jesús es tu hermano.

Dios es Espíritu Santo

El **Espíritu Santo** es la presencia activa de Dios en nuestras vidas. El Espíritu "procede" del Padre y del Hijo, es decir, el Espíritu es una expresión de su amor. A través del Espíritu, Dios vive y actúa en el mundo.

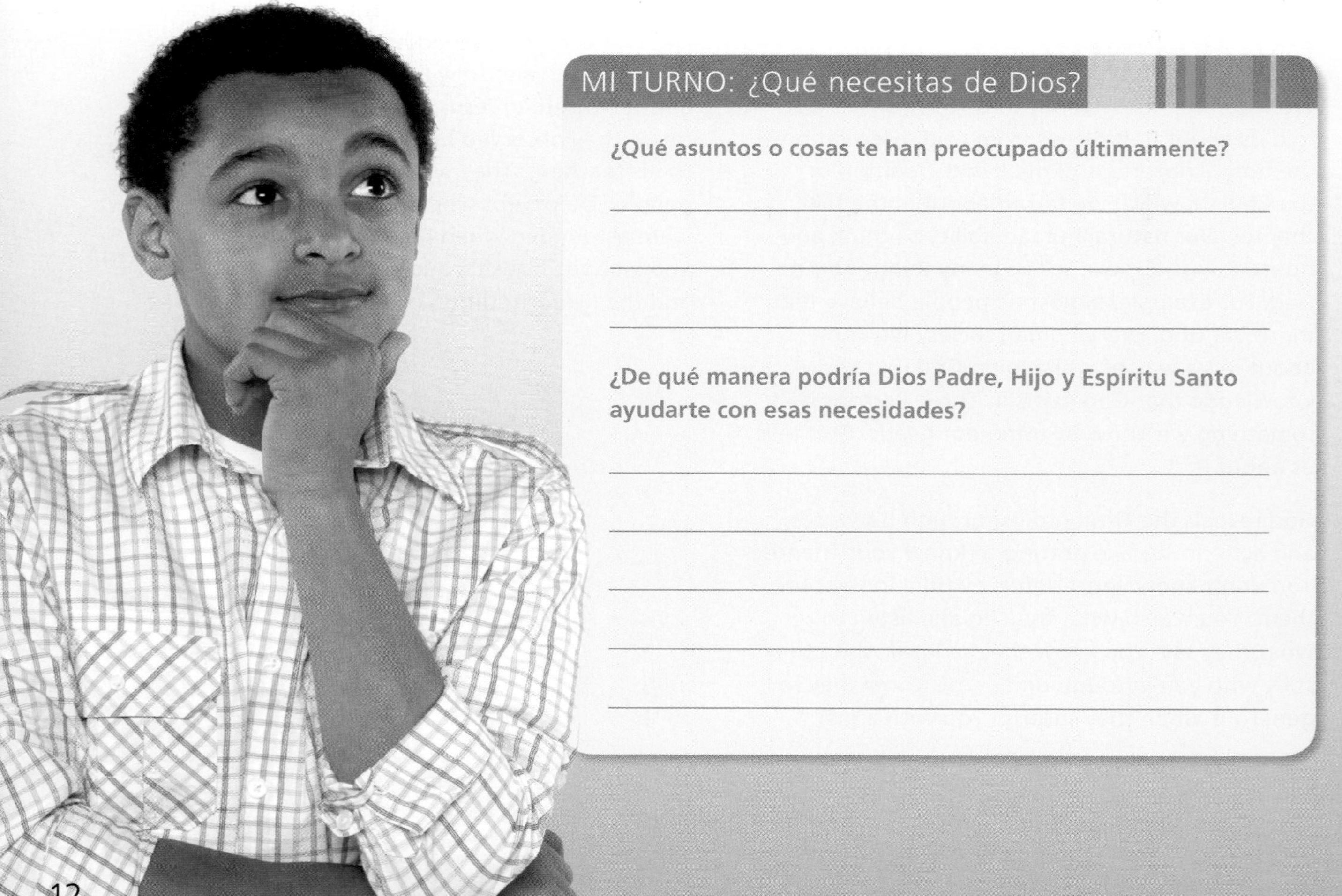

MI TURNO: ¿Qué necesitas de Dios?

¿Qué asuntos o cosas te han preocupado últimamente?

___

___

___

¿De qué manera podría Dios Padre, Hijo y Espíritu Santo ayudarte con esas necesidades?

___

___

___

___

___

What Does the Trinity Tell Us About God?

God Is Father

The fact that God is **Father** means that he is the Creator. All things begin with him. God's Fatherhood also means that he protects and cares for his creation, especially human beings.

Father is a good word for God, but it's not the perfect word. For one thing, it brings to mind earthly fathers. For another, it may suggest that God is male. You've probably seen artists' paintings of God shown as a powerful, older man with a beard and flowing white hair. God is Father, but he isn't a man. We could call God mother too, because mothers as well as fathers give us life and protect and care for us. But God is neither male nor female. God is God, beyond gender, race, or any other human category.

God Is Son

The Father has a **Son**—Jesus, who lived about two thousand years ago in an out-of-the-way province of the Roman Empire. Jesus is the most important way we know about God. Jesus shows God to be merciful, loving, generous, and just. He loves us so much that he died for us. You and Jesus have the same Father. That means Jesus is your brother.

God Is Holy Spirit

The **Holy Spirit** is the active presence of God in our lives. The Spirit "proceeds" from the Father and Son—that is, the Spirit is an expression of their love. Through the Spirit, God is living and active in the world.

MY TURN: What Do You Need from God?

What are some issues or things on your mind lately?

____

____

How might God the Father, Son, and Holy Spirit take care of these needs?

____

____

____

____

Entonces, ¿cómo es Dios? Piensa en las personas de tu alrededor y en lo que necesitas de ellas. Todos los días necesitas protección, cuidado y apoyo. Esto es justamente lo que te brindan tus padres y tu familia. Y también es lo que Dios te da, porque Dios es el Padre perfecto. Día a día necesitas amistad, afecto y orientación; esto es lo que obtienes de Jesús, tu hermano, el Hijo de Dios. Cada día necesitas fortaleza para hacer un buen trabajo, esto es lo que obtienes por medio de Dios Espíritu Santo: el poder activo de Dios en tu vida cotidiana.

Un Dios al que podemos conocer

A menudo los cambios en la vida parecen enormes y, en ocasiones, verdaderamente aterradores. Piensa en algunos de los cambios que has experimentado: cambiar de escuela; mudarte a un nuevo vecindario o ciudad; adaptarte a los primeros días de juego en un nuevo equipo deportivo; adquirir una habilidad nueva como dibujar, tocar un instrumento musical o aprender álgebra. Es muy probable que toda nueva situación te pareciera difícil y misteriosa y que pensases que eras incapaz de afrontarla.

Sin embargo, también es muy probable que las cosas salieran bastante bien o, al menos, mejor de lo que esperabas. Hiciste nuevos amigos, dominaste la nueva habilidad, te sentiste cómodo en el nuevo lugar de residencia y, como resultado, tu mundo se amplió.

Lo mismo ocurre en el proceso de conocer a Dios. Al principio Dios puede resultarnos confuso y difícil de entender. Es complicado ver cómo podemos llevarnos bien con un Dios así. Es por eso que muchas personas se preguntan cómo pueden relacionarse con un Dios al que no entienden por completo.

Pero sucede que Dios es muy diferente. Dios está siempre a tu disposición y puedes recurrir a él siempre que quieras. Dios es una comunidad de amor, al igual que tu familia, tus amigos y tu parroquia. Dios llega a nosotros a través de relaciones, al igual que tú te relacionas con los demás desde el momento en que te levantas por la mañana hasta la hora en que te vas a dormir por la noche. Dios es amor. Esto es lo que queremos decir con la doctrina de la Trinidad.

SIGNO SAGRADO: La paloma

El Espíritu Santo suele representarse como una paloma. Esta tradición se basa en el relato del bautismo de Jesús, donde se nos dice "bajó sobre él el Espíritu Santo en forma de paloma" (Lucas 3:22). La paloma también es un símbolo de paz. También esto es se basa en las Sagradas Escrituras. En el arca, Noé supo que estaba próximo a tierra firme cuando vio una paloma que llevaba en el pico una rama de olivo (Génesis 8:11).

So what is God like? Think about the people in your life and what you need from them. Every day you need protection, care, and support. This is what your parents and family give you. This is what God gives you too, because God is the perfect Father. Every day you need friendship, affection, and guidance. This is what you have in Jesus, your brother, the Son of God. Every day you need the strength to do good work. This is what you have through God the Holy Spirit, the active power of God in your daily life.

A God We Can Know

Changes in life often seem huge and sometimes downright scary. Recall some of the changes you may have experienced: starting a new school; moving to a new neighborhood or city; the first days playing on a new team; learning a new skill like drawing or a musical instrument or algebra. Chances are the new situation seemed difficult and mysterious. You thought you might not be able to do it.

Chances are, though, that most things worked out pretty well, or at least better than you expected. You made friends, mastered the new skill, felt at home in the new place and as a result, your world expanded.

love

So it is with getting to know God. God at first may seem confusing and difficult to wrap your head around. It's hard to see how we can get along well with a God like this. That's why many people wonder how they can relate to a God they don't feel they fully understand.

It turns out that God is very different. God is always available to you and for you, and you can come to God whenever you feel like it. God is a community of love, just as your family, friends, and parish are a community. God comes to us in relationships, just as you have relationships from the time you get up in the morning to the time you go to bed at night. God is love. This is what we mean by the doctrine of the Trinity.

SACRED SIGN: Dove

The Holy Spirit is often depicted as a dove. This tradition is based on the account of Jesus' baptism, where we read "the holy Spirit descended upon him in bodily form like a dove." (Luke 3:22) The dove is also a symbol of peace. This too is based on Scripture. In the ark, Noah learned that land was near when he saw a dove carrying an olive branch. (Genesis 8:11)

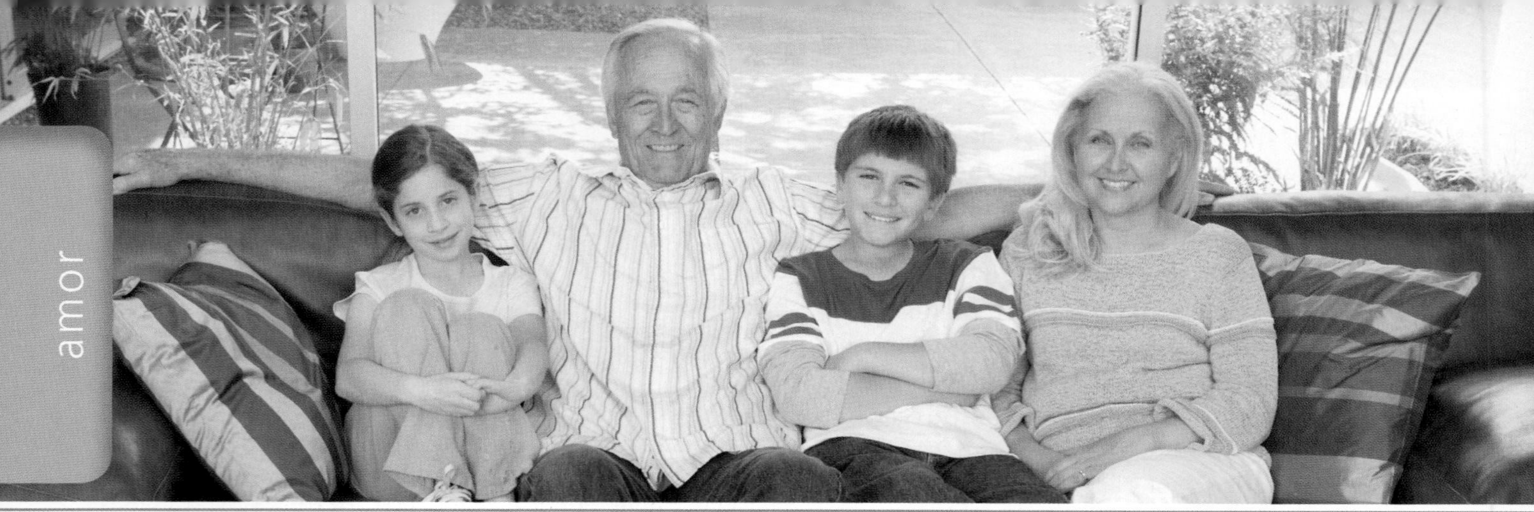

Lo que la Trinidad nos dice sobre nosotros mismos

Imagina que estás en una reunión familiar y que tu tía te dice que tienes los mismos ojos de tu padre y el pelo de tu madre. ¿Alguna vez te ha dicho un amigo que actúas como tu hermano o tu hermana? Quizá no te agraden los comentarios de este tipo porque quieres ser tu mismo y no parecerte a tu padre, madre, hermano o hermana. Pero es cierto que los miembros de una familia suelen parecerse. Y también es cierto que nos parecemos a Dios.

Los capítulos iniciales del Libro del Génesis, el primero de la Biblia, dicen que Dios creó a los seres humanos a su "imagen y semejanza". Éste es otro misterio que también nos cuesta comprender por completo, pero la idea básica es bastante clara. Nos parecemos a Dios y Dios se parece a nosotros. Puesto que Dios es Trinidad: Padre, Hijo y Espíritu, ¿qué nos dice esto sobre nosotros mismos?

Unidad

Volvamos a esa reunión familiar. Todos son distintos, pero también todos tienen algo en común. Eres parte de una familia. Estás unido a las personas de tu familia aunque cada miembro tenga su manera particular y única de ser. La unidad es un sentimiento de alegría. Lo sientes cuando eres parte de una multitud entusiasta, cuando disfrutas de un gran momento con tus mejores amigos, cuando juegas para el equipo que está ganando el partido, cuando haces música con otras personas en un coro o una banda.

La Trinidad explica por qué nos sentimos de esta manera. Nos parecemos a Dios. Dios es uno, pero también es tres Personas distintas. Todos somos personas distintas pero nos gusta sentirnos parte de una unidad. Este deseo se encuentra profundamente instalado en nuestro corazón.

RITO: La Señal de la Cruz

Los católicos solemos señalar a la frente, el pecho y cada uno de los hombros mientras pronunciamos las palabras "En el nombre del Padre, y del Hijo y del Espíritu Santo". Cuando hacemos esta señal honramos a las tres Personas de la Trinidad al tiempo que recordamos el sacrificio de Jesús en la cruz. La Señal de la Cruz es una antigua oración por medio de la cual invocamos a Dios para que nos bendiga y nos proteja.

What the Trinity Tells Us About Ourselves

Imagine that you are at a family get-together, and your aunt says that you've got your father's eyes or your mother's hair. Has a friend ever told you that you act just like your brother or sister? Maybe you don't like comments like these because you want to be yourself, not your father or mother or brother or sister. But it's true that family members resemble one another. It's also true that we look like God.

The opening chapters of the Book of Genesis, the first book of the Bible, say that God created human beings in his "image and likeness." This is another mystery that we can't fully understand, but the basic idea is clear enough. We resemble God and God resembles us. Since God is Trinity—Father, Son, and Spirit—what does this tell us about ourselves?

Unity

Let's go back to that family get-together. Everyone's different, but everyone has something in common too. You're part of a family. You're united with other people in this family even though every person in your family is very much himself or herself. Unity—it's a joyful feeling. You feel it in a cheering crowd, when you're having a great time with your best friends, when you're playing on a team that's winning, when you're making music with other people in a choir or a band.

The Trinity explains why we feel this way. We resemble God. God is one, yet he is three distinct Persons. We are distinct people, yet we love unity. The desire for it is placed deep in our hearts.

RITE: The Sign of the Cross

Catholics frequently touch their head, chest, and shoulders while praying the words, "In the name of the Father, and of the Son, and of the Holy Spirit." When we make this gesture, we honor the Three Persons of the Trinity while remembering Jesus' sacrifice on the cross. This "Sign of the Cross" is an ancient prayer that calls on God to bless and protect us.

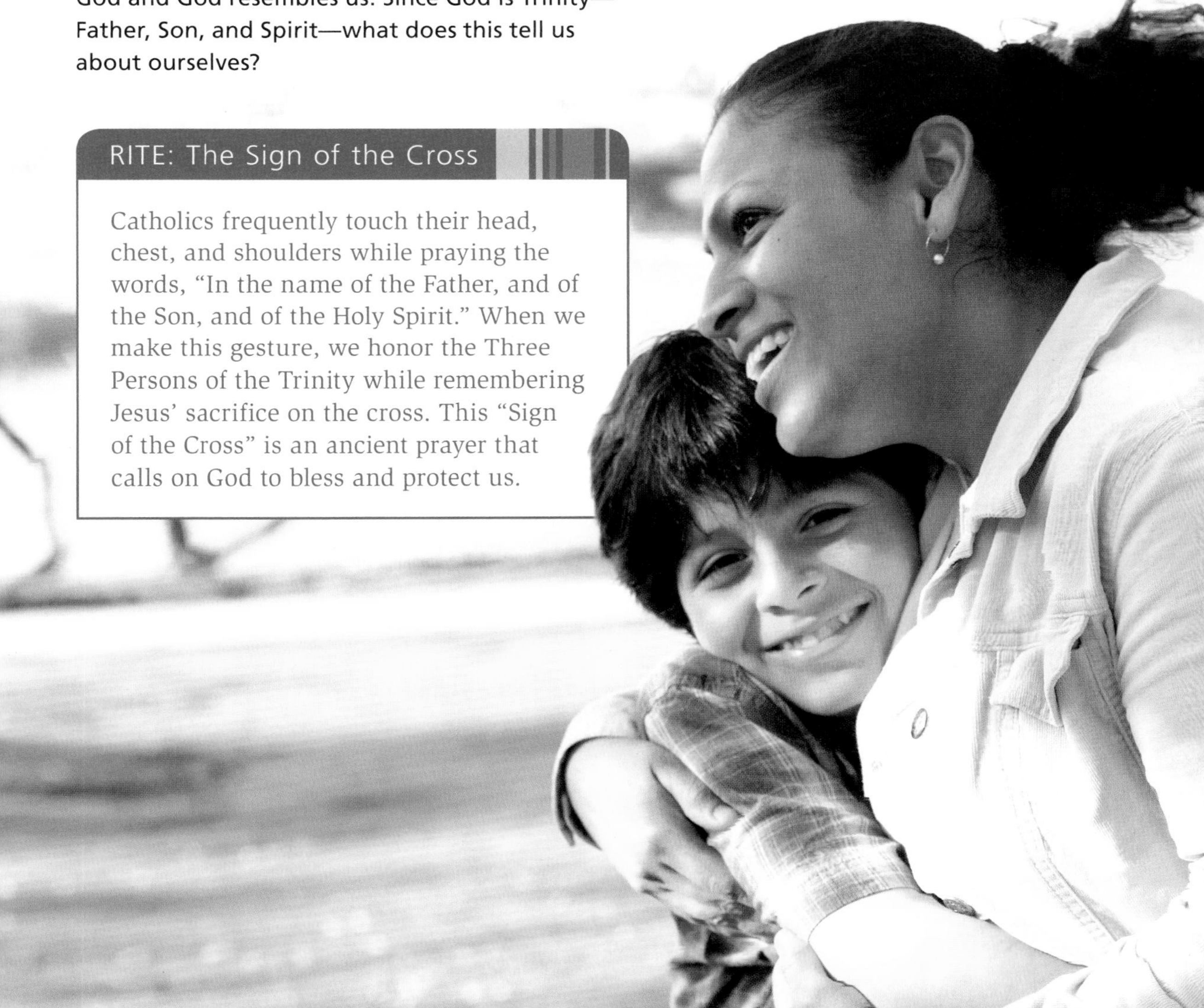

amor

TESTIGO: San Patricio

En el siglo V d. C. San Patricio dirigió la obra misionera que convirtió a la mayoría del pueblo irlandés al cristianismo. San Patricio es el santo patrono de Irlanda y su festividad es el 17 de marzo, día de celebración popular, especialmente en los lugares donde se ha establecido la comunidad irlandesa. Según narra la historia San Patricio usó un trébol de tres hojas para ejemplificar cómo las tres Personas divinas conforman la Trinidad.

Nuestro hambre de unidad se saciará por completo cuando estemos unidos con Dios en el Cielo. Mientras tanto podemos encontrar unidad en nuestra parroquia, que funciona como una comunidad de creyentes. Cuando nos congregamos para adorar y alabar a Dios experimentamos algo de Dios.

Amor

El amor y la unidad van de la mano. San Agustín, uno de los grandes líderes de las primeras comunidades cristianas, decía que las personas se unen cuando están de acuerdo en el amor que comparten. Te sientes uno con tu familia porque amas a las personas que la conforman. Puedes distraerte pasando un buen rato con tus amigos porque los aprecias. Amas a otras personas incluso cuando tus gustos por la música, la ropa o la lectura son diferentes. La diversidad de gustos es parte de la personalidad que nos identifica, aunque en lo más profundo todos somos creados de la misma manera. Sentimos amor por los demás y por nosotros mismos, tal como Dios quiere.

Amamos porque Dios ama. La doctrina de la Trinidad significa que el amor es el centro mismo de Dios. Dios es una comunidad de amor: Padre, Hijo y Espíritu. Porque nos parecemos a Dios, también nosotros podemos amar.

MI TURNO: Unidos en el amor

Piensa en alguna ocasión en la que te hayas sentido especialmente unido a otras personas. Descríbela brevemente.

Our hunger for unity will be fully satisfied when we're united with God in Heaven. In the meantime, we can find unity within our parish, which serves as a community of believers. When we come together to praise and worship God, we are experiencing something of God.

Love

Love and unity go hand in hand. Saint Augustine, one of the greatest leaders of the early Church, said that people are united when they agree about the love they share. You feel one with your family because you love the people in it. You can lose yourself in good times with your friends because you love them. Even when your interests differ from someone, say in taste in music or how you dress or what you read, you still love him or her. Having different likes and dislikes adds to our personalities, but deep down, we're all made in the same way. We have love for others and love for ourselves, just as God intended.

We love because God loves. The doctrine of the Trinity means that love is at the very heart of God. God is a community of love—Father, Son, and Spirit. Because we are like God, we can love too.

WITNESS: Saint Patrick

In the fifth century A.D., Saint Patrick led the missionary work that converted most of the Irish people to Christianity. He is the patron saint of Ireland. March 17, his feast day, is a popular celebration, particularly in places where the Irish have settled. Saint Patrick is said to have used a shamrock, a three-leaf clover, to illustrate how three divine Persons are one in the Trinity.

love

MY TURN: United in Love

Recall a time when you felt especially united with other people. Briefly describe this experience.

____

____

____

____

____

amor

resumen

RESUMEN DEL TEMA

La Trinidad es una forma de entender a Dios y la función que cumple en nuestras vidas. La Trinidad es tres Personas en una: Dios Padre, Jesús Hijo y el Espíritu Santo. Dios se nos revela por medio de las Sagradas Escrituras y la Tradición. La Trinidad nos ayuda a reconocer que Dios es una y tres Personas distintas, así como nosotros somos muchas cosas a la vez que miembros de la Iglesia.

RECUERDA

¿Cuáles son los tres elementos más importantes de la doctrina de la Trinidad?

Hay un solo Dios. Dios es tres Personas: Padre, Hijo y Espíritu. La diferencia entre estas Personas es cuestión de relaciones.

¿Cómo sabemos lo que es la Trinidad?

Conocemos a Dios como Padre, Hijo y Espíritu por medio de las palabras y las obras de Dios, que se encuentran en las Sagradas Escrituras y en la Tradición viva de la Iglesia.

¿Qué significa llamar a Dios Padre?

Dios Padre es el Creador y protector. Nos dio la vida y se ocupa de su creación.

¿Qué significa llamar a Dios Hijo?

El Hijo de Dios es Jesucristo. Las palabras y las obras de Jesús son la manera más importante que tenemos de conocer a Dios.

¿Quién es Dios Espíritu Santo?

El Espíritu Santo es la presencia activa de Dios en nuestro mundo actual.

ACTÚA

1. Piensa en las personas que conoces y necesitan la ayuda de Dios. Pídele a Dios que las bendiga.
2. Piensa quién ha influido positivamente en tu vida. ¿Qué cualidades tienen estas personas que las hace tan especiales para ti?

Palabras a saber

Padre	**Hijo**
Espíritu Santo	**teólogos**
Señal de la Cruz	**Trinidad**

REFLEXIONA

Dedica unos momentos a pensar en las personas y las cosas buenas de tu vida. Escribe por qué aprecias a esas personas, lugares o cosas.

____

____

____

____

____

____

____

____

Dios, Señor Nuestro, te doy gracias por la familia y los amigos que tengo. Se preocupan por mí, me aman y me perdonan si no soy amable con ellos. Ayúdame a reconocer mis equivocaciones y a darles las gracias por ser parte de mi vida. Bendícelos a todos en el nombre del Padre, y del Hijo y del Espíritu Santo. Amén.

summary

FAITH SUMMARY

The Trinity is one way of understanding God and his role in our lives. The Trinity is Three Persons in one: God the Father, Jesus the Son, and the Holy Spirit. God is revealed to us through Scripture and Tradition. The Trinity helps us recognize that God is one but Three distinct Persons, much like how we are many things but are also members of the Church.

REMEMBER

What are the three most important points in the doctrine of the Trinity?
There is one God. God is Three Persons—Father, Son, and Spirit. The differences among these Persons are a matter of relationships.

How do we know about the Trinity?
We know God as Father, Son, and Spirit through God's words and actions. These are found in Scripture and the living Tradition of the Church.

Lord God, thank you for my family and my friends. They care for me and love me and are forgiving when I do not act kindly toward them. Help me realize when I am wrong and thank them for being in my life. Bless them all, in the name of the Father, and of the Son, and of the Holy Spirit. Amen.

Words to Know

Father	Son
Holy Spirit	theologians
Sign of the Cross	Trinity

What does it mean to call God Father?
God the Father is the Creator and protector. He gave us life, and he cares for his creation.

What does it mean to call God Son?
The Son of God is Jesus Christ. Jesus' words and deeds are the most important way we learn about God.

Who is God the Holy Spirit?
The Holy Spirit is the active presence of God in our world today.

REACH OUT

1. Think about the people you know who need God's help. Ask God to bless them.
2. Think about who in your life has had a positive impact on you. Write what qualities these people have that make them special to you.

REFLECT

Spend some time thinking about the good people and things in your life. Write about why you like these people and places and things.

____

____

____

____

____

____

____

____

Fuente de nuestra redención

Piensa en alguna ocasión en la que te hayas sentido incapaz de cambiar una situación negativa. Puede que un amigo tuyo fuera tratado injustamente o que te culparan de algo que no era tu responsabilidad. ¿Cómo procediste en esos casos? ¿Hubieras querido reaccionar de otra manera? ¿Cómo manejarás las situaciones difíciles en el futuro?

Ahora bien, Cristo ha resucitado de entre los muertos, y resucitó como primer fruto ofrecido a Dios, el primero de los que han muerto. Porque, si por un hombre vino la muerte, por un hombre viene la resurrección de los muertos. Como todos mueren por Adán, todos recobrarán la vida por Cristo. *—1 Corintios 15:20–22*

Source of Our redemption

Recall a time when you felt helpless to change a bad situation. Perhaps a friend was being treated unfairly, or maybe you were blamed for something you didn't do. What did you do in that situation? Do you wish you could have reacted differently? How would you handle tough situations in the future?

But now Christ has been raised from the dead, the firstfruits of those who have fallen asleep. For since death came through a human being, the resurrection of the dead came also through a human being. For just as in Adam all die, so too in Christ shall all be brought to life. *–1 Corinthians 15:20–22*

redención

Algo anda mal

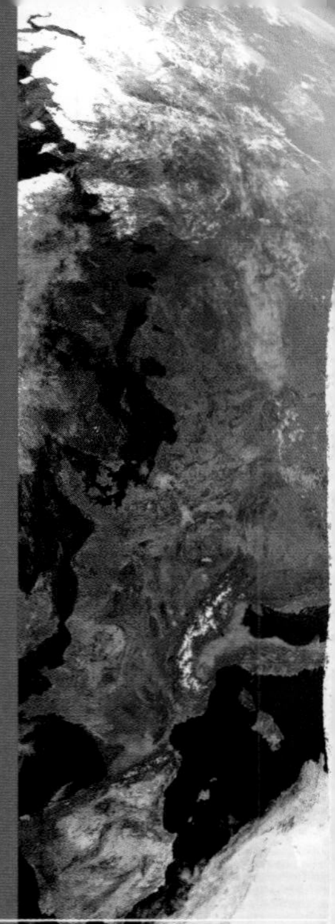

Posiblemente hayas visto fotos del planeta Tierra tomadas desde el espacio. El mundo es bello: una hermosa esfera con océanos de un color azul profundo envuelta en destellantes nubes blancas y rodeada de la oscuridad del espacio. No sorprende que, al principio, Dios mirase al mundo que había creado y dijera que era bueno.

Pero hoy algo anda mal en el mundo. Está lleno de dolor y sufrimiento. Vive sacudido por catástrofes naturales, como los tsunamis o los huracanes, y por desastres causados por el hombre, como la guerra y la pobreza. También en nuestras vidas las cosas a menudo andan mal. Herimos a los demás o hacemos cosas absurdas. A veces las personas nos defraudan; otras veces nosotros defraudamos a los demás.

¿Por qué está así el mundo? Es desconcertante. Lucharás contra la infelicidad que hay en el mundo durante toda tu vida. Es muy importante entender por qué las cosas están así y qué ha hecho Dios para subsanar la situación. La palabra *Evangelio* significa "buena noticia". Este capítulo trata sobre por qué la noticia es tan buena.

¿Cuál es el problema?

Mira a tu alrededor. Piensa en las personas que amenazan a los demás o en el niño que se burla y se ríe de los problemas ajenos. Piensa en las personas que inventan mentiras sobre otros o en el adolescente que menosprecia la escuela, la Iglesia, a sus compañeros de clase, a los maestros o a sus padres. Piensa en el estafador, el ladrón, el tramposo.

Observa el mundo que te rodea. Gente pobre, enferma, ignorada, sola. Algunas personas son discriminadas por el color de su piel, su idioma, su ropa, su cultura. A veces las personas buenas sufren mientras que los corruptos prosperan. La violencia ocurre demasiado a menudo en nuestros vecindarios y comunidades.

La palabra con la que nos solemos referir a todo esto es **pecado**. Pecar es alejarse de lo que Dios quiere para nosotros. La mayoría de los pecados consisten en cosas como robar cantidades pequeñas de dinero, hacer trampa en exámenes o decir mentiras. No nos satisface lo que tenemos y queremos lo que tienen los otros. Pero mucho de lo que llamamos pecado es algo más profundo, es como una enfermedad.

MI TURNO: Hacer las cosas bien

¿Por qué crees que a veces puede ser difícil resistirse a la tentación?

____

____

____

____

____

Something Is Wrong

redemption

You've probably seen photos of planet Earth taken from space. The world is beautiful—a lovely globe with deep blue oceans and shimmering white clouds set against the darkness of space. No wonder at the beginning, God looked at the world he created and said that it is good.

But something's wrong with the world now. It's full of pain and suffering. It's marred by natural disasters like tsunamis and hurricanes as well as man-made disasters like war and poverty. In our own lives, things often go badly as well. We do hurtful or senseless things. Sometimes people let us down, and other times, we let people down.

Why is the world this way? It's puzzling. You're going to be wrestling with the unhappiness in the world all through your life. It is very important to understand why things are the way they are and what God has done to repair the situation. The word *Gospel* means "good news." This chapter is about why the news is so good.

What's the Problem?

Take a look around your world. Notice the bully who threatens others or the kid who mocks and laughs at their troubles. Notice the people who tell lies about others or the teen who scorns school, church, classmates, teachers, and parents. Notice the sneak, the thief, the cheater.

Look at the world around you. People are poor, ill, neglected, lonely. Some people are disrespected because of their skin color, their language, their dress, their culture. Sometimes good people suffer while corrupt people prosper. Violence is too common in our neighborhoods and communities.

The traditional word for all this is **sin.** Sin is a separation from doing what God intends for us. Most sin is people doing things like stealing a few dollars and telling little lies. We're not satisfied with what we have; we want what other people have. But a lot of what we call sin is something more profound, deeper—more like a sickness.

MY TURN: Making Things Right

Why do you think it can sometimes be difficult to overcome temptation?

____

____

____

____

____

____

____

____

____

____

____

change

Siegfried Detler Bendixen, *Adán y Eva expulsados del paraíso, siglo XX.*

Siegfried Detler Bendixen, *Adam and Eve driven out of Paradise, 20th Century.*

A veces queremos hacer el bien pero hay algo que nos lo impide. En ocasiones hacemos lo que se nos antoja sin pensar en las consecuencias ni en quién resulta perjudicado con nuestras acciones. San Agustín, uno de los grandes líderes de las primeras comunidades cristianas, nos cuenta que junto a unos amigos una vez robó peras de una huerta. Ellos no querían realmente la fruta, así que se la dieron a unos cerdos. Sólo les interesaba hacer algo *malo*.

El pecado original

Al principio de la raza humana Dios creó al hombre y a la mujer para que vivieran juntos en armonía. Adán y Eva, nuestros primeros padres, se apartaron de Dios y siguieron su propio instinto en lugar de respetar la voluntad de Dios. Desde entonces la raza humana sufre las consecuencias de esta mala decisión. Se le llama **pecado original**.

Dios prohibió a Adán y Eva que comieran el fruto del árbol plantado en el centro del jardín. Pero ambos lo desobedecieron, tentados por la promesa del diablo de que serían "como dioses". Como castigo Dios expulsó a Adán y a Eva del paraíso (Génesis 3:1–24).

Lo que esta historia significa

Esta historia emplea un lenguaje figurado para transmitir su propósito. El pecado de Adán y Eva no fue comer una fruta, sino elegir una vida apartados de Dios. Dios no los castigó; fueron ellos mismos quienes lo hicieron con su decisión. No es de sorprender que descubrieran que la vida sin Dios no era una vida de feliz.

La historia de Adán y Eva trata de la pérdida del paraíso: hubo un tiempo en el que estábamos a salvo con Dios, pero ahora hemos perdido el contacto con él. La sensación de haber perdido el paraíso está instalada muy dentro de nuestro corazón. Esa es una consecuencia del pecado original. Una vez nos encontrábamos en casa; ahora estamos perdidos.

Es importante no confundir el pecado original con otros tipos de pecado. Somos personalmente responsables de nuestros propios pecados: mentir, robar, engañar, pelear y otros actos equivocados. Pero no somos responsables personalmente del pecado original. El pecado original es la circunstancia en la que nacemos. Se refiere a algo que nos *falta*, a estar separados de Dios.

Las consecuencias del pecado original

El pecado original no sólo afectó a Adán y Eva. Cientos de años después seguimos sufriendo sus consecuencias.

En primer lugar se distorsionó nuestra idea de Dios. Adán y Eva cometieron un error, pero no se les ocurrió pedir perdón sino que tuvieron miedo y se escondieron. Vieron a Dios como un juez inflexible, furioso y severo, y no lo vieron como el Padre amoroso y compasivo que es. Si se lo hubieran pedido habrían sido perdonados.

El temor es otra consecuencia del pecado original. ¿Cómo te sentirías si te apartaran de tus padres y de todas las personas que te aman? Muy probablemente sentirías temor y te preguntarías *¿cómo sobreviviré?, ¿qué será de mí?, ¿qué haré ahora?* Sin el amor de Dios ni su protección tememos no recibir lo que necesitamos, nos sentimos desprotegidos y nos da miedo que todo termine mal.

There are times when we want to do good, and yet something prevents us from doing it. Sometimes we do whatever we like and don't think about the consequences or who is affected by our actions. Saint Augustine, a great leader of the early Church, tells a story about one day when he and some friends stole pears from an orchard. They didn't want the pears; they fed them to some pigs. What they wanted was to do something *bad.*

Original Sin

At the very beginning of the human race, God created man and woman to live in harmony with him and each other. Adam and Eve, our first parents, turned away from God and followed their own will instead of God's. The human race has suffered the consequences of this bad decision ever since. This is called **Original Sin.**

God told Adam and Eve not to eat fruit from the tree in the center of the garden. They ate the fruit anyway, tempted by the devil's promise that it would make them "like gods." As punishment, God drove Adam and Eve from paradise. (Genesis 3:1–24)

What the Story Means

This story uses figurative language to make its point. The sin of Adam and Eve wasn't eating a piece of fruit. It was their decision to live a life separate from God. God didn't punish them; they punished themselves by the choice they made. It's no surprise that they discovered that a life without God was not a happy life.

The Adam and Eve story is about losing paradise. Once we were secure with God, now we've lost touch with him. The sense of having lost paradise is planted deep in our hearts. That's a consequence of Original Sin. Once we were home; now we are lost.

It's important not to confuse Original Sin with other kinds of sins. We are personally responsible for our own sins—lying, stealing, cheating, fighting, and other wrong actions. But we're not personally responsible for Original Sin. Original Sin is a condition into which we're born. It's about something that's *missing,* about being separated from God.

The Consequences of Original Sin

Original Sin did not just affect Adam and Eve. Hundreds of years later, we are still experiencing the consequences today.

First, our idea of God became warped. Adam and Eve did wrong, but it didn't occur to them to ask for forgiveness. Instead they became afraid and hid from God. They saw God as angry, severe—as an unwavering judge, not as the loving and compassionate Father that he is. Had they asked, they'd have been forgiven.

Fear is another consequence of Original Sin. How would you feel if you were separated from your parents and everyone who loves you? Most likely you'd be afraid and wonder *How will I survive? What's going to happen to me? What will I do next?* Without God's love and protection, we're afraid that we won't get what we need, that we aren't protected, that all will end badly.

La falta de sensatez y buen juicio también es una consecuencia del pecado original. Si mentiste para evitar meterte en problemas, gritaste a un hermano menor o tomaste algo que no te pertenecía, fue una falta de sensatez. Cuando sientes remordimientos por haber sido cruel con otra persona o lamentas haber hecho algo sabiendo que era injusto es porque eres una buena persona por naturaleza, pero hiciste algo que no debías. A causa del pecado original debemos resistirnos a las tentaciones que nos llevan a actuar de manera incorrecta.

La consecuencia última del pecado original es la muerte. Cuando Adán y Eva desobedecieron a Dios sufrieron una muerte espiritual que los condujo a su muerte física. Nuestra vida física decae, se deteriora y finalmente termina; la muerte es nuestro temor más grande. Pero nuestra vida espiritual puede continuar con Dios en el cielo. Dios es nuestra esperanza.

Jesús, redentor nuestro

El pecado original nos pone en una situación difícil. Estamos lejos de casa, separados de nuestro Padre, solos en un territorio hostil. No es nuestra culpa; otras personas nos pusieron en esta situación. La vida es dura, cometemos errores y hacemos cosas que no debemos. Nos preguntamos por qué tiene que ser así. Siempre deseamos una vida mejor.

Si se tratara de una película sería el momento perfecto para que los buenos iniciasen una misión de rescate. De hecho es lo que hizo el Padre cuando envió a su Hijo, Jesús, para redimirnos.

Pero esa misión de rescate no era de película. Jesús no nos saca de una situación difícil para llevarnos a casa como si fuera miembro de un grupo comando, cargando rehenes en una flota de helicópteros para salvarlos. Jesús, en cambio, nos abre el camino para volver a casa arreglando el problema que nos llevó a esa mala situación; lo logra haciéndose él mismo un ser humano.

MI TURNO: Una vida mejor

¿Qué cosas buenas ves que ocurren en este mundo redimido por un Jesús amoroso? Escribe tus ideas a continuación.

____

____

____

____

____

____

____

____

____

____

Poor judgment is also a consequence of Original Sin. Whether you told a lie to avoid getting into trouble, yelled at your younger sister or brother, or took something that wasn't yours, you were using poor judgment. When you feel remorse or regret for acting unkindly toward others or doing something you know is unfair or unjust, it is because you are inherently good, but you used poor judgment. Because of Original Sin, we must fight the temptations that lead us to act wrongly.

The final consequence of Original Sin is death. When Adam and Eve disobeyed God, they experienced a spiritual death that led to physical death. Our physical lives decline, decay, and eventually end as well; death can be our greatest fear. But our spiritual lives can continue on with God in Heaven. Our hope is in God.

Jesus Our Redeemer

Original Sin puts us in a bad situation. We're a long way from home, separated from our Father, on our own in hostile country. Life is hard, and we make mistakes and do bad things. We wonder why it has to be this way. We always long for a better life.

If this were a movie, it would be time for the good guys to launch a rescue mission. In fact, that's what the Father did when he sent his Son, Jesus, to redeem us, but it's not a rescue mission from the movies. Jesus doesn't pluck us out of trouble and take us home, like a commando team whisking hostages to safety in a fleet of helicopters. Instead he opens up a way back home by fixing the problem that got us into trouble in the first place. Jesus does this by becoming human himself.

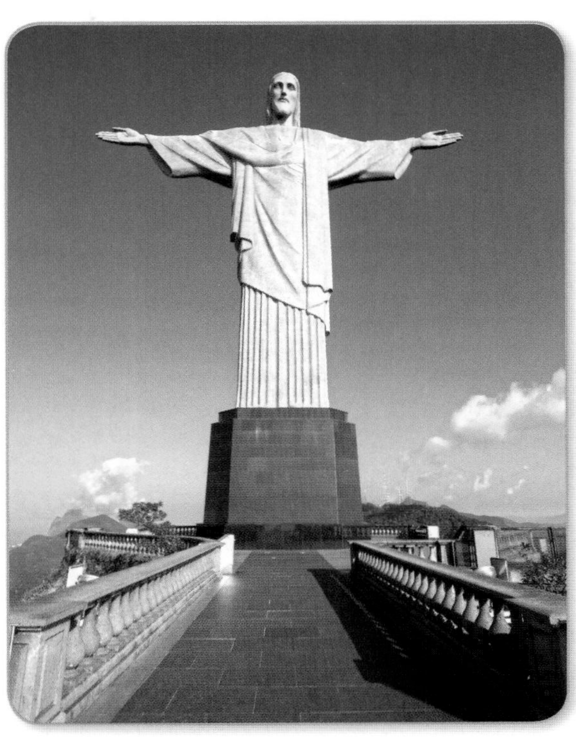

Christ the Redeemer, **Paul Maximilien Landowski, Rio de Janeiro, Brazil, 1931.**

Cristo Redentor, **Paul Maximilien Landowski, Río de Janeiro, Brasil, 1931.**

MY TURN: A Better Life

What good do you see happening in this world redeemed by a loving Jesus? Write your thoughts below.

Dios se hace hombre

En Jesús, Dios se hizo hombre y vivió una vida enteramente humana. Todo lo que tu vives él también lo vivió, excepto el pecado. Jesús tuvo una infancia como la de cualquier otro niño de su época. Supo qué era aprender cosas nuevas, trabajar duro y querer pasar tiempo con sus amigos en vez de terminar las tareas encomendadas por su madre. Como adulto se enfrentó a todos los problemas a los que hoy se enfrenta la humanidad. Conoció el miedo, la frustración y el dolor de los problemas familiares. Jesús tuvo amigos que lo traicionaron; otros lo ridiculizaron y torturaron. Jesús, el Hijo de Dios, fue enteramente humano.

Pero si hay algo que Jesús no vivió fue el pecado. A pesar de haber sufrido tentaciones nunca se entregó a ellas. Al contrario, vivió una vida de perfecta obediencia a su Padre y nos mostró cómo hacer lo mismo. Jesús nos está diciendo: "Soy como tú, por eso tú puedes ser como yo".

Un cambio total

Jesús revocó totalmente el pecado de Adán y Eva y sus consecuencias. El pecado original de Adán y Eva fue un acto de desafío. El Jardín del Edén era el lugar perfecto, pero vivir ahí significaba obedecer a Dios.

Adán y Eva desobedecieron a Dios; Jesús amó y obedeció a su Padre perfectamente. Nos consume el amor al dinero y a las cosas materiales; Jesús tuvo una vida de pobreza. Queremos ostentar poder sobre los demás; Jesús dedicó su vida a servir. Deseamos ser vistos y admirados; Jesús fue humilde. Tenemos miedo a muchas cosas; Jesús siempre decía: "No teman". A cada paso, Jesús venció nuestros pecados y debilidades.

La consecuencia última del pecado original es la muerte. Jesús aceptó la terrible muerte que le impusieron sus enemigos porque fue voluntad de su Padre que soportara todo lo que experimentan los seres humanos. Pero Jesús también superó la muerte. Su Padre lo hizo resucitar de entre los muertos. La **Resurrección** de Jesús significa que la muerte no es nuestro final. Como escribió san Pablo: "Como todos mueren por Adán, todos recobrarán la vida por Cristo" (1 Corintios 15:22).

SIGNO SAGRADO: El cordero de Dios

El cordero, símbolo de inocencia, solía usarse en tiempos del Antiguo Testamento como víctima sacrificada a Dios por los pecados humanos. Jesús fue la víctima inocente que sacrificó su vida para salvar a las personas. Por este motivo a Jesús se le llama "el Cordero de Dios, que quita el pecado del mundo" (Juan 1:29).

God Becomes Man

In Jesus, God became a human being and lived a fully human life. Everything you experience, he experienced too, except sin. Jesus had a childhood typical of his time. He knew what it was like to learn new things, to work hard, and to wish he were hanging out with his friends instead of finishing a job his mother gave him. As an adult he faced all the problems people today face. He knew fear, frustration, and the pain of family trouble. Jesus had friends betray him, and others ridicule and torture him. Jesus, the Son of God, was fully human.

One thing Jesus didn't experience was sin. Even though he faced temptations to sin, he didn't give in to them. Instead, he lived a life of perfect obedience to his Father, and he showed us how to do the same. Jesus is saying "I'm like you, so you can be like me."

The Great Reversal

Jesus completely reversed Adam and Eve's sin and its consequences. The Original Sin of Adam and Eve was an act of defiance. The Garden of Eden was the perfect place to be, but living there meant obeying God.

Adam and Eve disobeyed God; Jesus loved and obeyed his Father perfectly. We're consumed by love of money and material things; Jesus lived a life of poverty. We want power over others; Jesus spent his life serving. We want to be noticed and admired; Jesus was humble. We're afraid of many things; Jesus constantly said, "Fear not." At every step, Jesus overcame our sins and weaknesses.

The final consequence of Original Sin is death. Jesus accepted the terrible death inflicted by his enemies because it was his Father's will that he endure everything that human beings experience. But Jesus overcame death too. His Father raised him from the dead. The **Resurrection** of Jesus means that death is not the end for us. As Saint Paul wrote, "For just as in Adam all die, so too in Christ shall all be brought to life." (1 Corinthians 15:22)

SACRED SIGN: The Lamb of God

The lamb, a symbol of innocence, was often used in Old Testament times as a victim sacrificed to God for the sins of the people. Jesus was the innocent victim whose sacrificial death saved the people. This is why Jesus is called "the Lamb of God, who takes away the sin of the world." (John 1:29)

La salvación hoy

La misión de rescate de Dios sigue vigente. El pecado original es aún parte de nuestra vida. Jesús marcó el camino de vuelta a la casa del Padre, pero cada uno de nosotros debe decidir si recorre ese camino que nos lleva de regreso.

Jesús quiso asegurarse de que su obra de **Salvación** continuara. Los siguientes son cuatro de los elementos más importantes en su plan para lograrlo:

- **Sirvió al prójimo.** Aprendemos a actuar de manera correcta al obedecer las enseñanzas de Jesús y seguir su ejemplo. La noche antes de morir, mientras estaba reunido con sus discípulos para la Última Cena, Jesús resumió sus enseñanzas lavándoles los pies (Juan 13:1–17). Su acción conmocionó a los apóstoles: lavar los pies era tarea típica de los sirvientes más modestos de la casa. Pero Jesús lo hizo para mostrarles a sus amigos, y a nosotros, que servir con humildad al prójimo es la mejor manera de vivir como seguidor suyo.
- **Instituyó la Eucaristía.** Durante la Última Cena Jesús compartió el pan y el vino con sus apóstoles diciendo: "Éste es mi cuerpo" y "Ésta es mi sangre" (Mateo 26:26–28), y les pidió que continuaran haciendo esto en conmemoración a su sacrificio. Este compartir del Cuerpo y la Sangre de Cristo es parte central de toda misa y se denomina **Eucaristía**, que significa "acción de gracias". Es la forma fundamental de la presencia de Jesús ante nosotros.
- **Fundó la Iglesia.** Después de resucitar de entre los muertos Jesús les dio a sus apóstoles la misión de continuar su obra de salvación. Les dijo: "Vayan y hagan discípulos entre todos los pueblos, bautícenlos consagrándolos al Padre y al Hijo y al Espíritu Santo, y enséñenles a cumplir todo lo que yo les he mandado. Yo estaré con ustedes siempre, hasta el fin del mundo" (Mateo 28:19–20). Los obispos de la Iglesia católica son los sucesores de los apóstoles. La Iglesia bautiza a las personas para que ingresen a la nueva vida de Cristo y enseña con su autoridad.
- **Envió al Espíritu Santo.** Jesús envió al Espíritu Santo para que estuviera con la raza humana hasta el fin de los tiempos. El Espíritu Santo es la presencia activa de Dios. Es la manera en que Dios continúa su obra para salvar y sanar al mundo. Cada cristiano recibe al Espíritu. Podemos confiar en el Espíritu para que nos guíe mientras amamos y servimos a Dios y al prójimo.

RITO: Palabras de absolución

En el sacramento de la Reconciliación el sacerdote nos absuelve de los pecados que confesamos pronunciando estas palabras:

Dios, Padre misericordioso, que reconcilió consigo al mundo por la muerte y la resurrección de su Hijo y derramó el Espíritu Santo para la remisión de los pecados, te conceda, por el ministerio de la Iglesia, el perdón y la paz. Y yo te absuelvo de tus pecados en el nombre del Padre y del Hijo y del Espíritu Santo.

Salvation Today

God's rescue mission is still underway. Original Sin is still part of our lives. Jesus opened the way back to his Father's house, but each of us must choose to walk that path that leads us back home.

Jesus did several deeds to make sure that his work of **Salvation** continues. Here are four of the most important ones:

- **Served Others.** We learn how to act rightly by obeying Jesus' teaching and following his example. At his Last Supper with his disciples on the night before he died, Jesus summed up his teaching by washing his friends' feet. (John 13:1–17) This shocked the Apostles; washing people's feet was a job for the lowliest servant in the household. Jesus did it in order to show his friends—and us—that humble service to other people is the best way to live as his follower.
- **Instituted the Eucharist.** During the Last Supper, Jesus shared bread and wine with his Apostles, saying "[T]his is my body" and "[T]his is my blood . . ." (Matthew 26:26–28) He told them to continue to do this as a memorial of his sacrifice. This sharing of the Body and Blood of Christ is central to every Mass. It is called the **Eucharist,** a word that means "thanksgiving," and it is a central way that Jesus Christ is present to us.
- **Established the Church.** After he rose from the dead, Jesus gave his Apostles the mission of continuing his work of Salvation. He said, "Go, therefore, and make disciples of all nations, baptizing them in the name of the Father, and of the Son, and of the holy Spirit, teaching them to observe all that I have commanded you. And behold, I am with you always, until the end of the age." (Matthew 28:19–20) The bishops of the Catholic Church are the successors of the Apostles. The Church baptizes people into the new life of Christ and teaches with his authority.
- **Sent the Holy Spirit.** Jesus sent the Holy Spirit to be with the human race until the end of time. The Holy Spirit is the active presence of God. The Spirit is the way God continues his work of saving and healing the world. Every Christian receives the Spirit. We can trust the Spirit to guide us as we love and serve God and other people.

RITE: Words of Absolution

In the Sacrament of Penance and Reconciliation, the priest absolves us with these words of the sins we confess:

God, the Father of mercies,
through the death and the resurrection
of his Son
has reconciled the world to himself
and sent the Holy Spirit among us
for the forgiveness of sins;
through the ministry of the Church
may God give you pardon and peace,
and I absolve you from your sins
in the name of the Father, and of the Son,
and of the Holy Spirit.

redención

TESTIGO: San Pablo

Saulo de Tarso era un judío devoto que encabezó la persecución a los cristianos en Jerusalén después de la muerte y Resurrección de Jesús. Pero Jesús se apareció ante Saulo y lo llamó a convertirse en un apóstol de la nueva fe. Saulo adoptó un nuevo nombre, Pablo, y se convirtió en el misionero más importante de las primeras comunidades cristianas. El Nuevo Testamento incluye trece cartas atribuidas a él.

La cruz significa victoria

¿Alguna vez te has preguntado por qué la cruz es el símbolo del cristianismo? Para muchos la cruz significa dolor y muerte; Jesús *murió* en la cruz. Sin embargo, para los cristianos, la cruz significa triunfo y victoria. Significa que Dios venció a la muerte y que siempre hay esperanza. Significa que podemos ir al mismo lugar que Jesús: a la casa del Padre. Ésa es la razón por la que los cristianos exhibimos con orgullo la cruz. Nos ayuda a ver nuestra vida unida a la vida de Cristo. La cruz es el símbolo de Dios, que es amor en sí mismo.

MI TURNO: Símbolos personales

En el espacio en blanco de arriba dibuja un símbolo que represente que Cristo está contigo. En las líneas que siguen explica por qué elegiste ese símbolo.

____

____

____

____

The Cross Means Victory

Have you ever wondered why the cross is the symbol of Christianity? To many, the cross means pain and death; Jesus *died* on the cross. But for Christians, the cross means triumph and victory. It means that God has conquered death, and that there is always hope. It means that we can go where Jesus has gone—to the Father's house. That's why Christians proudly display the cross. It helps us see our lives united with Christ's life. The cross is the sign of God, who is love itself.

WITNESS: Saint Paul

Saul of Tarsus was a devout Jew who led the persecution of Christians in Jerusalem after Jesus' Death and Resurrection. Then Jesus appeared to Saul and called him to become an apostle of the new faith. Saul changed his name to Paul and became the greatest missionary of the early Church. Thirteen letters attributed to Paul are part of the New Testament.

MY TURN: Personal Symbols

In the space above, draw what your symbol would be to show that Christ is with you. On the lines below, explain why you chose your symbol.

____

____

____

____

redención

resumen

RESUMEN DEL TEMA

Dios hizo al ser humano libre de pecado, pero Adán y Eva lo desobedecieron e introdujeron el pecado original. Jesús revoca el pecado original con su Salvación. Jesús nos muestra cómo recorrer el camino que nos lleva de regreso a Dios.

RECUERDA

¿Qué es el pecado original?
El pecado original es la condición de separación de Dios que sufren todos los seres humanos.

¿Cuáles son algunas de las consecuencias del pecado original?
Las consecuencias incluyen una idea distorsionada de Dios, miedo, tomar malas decisiones y la muerte.

¿Cómo reparó Jesús el daño causado por el pecado original?
Jesús marcó el camino de vuelta a Dios viviendo una vida libre de pecado en perfecta obediencia a Dios. Al resucitar de entre los muertos venció a la muerte para toda la humanidad.

¿Cómo continúa hoy la obra de Salvación?
La obra de Jesús para salvar al mundo continúa por medio del servicio al prójimo, la Eucaristía, la Iglesia católica y la presencia activa del Espíritu Santo en nuestras vidas.

ACTÚA

1. Piensa en cuatro o cinco maneras en que puedes imitar a Jesús sirviendo a tu comunidad. ¿Dónde es mayor la necesidad? ¿Cómo puedes ayudar?
2. Elige una manera de servir a tu comunidad. Reflexiona acerca de tu experiencia en tu diario personal. Recuerda que no se te pedirá que compartas tus respuestas.

Palabras a saber

Eucaristía
pecado original
Resurrección
pecado
Salvación

REFLEXIONA

A veces es difícil hacer lo correcto. ¿Por qué crees que es así? Escribe sobre cómo te sientes cuando eres cruel o mezquino y cómo cuando eres amable con los otros.

Gracias, Jesús, por amarme y salvarme. Quiero ser como tú y amar al prójimo como tú hiciste. Concédeme la gracia de seguirte. Amén.

summary

FAITH SUMMARY

God made humans without sin, but Adam and Eve disobeyed God and introduced Original Sin. Through his Salvation, Jesus reverses Original Sin. Jesus shows us how to walk the path that leads us back to God.

REMEMBER

What is Original Sin?

Original Sin is the condition of separation from God that all human beings suffer.

What are some of the consequences of Original Sin?

The consequences include a distorted idea of God, fear, unsound judgment, and death.

How did Jesus repair the damage done by Original Sin?

Jesus opened the way back to God by living a sinless life of perfect obedience to God. His Resurrection from the dead overcame death for all humankind.

How does the work of Salvation continue today?

Jesus' work of saving the world continues through service to others, the Eucharist, the Catholic Church, and the active presence of the Holy Spirit in our lives.

Thank you, Jesus, for loving and saving me. I want to be like you and love others as you did. Give me the grace to follow you. Amen.

Words to Know

Eucharist
Original Sin
Resurrection
sin
Salvation

REACH OUT

1. Brainstorm four or five ways you can imitate Jesus and serve your community. Where is the greatest need? How can you help?
2. Pick one way to serve your community this week. Reflect on your experience in your personal journal. Remember that you will not be asked to share your responses.

REFLECT

Sometimes it is difficult to do what is right. Why do you think that is? Write about how you feel when you are cruel or mean-spirited and how you feel when you act kindly toward someone.

____

____

____

____

____

____

____

____

____

____

____

____

____

Un cuerpo, una familia

Eres muchas cosas al mismo tiempo: hijo, hermano, amigo, compañero de clase, compañero de equipo, deportista, estudiante. Cada una de estas palabras indica que perteneces a una comunidad. ¿Qué significa para ti pertenecer a estas comunidades?

"En la casa de mi Padre hay muchas habitaciones; si no fuera así, se lo habría dicho, porque voy a prepararles un lugar. Cuando haya ido y les tenga preparado un lugar, volveré para llevarlos conmigo, para que donde yo esté, estén también ustedes". *–Juan 14:2–3*

One Body, One family

You are many things at once: a son or daughter, sibling, friend, classmate, teammate, athlete, student. Each of these titles means you belong to a community. What does belonging to these communities mean to you?

"In my Father's house there are many dwelling places. If there were not, would I have told you that I am going to prepare a place for you? And if I go and prepare a place for you, I will come back again and take you to myself, so that where I am you also may be." *–John 14:2–3*

familia

¿Qué es la Iglesia?

La palabra *iglesia* significa muchas cosas: el edificio en donde se celebra la misa, el servicio religioso por medio del cual practicamos la fe y la organización católica romana encabezada por el papa y los obispos. La Iglesia incluye todo esto, pero el corazón de la Iglesia que fundó Jesús es algo más. La palabra *Iglesia* se traduce como "los que son llamados". La Iglesia cristiana son las personas llamadas por Cristo para estar con él en persona. Las Sagradas Escrituras describen a la Iglesia con términos que suelen aplicarse a las personas. Es una familia, un pueblo, el Cuerpo de Cristo.

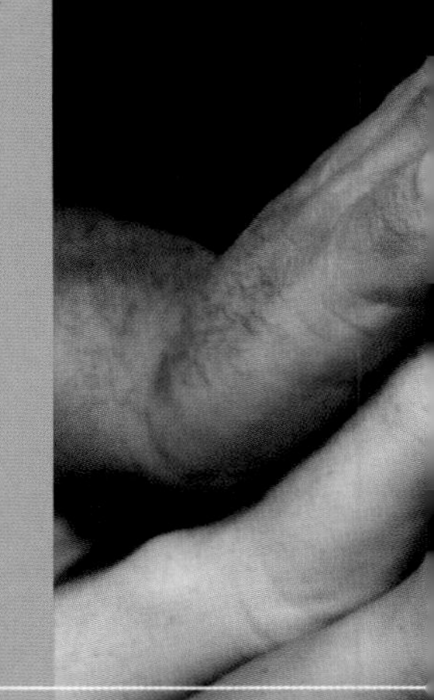

Los cuatro atributos

¿Cómo es tu familia? Al responder a esta pregunta puede que digas cosas como "hacemos mucho ruido", "nos gusta hacer cosas al aire libre", "lo nuestro es cocinar todos juntos" o "nos gusta armar rompecabezas". Preguntémonos lo mismo sobre nuestra otra familia, la Iglesia. ¿Cómo es la Iglesia? Un buen comienzo sería recordar lo que decimos cada vez que rezamos el Credo Niceno: "Creo en la Iglesia, que es una, santa, católica y apostólica". Estos cuatro adjetivos se conocen como los cuatro **atributos de la Iglesia**. Así como nuestra familia no es un adjetivo por encima de otro, la Iglesia no es una sola cosa. Los cuatro atributos de la Iglesia son los cimientos sobre los que empezamos a reconocernos como católicos.

La Iglesia es un cuerpo vivo, el **pueblo de Dios**. No somos salvados de manera individual sino todos juntos, como el pueblo al que Dios ama. El pecado original separó a toda la raza humana de Dios. Jesús redime a toda la raza humana como pueblo.

La Iglesia también es el **Cuerpo de Cristo** en la tierra, que trae amor y sanación al mundo. Jesús es la cabeza, nosotros somos las manos, los pies, los ojos, los oídos y todas las demás partes del cuerpo. La Iglesia como institución es simplemente la manera en que se organiza nuestra familia de fe.

MI TURNO: Cuestiones personales

Escribe cuatro maneras en las que pasas tiempo con otros católicos.

- ______________________
- ______________________
- ______________________
- ______________________

¿Cuál de ellas es la que más disfrutas? ¿Por qué?

____

What Is the Church?

The word *church* means many things: a building where we attend Mass, a religious service whereby we practice our faith, and the Roman Catholic organization under the leadership of the pope and the bishops. The Church includes all these things, but the heart of the Church that Jesus founded is something else. The word *Church* translates to "those who are called." The Christian Church is the people whom Christ has called to be with him personally. Scripture describes the Church in personal terms. It's a family, a people, the body of Christ.

family

The Four Marks

What is your family like? You might say things like, "We are loud," "We're outdoorsy," "Cooking together is our thing," or "We like puzzles." Let's ask the same thing about our family, the Church. What's the Church like? A good place to start is something we say every time we pray the Nicene Creed: "I believe in one, holy, catholic and apostolic Church." These four adjectives are called the four **Marks of the Church.** Just as your own family is not one adjective over another, the Church is not all one thing. The four Marks of the Church are the foundation from where we begin to recognize ourselves as Catholics.

The Church is a living body. The Church is the **People of God.** We're not saved as individuals; we're saved together, as the people whom God loves. Original Sin separated the whole human race from God. Jesus redeems the whole human race as a people.

The Church is also the **Body of Christ** on earth, bringing love and healing to the world. Jesus is the head; we are the hands and feet and eyes and ears and every other part of the body. The institutional Church is simply the way our family of faith is organized.

MY TURN: Let's Get Personal

List four ways that you spend time with other Catholics.

- ______________________________
- ______________________________
- ______________________________
- ______________________________

Which of these ways do you enjoy the most? Why?

____

____

foundation

familia

Ser buen católico no es solo cuestión de ir a misa más seguido o de dedicar más tiempo a las actividades relacionadas con la Iglesia. Dios está presente en todas partes del mundo: en tu trabajo escolar, en los sitios a los que vas, con tus amigos y en tu familia. Existen muchas maneras de amar a Dios. La clave para ser más espiritual es aprender a reconocer la presencia de Dios en todas las cosas.

La Iglesia es una

Existe una sola Iglesia porque existe un solo Cristo. Eso significa que el Cuerpo de Cristo en la tierra es uno solo. Existen más de mil millones de católicos en el mundo. ¿Qué significa decir que somos "uno"? La carta a los Efesios lo explica de la siguiente manera: "un solo Señor, una sola fe, un solo bautismo; uno es Dios, Padre de todos, que está sobre todos, entre todos, en todos" (Efesios 4:5–6). Estamos unidos de cuatro maneras:

- **Un Bautismo.** Todos somos bautizados para iniciar una nueva vida en Cristo, en el nombre del Padre, del Hijo y del Espíritu Santo.
- **Una fe.** Creemos las mismas cosas acerca de Dios, la Salvación, la Iglesia y la vida que nos espera. Esta es la fe que recibimos de los apóstoles y que se resume en el Credo Niceno y en el Credo de los Apóstoles.
- **Un culto.** Celebramos la misma misa y los mismos sacramentos.
- **Una administración.** La Iglesia está conducida por los obispos, que son los sucesores de los apóstoles. El **papa** es el obispo de Roma, sucesor de Pedro como cabeza de los apóstoles.

Lamentablemente la unidad de los cristianos no es perfecta. Las cuestiones que los dividen incluyen divergencias en el culto, administración de la Iglesia y creencias. Los cristianos ortodoxos y protestantes, por ejemplo, no aceptan la autoridad del papa. Los protestantes difieren de los católicos (y de los ortodoxos) en su manera de ver el sacerdocio, el culto, los sacramentos y la función que cumplen María y los santos en la vida

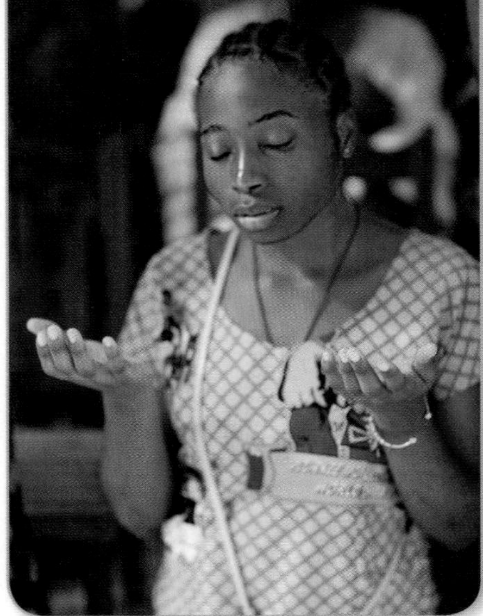

Misa católica en la catedral de Bamako, Mali, África.

Bamako cathedral, Catholic mass, Bamako, Mali, Africa.

de la Iglesia. Estas divisiones significan que hay diversos cuerpos de la Iglesia en diferentes niveles de comunión con la Iglesia única. Los católicos están en completa comunión.

Aunque los cristianos están divididos por discrepancias sobre cuestiones importantes, la unión entre nosotros es real. Todos somos bautizados para iniciar la nueva vida de Cristo y un único Bautismo nos congrega como único pueblo de Dios, incluso si la unidad no es completa. Todos los cristianos creen que Jesús fundó una sola Iglesia.

La Iglesia es santa

Santa puede significar perfecta en cuanto al bien y la rectitud. De esto se desprende una buena pregunta: ¿cómo es que una Iglesia llena de pecadores puede ser "santa"? Se parece a una de las broma de Groucho Marx, famoso comediante del siglo XX, cuando dijo: "Nunca pertenecería a un club que admitiera como socio a alguien como yo".

Pero la Iglesia no es un club. Es el pueblo de Dios y el Cuerpo de Cristo. La Iglesia es santa porque Cristo es santo. Los **Padres de la Iglesia**, los líderes de la Iglesia que sucedieron a los apóstoles, dijeron que la Iglesia es como la luna: toda su luz se refleja del sol y el sol es Cristo. Para nosotros la santidad es algo que queremos alcanzar.

cimientos

Being a good Catholic isn't simply a matter of going to Mass more often or spending more time in church-related activities. God is present everywhere in the world—in your schoolwork, the places you go, your friends and family. There are many ways to love God. The key to being more spiritual is learning to recognize the presence of God in all things.

The Church Is One

There's only one Church because there's only one Christ. That means that the Body of Christ on earth is one body. There are more than a billion Catholics in the world. What does it mean to say that we're "one"? The epistle to the Ephesians puts it this way: "one Lord, one faith, one baptism; one God and Father of all, who is over all and through all and in all." (Ephesians 4:5–6) We're united in four ways.

- **One Baptism.** We're all baptized into new life in Christ in the name of the Father, and of the Son, and of the Holy Spirit.
- **One faith.** We believe the same things about God, Salvation, the Church, and the life to come. This is the faith received from the Apostles and summarized in the Nicene and Apostles' Creeds.
- **One worship.** We celebrate the same Mass and the same sacraments.
- **One government.** The Church is led by the bishops, the successors to the Apostles. The **pope** is the Bishop of Rome, who is successor to Peter and the head of the Apostles.

Sadly, the unity of Christians isn't perfect. The issues dividing Christians involve worship, church government, and beliefs. Orthodox and Protestant Christians, for example, do not accept the authority of the pope. Protestants differ from Catholics (and the Orthodox) in their view of the priesthood, worship and sacraments, and the role of Mary and the saints in the life of the Church. These divisions mean that different church bodies are in different degrees of communion with the one Church. Catholics are in full communion.

Even though Christians are divided over important questions, there's a real unity among us. We're all baptized into the new life of Christ, and one Baptism joins us together into the one People of God, even if the unity is incomplete. All Christians believe that Jesus established one Church.

The Church Is Holy

Holy can mean perfect in goodness and righteousness. This brings up a good question: how can a Church full of sinners be "holy"? It's like a joke by the famous 20th-century comedian Groucho Marx: "I refuse to join any club that would have me for a member."

But the Church isn't a club. It's the People of God and the Body of Christ. The Church is holy because Christ is holy. The **Fathers of the Church,** the leaders of the Church in the years after the Apostles, said that the Church is like the moon: all its light is reflected from the sun, and the sun is Christ. For us, holiness is something we're striving for.

St. Peter's Square and Basilica, Vatican City, Rome, Italy.

Basílica y plaza de San Pedro, Ciudad del Vaticano, Roma, Italia.

familia

Crecemos en santidad cuando actuamos con generosidad en vez de egoísmo, cuando pensamos en los demás en lugar de centrarnos solo en nosotros mismos, cuando hacemos lo que corresponde en casa, en la escuela y con nuestros amigos. Estamos aprendiendo cómo dejar que la luz de Cristo brille en nosotros.

La Iglesia es católica

Ser católico significa que eres miembro del organismo cristiano universal que está en comunión con el obispo de Roma. La Iglesia también es **católica**. Al denominarla *católica* queremos decir que es "universal".

Es universal en su extensión y no solo geográfica. Jesús les dijo a los apóstoles que llevaran el evangelio a "todas las naciones" y eso es exactamente lo que hicieron. La Iglesia católica abarca personas de todas las razas, lenguas, culturas y naciones. El pueblo del que eres parte incluye indonesios, nigerianos, suecos, bolivianos, australianos, inuitas, españoles, nativos de las islas del Pacífico y personas de todas las demás partes del mundo. Es esto lo que le da sentido real al término *diversidad*. Cada cultura y cada clase de persona tienen su hogar en la Iglesia.

La Iglesia también es universal en tanto que contiene todo lo necesario para lograr la Salvación. El Evangelio que predica es buena noticia para todos. La fe que proclama es toda la fe. Nada de lo esencial queda fuera. Su misión alcanza a todas las personas, en todas partes, en todos los tiempos.

Universalidad no significa uniformidad. De hecho es todo lo contrario. Un buen ejemplo es la misa, que se celebra en todos los idiomas. La vida católica es tan diversa como la gente que la vive.

MI TURNO: Personas a las que admiro

Piensa en alguien a quien admiras. ¿Qué es lo que te gusta de esa persona? ¿Qué características tiene que a ti te gustaría tener?

____

____

____

____

____

____

____

We grow in holiness when we act generously instead of selfishly, when we think of others instead of ourselves, when we do the right thing at home, in school, and with our friends. We're learning how to let the light of Christ shine in us.

The Church Is Catholic

You are a Catholic with a capital *C,* meaning a member of the worldwide Christian body that's in communion with the Bishop of Rome. The Catholic Church is also **catholic** with a lowercase *c.* By *catholic* we mean that the Church is "universal."

It's universal in extent, and we're not just talking geographically. Jesus told the Apostles to take the gospel to "all nations," and that's exactly what they did. People of every race, language, culture, and nation belong to the Catholic Church. The people you're part of include Indonesians, Nigerians, Swedes, Bolivians, Australians, Inuit, Spaniards, Pacific Islanders, and people from everywhere else on earth. This gives real meaning to the term *diversity.* Every culture and every sort of person has his or her home in the Church.

The Church is also universal in the sense that it contains everything that's needed for Salvation. The Gospel it preaches is good news for everyone. The faith it proclaims is the whole faith. Nothing essential is left out. Its mission is to all people everywhere and at all times.

Universality doesn't mean uniformity. Quite the opposite, in fact. For instance, Mass is celebrated in every language. Catholic life is as diverse as the people who live it.

family

MY TURN: People I Admire

Think of someone you admire. What do you like about this person? What characteristics does he or she have that you would like to have?

familia

La Iglesia es apostólica

La condición de **apostólica** se refiere a los doce apóstoles de Jesús. La Iglesia es apostólica porque fue fundada por Jesús y continuada por los apóstoles. La Iglesia sigue la tradición apostólica y está administrada por sus sucesores, los obispos.

Jesús contaba con un amplio círculo de discípulos a su alrededor, tanto hombres como mujeres. De ese grupo eligió a doce apóstoles que tenían responsabilidades especiales. Estos hombres, a veces llamados los "doce", acompañaban a Jesús a todas partes y fueron testigos de su obra. Los doce estuvieron con él en la Última Cena, cuando Jesús les dio de comer su Cuerpo y su Sangre diciendo: "Hagan esto en memoria mía" (Lucas 22:19).

Después de su Resurrección Jesús se apareció ante sus apóstoles y les encomendó la misión de continuar predicando el evangelio a todo el mundo a través de la Iglesia que había fundado. Cuando un apóstol moría los otros elegían a su sucesor, es lo que se llama sucesión apostólica, que se ha extendido a lo largo de los siglos hasta el presente. Los obispos de la Iglesia católica son los sucesores directos de los doce apóstoles y actúan con la misma autoridad que ellos.

El papa y los obispos pueden ser los sucesores directos de los apóstoles, pero en un sentido todos nosotros también somos apóstoles. La palabra *apóstol* significa "enviado". Todos somos enviados a difundir el amor de Jesús por el mundo. De hecho, eso es especial responsabilidad de los **laicos**, es decir, los cristianos que no han sido ordenados.

Los santos

Los santos están presentes en toda la vida católica. Las parroquias llevan nombres de santos. Tenemos estatuas e imágenes de santos. Narramos historias sobre la vida de los santos. Rezamos oraciones para pedir a los santos que nos ayuden. Es incluso probable que te hayan puesto el nombre de un santo. Cuando te confirmes tendrás la posibilidad de adoptar el nombre de un santo para que sea tu patrono de confirmación. ¿Por qué les prestamos tanta atención a los santos?

Una de las razones es que los santos son tan importantes en nuestra vida hoy como lo eran en su época. Los santos constituyen un grupo selecto que ha sido **canonizado**, es decir, individuos a los cuales la Iglesia ha declarado oficialmente personas que llevaron una vida santa. Todos estamos llamados a ser santos. Los santos canonizados nos demuestran que la santidad es una condición que todos podemos alcanzar. Los santos viven con Cristo en el cielo y son parte de la misma Iglesia a la que pertenecemos.

Cómo pueden ayudarnos los santos

Piensa en los santos como amigos que nos ayudan de muchas maneras.

Los santos son un ejemplo para nosotros. Abrieron su corazón a la gracia de Dios y encontraron un camino hacia la santidad. Se enfrentaron a problemas de la vida real, tuvieron problemas familiares, fueron malinterpretados, fracasaron y pecaron. A veces la gente cree que los santos son como superhéroes de historieta, personajes con capacidades muy superiores a las nuestras. Al contrario, son personas como nosotros que lograron grandes cosas por medio de la gracia de Dios. Nos demuestran que podemos hacer lo mismo que ellos.

SIGNO SAGRADO: El escapulario

El escapulario es un sacramental muy popular. Consiste en dos pequeños trozos de tela unidos por dos cintas que se llevan con una parte sobre el pecho y la otra sobre la espalda. Rememora los hábitos que usaban sobre los hombros los miembros de órdenes religiosas. Ambos trozos de tela portan la imagen de María o algún símbolo de devoción particular. El escapulario de color café de Nuestra Señora del Monte Carmelo representa la devoción del que lo lleva a María, su protección maternal y el apoyo a la orden carmelita.

The Church Is Apostolic

Apostolic refers to Jesus' twelve Apostles. The Church is apostolic because it was founded by Jesus and carried on by the Apostles. The Church holds to the Apostles' tradition and is governed by their successors, the bishops.

Jesus had a large circle of disciples around him, both men and women. From this group he selected twelve Apostles who had special responsibilities. These men, sometimes called the Twelve, went everywhere with Jesus and were eyewitnesses to his work. The Twelve were at the Last Supper, where Jesus gave them his Body and Blood and said, "[D]o this in memory of me." (Luke 22:19)

After his Resurrection, Jesus appeared to the Apostles and gave them the mission of continuing his work of preaching the gospel to the whole world through the Church he founded. When one died, the others chose his successor—a practice called apostolic succession that has continued through the centuries to the present day. The bishops of the Catholic Church are the direct successors to the twelve Apostles. They act with the same authority.

The pope and bishops may be direct successors of the Apostles, but there's a sense in which all of us are Apostles. The word *apostle* means "one who is sent out." All of us are sent to bring Christ's love to the world. In fact, this is the special responsibility of the **laity,** that is, Christians who are not ordained.

The Saints

You'll find saints everywhere in Catholic life. Parishes are named for saints. We have statues and pictures of saints. We tell stories from the lives of the saints. We say prayers asking saints to help us. You might even be named for a saint. When you're confirmed, you'll have the chance to take the name of a saint who will be your special patron. Why do we pay so much attention to saints anyway?

One reason is that the saints are just as relevant to our lives today as they were in their lifetime. The saints are a select group that have been **canonized;** that is, the Church has officially declared that they led especially holy lives. We are all called to be saints. Canonized saints show us that sanctity is something we can all achieve. The saints live with Christ in Heaven and are part of the same Church we belong to.

How the Saints Can Help

Think of the saints as friends who help us in several ways.

Saints are examples for us. They opened their hearts to God's grace and found a way to holiness. They faced real-life problems, had family troubles, were misunderstood, failed, and sinned. Sometimes people think that the saints are like comic-book superheroes—people with abilities far beyond our own. It's just the opposite: they are people like us who accomplished great things through God's grace. They show us that we can do the same.

SACRED SIGN: Scapular

A popular sacramental is the scapular, two small pieces of cloth attached to strings and worn around the neck so that one piece hangs in front and the other in back. It recalls the habits worn over the shoulders by members of religious orders. The two pieces of cloth show an image of Mary or a symbol of particular devotion. The Brown Scapular of Our Lady of Mount Carmel signifies the wearer's devotion to Mary, her motherly protection, and support of the Carmelite Order.

OUR LADY OF MT. CARMEL
Pray for us

SAN SIMÓN STOCK
Reza por nosotros

Hay santos de todos los tamaños, formas y razas. Entre ellos hay adolescentes, personas casadas, monjes, reyes, soldados y maestros. Provienen de todas las culturas, continentes y épocas. Algunos fueron santos desde el principio de su vida; otros, en cambio, fueron pecadores terribles que luego se convirtieron. Algunos se hicieron famosos; otros fueron desconocidos. Pero todos tienen en común el haber encontrado su propia forma de acercarse a Dios. Tú también puedes ser un santo a tu manera.

Podemos invocar la ayuda y guía de los santos en todo momento. Son parte de nuestra familia de fe. Están más cerca de Dios que nosotros y saben más que nosotros. Cuando estaba a punto de morir, santa Teresa de Lisieux dijo: "Quiero pasar mi cielo haciendo el bien en la tierra". La próxima vez que necesites algo, pídele a santa Teresa de Lisieux o a algún otro santo **interceder** por ti ante Dios.

Los santos nos acercan a Cristo. Podemos mirar a los santos como ejemplo de la manera en que debemos vivir el mensaje de Jesús: cómo los santos trataban al prójimo, cómo manejaban los conflictos, cómo tomaban decisiones. La vida de los santos nos señala el camino de Jesús.

María

Hay una santa en el cielo que está por encima de todos los demás: María, la madre de Jesús. La veneramos porque estuvo más cerca de Jesús que nadie en la Tierra jamás podría estarlo. Jesús la honró llevándola consigo al cielo, en cuerpo y alma, para estar con él.

Por qué María es especial

Es fácil sentirse cerca de María. Era una mujer común, y aun así, se convirtió en la Madre de Dios.

Dios le pidió a María que se convirtiera en la madre de Jesús, pero no estaba obligada a aceptar. Podía haber elegido no serlo. María confió en que Dios estaría con ella y aceptó su invitación. Esta actitud de María es un modelo para nosotros.

RITO: Agua bendita

El rito de la aspersión con agua bendita evoca el sacramento del Bautismo. Al hacer la Señal de la Cruz con agua bendita estamos venerando a la Trinidad. El agua bendita de la pila bautismal y de los recipientes ubicados en la entrada de las iglesias se bendice durante la Vigilia Pascual el Sábado Santo.

Madonna (love), 2010, acrylic on canvas, Laura James.

Madonna (amor), 2010, acrílico sobre lienzo, Laura James.

Saints come in every size, shape, and race. Among them are teenagers, married people, monks, kings, soldiers, and school teachers. Saints come from every culture, continent, and century. Some were "saintly" from an early age; some were steadfast sinners who experienced a conversion. Some became famous; some were obscure. What each saint has in common is that each found his or her own way to be closer to God. You can be a saint in your own way too.

We can ask for the saints' help and guidance any time. They are part of our family of faith. They are closer to God than we are and they know more than we do. When she was dying, Saint Thérèse of Lisieux said, "I want to spend my heaven in doing good on earth." The next time you need something, ask Saint Thérèse or another favorite saint to **intercede** with God on your behalf.

Saints bring us closer to Christ. We can look to the saints as examples of how to live Jesus' message—how the saints treated other people, how they handled conflict, how they made decisions. The lives of the saints point toward Jesus' way.

family

RITE: Holy Water

The sprinkling of holy water recalls the Sacrament of Baptism. When we make the Sign of the Cross with holy water, we are praising the Trinity. The holy water in the baptismal font and in the receptacles at the church entryways are blessed during the Easter Vigil on Holy Saturday.

Mary

One saint in Heaven stands above all others—Mary, Jesus' mother. We revere her because she was closer to Jesus than any other person could ever be on this earth. Jesus honored her by taking her to Heaven, body and soul, to be with him.

Why Mary Is Special

It's easy to feel close to Mary. She's an ordinary woman, yet she became the Mother of God.

God invited Mary to become the mother of Jesus, but she didn't have to do it. She had a choice. Mary was confident that God would be with her so she said yes to his invitation. In this, Mary is our model. Jesus invites each of us to follow him. Doing this requires courage because we don't know what the future holds, but we can do it because we have confidence in God. Mary showed us how to say yes.

TESTIGO: El venerable Pierre Toussaint

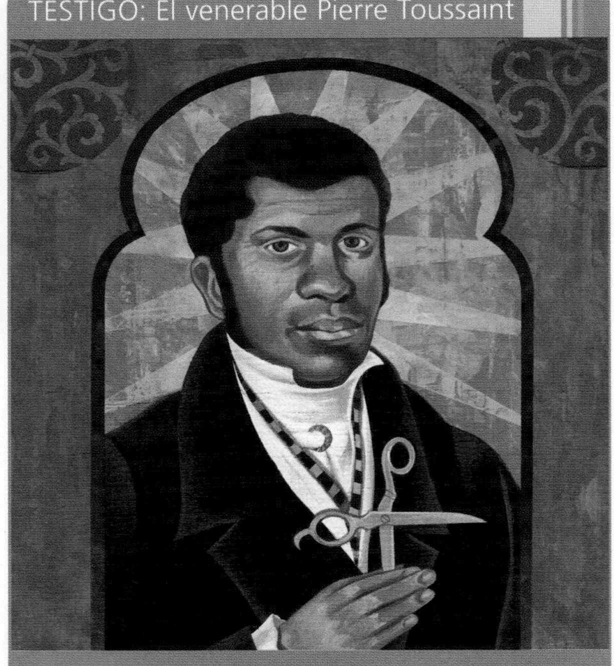

El venerable Pierre Toussaint nació en Haití en 1766 y trabajó como esclavo para una familia muy importante. Cuando esta familia se mudó a Nueva York, Pierre los acompañó y pasó a ser aprendiz de peluquería. Al poco tiempo obtuvo su libertad y empezó a ganar su propio dinero. Siguió cuidando de la familia para la que había trabajado cuando su amo falleció. Pierre donó todo su dinero a diferentes obras benéficas, incluido un orfanato católico. Pierre era conocido por su humildad y compasión hacia todas las personas sin hacer distinciones.

Jesús nos invita a que le sigamos. Aceptar su invitación requiere valor porque desconocemos qué es lo que nos depara el futuro; aun así podemos hacerlo porque confiamos en Dios. María nos enseñó a decir sí.

Para la Iglesia María es, junto a Jesús, el único ser humano que nació libre del pecado original. Dios honró a María de esta manera especial para prepararla como futura madre del Salvador. Este honor se conoce como la **Inmaculada Concepción**. Los cristianos han creído en la Inmaculada Concepción de María desde los comienzos de la Iglesia.

La Iglesia cree que cuando completó su paso por la tierra, María ascendió al cielo en cuerpo y alma para encontrarse allí con su Hijo, Jesús. Esto se conoce como la **Asunción** de María. Este es otro privilegio exclusivo que Dios le concedió a María por su papel como la madre del Salvador.

La Iglesia dice que María es nuestra madre y la madre de Jesús. En la cruz Jesús señaló a María y le dijo a su discípulo Juan: "Ahí tienes a tu madre" (Juan 19:27). La Iglesia entiende que al decir esto Jesús le encomendó la Iglesia a María. De esta forma, como nosotros somos la Iglesia, María es nuestra madre y podemos recurrir a ella con confianza para que interceda por nosotros.

MI TURNO: Cualidades de los santos

Haz una lista de algunas de las cualidades que crees que una persona santa podría tener.

____

____

____

____

The Church believes that Mary, along with Jesus, was the only human being to be born free of Original Sin. God honored Mary in this special way to prepare her to become the mother of the Savior. This honor is known as the **Immaculate Conception.** Christians have believed in Mary's Immaculate Conception since the earliest days of the Church.

The Church believes that when her time on earth was complete, Mary was assumed into Heaven, body and soul, where she joined her Son, Jesus. This is called the **Assumption** of Mary. This is another unique privilege that God gave to Mary because of her role as the mother of the Savior.

The Church says that Mary is our mother as well as Jesus' mother. On the cross, Jesus pointed to Mary and said to his disciple John, "Behold, your mother." (John 19:27) The Church understands this to mean that Jesus entrusted the entire Church to Mary. Since we are the Church, Mary is our mother, and we can confidently call on her to intercede for us.

WITNESS: Venerable Pierre Toussaint

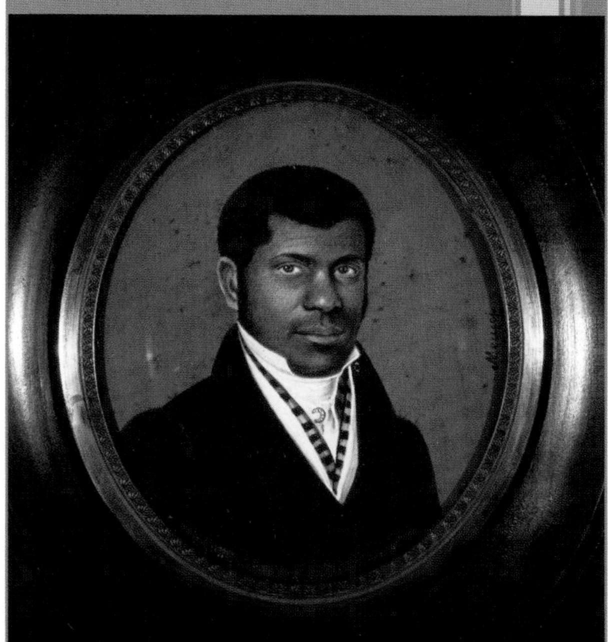

Venerable Pierre Toussaint was born in Haiti in 1766 and worked as a slave for a prominent family. When the family moved to New York, Pierre went with them and was made a hairdresser's apprentice. Pierre soon earned his freedom and his own money. He continued to care for the family he worked for when his master died. Pierre contributed all his money to several charities, including a Catholic orphanage. Pierre was known for his humility and compassion for all people, regardless of status.

MY TURN: Saintly Traits

List some of the qualities you think a saintly person would have.

____

____

____

____

familia

resumen

RESUMEN DEL TEMA

Los cuatro atributos de la Iglesia nos muestran cómo la Iglesia es una, santa, católica y apostólica. Pero también la Iglesia es una comunidad bajo Dios. Podemos aprender cómo vivir siendo parte de esta comunidad mediante el ejemplo de los santos. María, la madre de Jesús, nos mostró cómo decirle sí a Jesús y recurrir a Dios para que nos guíe.

RECUERDA

¿Cuáles son los cuatro atributos de la Iglesia?
La Iglesia es una, santa, católica y apostólica.

¿En qué sentido la Iglesia es una?
La Iglesia tiene un bautismo, una fe, un culto y una administración.

¿Cómo pueden ayudarnos los santos?
Aprendemos del ejemplo de los santos. Nos muestran que existen muchos caminos hacia la santidad. Ruegan por nosotros.

¿Por qué María merece especialmente nuestra devoción?
María nos muestra cómo decir sí y seguir a Jesús en circunstancias difíciles. Dios preservó a María del pecado original. Es la madre de Jesús y Madre de Dios. Cuando terminó su paso por la tierra Dios la hizo ascender al cielo. Es la Madre de la Iglesia y Madre de todos los cristianos.

ACTÚA

1. Busca información sobre tu santo patrono o sobre el santo cuya festividad se celebra el mismo día de tu cumpleaños. ¿Qué convierte a esta persona en un santo?
2. Pregunta a tus amigos y familiares quiénes son sus santos preferidos y por qué lo son.

Palabras a saber

apostólica
Asunción
Cuerpo de Cristo
canonizado
católica
Padres de la Iglesia
Inmaculada Concepción
interceder
laicos
atributos de la Iglesia
pueblo de Dios
papa

REFLEXIONA

Como católico perteneces a la comunidad de la Iglesia. ¿Qué se espera de ti y qué esperas tú de la Iglesia?

María, madre mía, te pido que veles por mí. Protégeme. Ruega por mí. Pide a tu Hijo, Jesús, que se acuerde de mí. Gracias por guiarme. Amén.

summary

FAITH SUMMARY

The four Marks of the Church show us how the Church is one, holy, catholic, and apostolic. However, the Church is one community under God. We can learn how to live as part of this community through the examples of the saints. Mary, Jesus' mother, showed us how to say yes to Jesus and turn to God for guidance.

REMEMBER

What are the four Marks of the Church?
The Church is one, holy, catholic, and apostolic.

How is the Church one?
The Church has one baptism, one faith, one worship, and one government.

How can the saints help us?
We learn from the saints' example. They show us that there are many ways to holiness. They pray for us.

Why is Mary especially worthy of our devotion?
Mary shows us how to say yes and to follow Jesus in difficult circumstances. God preserved Mary from Original Sin. She is the mother of Jesus and the mother of God. When her time on earth was over, God assumed her into Heaven. She is the mother of the Church and the mother of every Christian.

Mary, my mother, I ask you to watch over me. Protect me. Pray for me. Remember me to your Son, Jesus. Thank you for your guidance. Amen

Words to Know

apostolic
Assumption
Body of Christ
canonized
catholic
Fathers of the Church
Immaculate Conception
intercede
laity
Marks of the Church
People of God
pope

REACH OUT

1. Research your patron saint or the saint on whose feast day you were born. What makes that saint holy?
2. Ask your friends and family about their favorite saints and why they like these saints.

REFLECT

As a Catholic, you belong to the community of the Church. What is expected of you, and what do you expect from the Church?

family

Celebrando como comunidad

Cuando aplaudimos o alzamos el pulgar expresamos una emoción sin recurrir a las palabras. ¿Qué otros gestos usamos para comunicarnos sin palabras? ¿Cómo le dirías a otra persona que la amas sin emplear palabras?

Porque yo recibí del Señor lo que les transmití: que el Señor, la noche que era entregado, tomó pan y, dando gracias, lo partió y dijo: "Esto es mi cuerpo que se entrega por ustedes. Hagan esto en memoria mía". De la misma manera, después de cenar, tomó la copa y dijo: "Esta copa es la nueva alianza sellada con mi sangre. Cada vez que la beban háganlo en memoria mía". Y así, siempre que coman este pan y beban esta copa, proclamarán la muerte del Señor, hasta que vuelva. *–1 Corintios 11:23–26*

Worshiping as a community

Gestures, such as clapping or giving a thumbs-up, express a feeling without using words. What are some other gestures we use to communicate? How would you tell someone that you love them without using words?

For I received from the Lord what I also handed on to you, that the Lord Jesus, on the night he was handed over, took bread, and, after he had given thanks, broke it and said, "This is my body that is for you. Do this in remembrance of me." In the same way also the cup, after supper, saying, "This cup is the new covenant in my blood. Do this, as often as you drink it, in remembrance of me." For as often as you eat this bread and drink the cup, you proclaim the death of the Lord until he comes.
–1 Corinthians 11:23–26

Dios vive entre nosotros

A veces resulta fácil ir a misa. Otras veces, no. Preferirías quedarte en tu casa cuando es invierno y afuera la mañana está fría y lluviosa, o en verano aprovechar el domingo para ir a nadar a la piscina. Ir a misa y rendir culto requieren tiempo y esfuerzo, como todo lo que vale la pena. Dedicarle el tiempo que requiere es un poco más fácil si lo conviertes en una costumbre. También es más fácil cuando se tiene presente que el culto católico nos ayuda darnos cuenta de que Jesús es gran parte de nuestra vida.

Rendir culto

La palabra hebrea que se usaba en el Antiguo Testamento para decir "culto" era *shachach,* que literalmente significa "inclinarse ante alguien" como gesto de sumisión. Inclinarse ante alguien o algo significa orientarse o alinearse físicamente con respecto a esa persona o cosa. En esencia, es como decir: "Dirijo todo mi ser, físico, emocional y espiritual, hacia ti". El Primer Mandamiento traducido literalmente del hebreo, dice: "No te inclinarás ante otro dios", exhortándonos a no inclinarnos ante falsos dioses y rendirles culto. Dios nos dice que cuando nos inclinamos ante alguien o algo distinto de él, no lo hacemos con nuestro verdadero origen. De ahí que las primeras palabras del ministerio público de Jesús fueran: "Arrepiéntanse y crean en la Buena Noticia" (Marcos 1:15). Arrepentirse es reformarse o empezar de nuevo. Significa morir a nuestro antiguo ser, morir al pecado y regenerarse, volver a nacer en la gracia de Dios. Ya no nos alineamos con el pecado, sino que nos alineamos con la voluntad de Dios.

Liturgia

Como católicos creemos en ciertas cosas, pero también hacemos ciertas cosas. Todos los domingos nos reunimos para rendir culto, una práctica que los cristianos siguen desde hace casi 2000 años. La manera más clara de declarar nuestra identidad como católicos es unirnos a nuestros hermanos católicos en la misa dominical.

El término que define el culto público comunitario es ***liturgia***, derivado de una palabra griega que significa "obra del pueblo". La liturgia no es algo que practicamos de manera individual. Es algo que celebramos con los demás o en nombre de la comunidad de fieles, es decir, la Iglesia. La liturgia no se refiere únicamente a la celebración de la misa sino a todas las oraciones públicas oficiales de la Iglesia. La misa es la forma principal de la liturgia, pero hay otras, especialmente los sacramentos.

MI TURNO: Comunicarse con lenguaje de señas

¿Qué rituales tenéis en tu familia? Elige algún ritual y describe lo que significa para ti y tu familia.

God Lives Among Us

Sometimes it's easy to go to Mass. Sometimes it's not. You'd rather stay inside on a cold, wet winter morning or head to the pool on a summer Sunday. Going to Mass and offering worship takes time and effort, like everything else that's worth doing. Taking the time is a little easier if you make it a habit. It's also easier when you keep in mind that Catholic worship helps us realize how much Jesus is a part of our life.

Worship

In Hebrew, the word for *worship* (shachach) actually means "to bow before" in a posture of submission. To bow to someone or something is to physically orient or align ourselves with that person or thing. It is to say, in essence, "I direct all my being—physical, emotional, and spiritual—to you." This is why the First Commandment directs us not to bow before any false gods. God is telling us that when we align ourselves with someone or something other than him, we are not aligned with our true source. No doubt this is why the very first words of Jesus' public ministry were, "Repent, and believe in the gospel." (Mark 1:15) To repent is to reform or to start over again. It means to die to our old self—to die to sin—and to be reformed, born anew, in the grace of God. No longer are we to be aligned with sin, but rather we are to be aligned with the will of God.

Liturgy

As Catholics we believe certain things, but we also do certain things. Every Sunday, we gather for worship—something that Christians have been doing for nearly two thousand years. The surest way to declare our identity as a Catholic is to join our fellow Catholics at Mass on Sunday.

The word for public community worship is ***liturgy,*** from a Greek word meaning "work of the people." Liturgy is not something we do alone. It is something we do with or on behalf of the community of the faithful—the Church. Liturgy does not just refer to the celebration of the Mass, but to all the official public prayers of the Church. The Mass is the main form of liturgy, but there are others, most importantly the sacraments.

MY TURN: Speaking in Sign Language

What rituals do you have within your family? Pick one ritual and describe what it means to you and your family.

____

____

____

____

____

believe

Domingo: el día del Señor

Jesús resucitó de entre los muertos un domingo. Inmediatamente el domingo se convirtió en el día especial de la semana en el que los cristianos se reunían para rezar y realizar "la fracción del pan" (Hechos de los apóstoles 20:7). Este era el banquete eucarístico en el cual los cristianos compartían el pan y el vino transformados en el Cuerpo y la Sangre de Cristo. Desde entonces, el domingo es el día de la semana dedicado a la celebración principal de la Eucaristía.

Los sacramentos

Cuando celebramos los sacramentos les mostramos a Dios y a la comunidad que estamos fortaleciendo nuestra relación con Dios y participando activamente en nuestra educación espiritual.

Los sacramentos son signos sagrados que nos traen el amor y la gracia de Dios a través de objetos que nos son familiares. Los sacramentos son siete; el más importante es la Eucaristía, que se celebra en cada misa. La Eucaristía y los otros seis sacramentos son fundamentales para la vida litúrgica de la Iglesia. Cada uno de ellos nos trae la gracia de Dios por medio de un signo sagrado.

Cómo actúan los sacramentos

Los signos visibles de estos sacramentos transmiten una realidad invisible: el amor, la gracia y la bendición de Dios para nuestra vida. Es como un abrazo. El abrazo es algo que damos. Es un signo visible del amor invisible que sentimos por la persona a la que abrazamos. El abrazo visible y el amor invisible no pueden separarse. Abrazas a alguien porque lo amas; al abrazar a ese ser, le estás dando amor. Con los sacramentos es igual. La vida nueva en Cristo se transmite por el agua del Bautismo. Jesús se entrega a nosotros por medio del pan y el vino, su Cuerpo y su Sangre.

Los sacramentos hacen que las cosas se vuelvan concretas. Ser cristiano no es tener un conjunto de ideas y creencias en nuestra cabeza. El amor de Dios no es una mera realidad "espiritual" invisible. Nuestro amor a Dios no son sólo palabras. Los primeros seguidores de Jesús lo tocaron, lo oyeron, caminaron con él. Nosotros podemos hacer lo mismo a través de los sacramentos. Los sacramentos nos permiten amar a Dios con todos nuestros sentidos, no sólo con la mente.

Los sacramentos de la Iniciación

Tres de los sacramentos se denominan sacramentos de la Iniciación porque nos hacen miembros plenos de la Iglesia. Posiblemente conozcas los ritos iniciales de organizaciones como los *scouts*, asociaciones deportivas o clubes. Al recibir los sacramentos del Bautismo, la Confirmación y la Eucaristía eres plenamente parte de la Iglesia católica.

Por medio del **Bautismo** iniciamos una nueva vida en Cristo. Somos bautizados "En el nombre del Padre y del Hijo y del Espíritu Santo". El símbolo principal del Bautismo es el agua: una necesidad para la vida y el desarrollo de los seres vivos.

La **Eucaristía**, el sacramento más importante de todos, nos trae a Cristo mismo a través de los signos del pan y el vino.

La **Confirmación** completa tu iniciación en la Iglesia. Eres ungido con óleo santo, un símbolo antiguo que representa especial apego a un grupo.

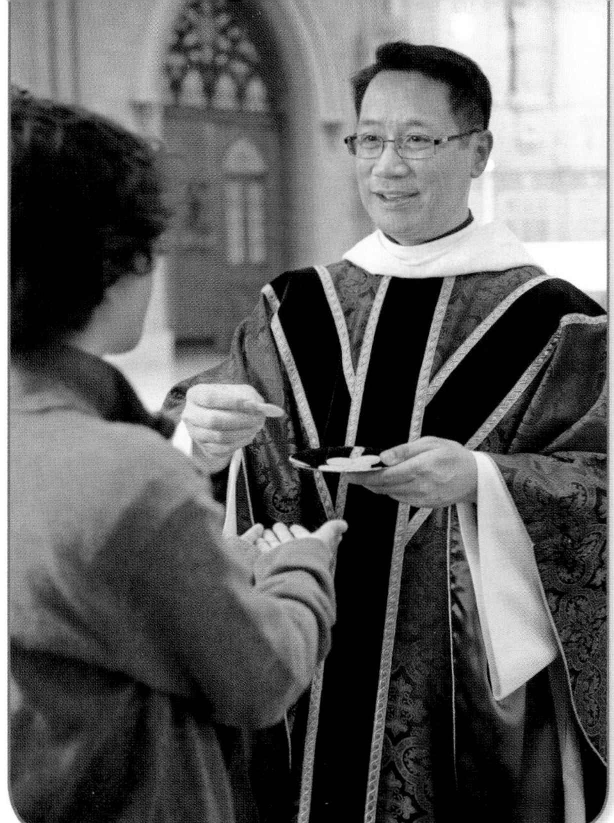

Sunday—the Lord's Day

Jesus rose from the dead on a Sunday. Sunday immediately became the special day of the week when Christians gathered to pray and "to break bread." (Acts of the Apostles 20:7) This was the Eucharistic meal where Christians shared the bread and wine transformed into the Body and Blood of Christ. Ever since, Sunday has been the day of the week set aside for the principal celebration of the Eucharist.

Sacraments

When we celebrate the sacraments, we are signaling to God and to the community that we are strengthening our relationship with God and actively participating in our spiritual education.

The sacraments are sacred signs that bring God's love and grace to us through familiar things. There are seven sacraments; the most important one is the Eucharist, which is celebrated at every Mass. The Eucharist and the six other sacraments are central to the Church's liturgical life. Each of them brings us God's grace through a sacred sign.

How Sacraments Work

The visible signs of these sacraments convey an invisible reality—God's love and grace and blessing for our lives. It's like a hug. A hug is something you do. It's a visible sign of the invisible love you have for the person you're hugging. The visible hug and the invisible love can't be separated. You hug someone because you love them; by hugging them, you're giving them love. The same idea is at work in the sacraments. New life in Christ comes through the water of Baptism. Jesus gives to us the consecrated bread and wine, his Body and Blood.

Sacraments make things concrete. Being a Christian isn't a set of ideas and beliefs in our heads. God's love isn't merely an invisible "spiritual" reality. Our love of God isn't just words. The first followers of Jesus touched him, heard him, walked with him. We can do the same through the sacraments. The sacraments let us love God with all our senses, not just with our minds.

Sacraments of Initiation

Three of the sacraments are called Sacraments of Initiation because they make us full members of the Church. You may have gone through initiation rituals in organizations like the Scouts, athletic teams, and clubs. You're fully part of the Catholic Church when you receive the sacraments of Baptism, Confirmation, and the Eucharist.

In **Baptism,** we come into a new life in Christ. We are baptized "In the name of the Father, and of the Son, and of the Holy Spirit." Baptism's primary symbol is water—a necessity for the life and growth of living things.

The **Eucharist,** the most important sacrament of all, brings us Christ himself through the signs of bread and wine.

Confirmation completes our initiation into the Church. You are anointed with holy oil, an ancient symbol signifying special attachment to a group.

Los sacramentos de la Curación

Los dos sacramentos de la Curación nos devuelven la salud espiritual y, a veces, la salud física.

En el sacramento de la **Penitencia y la Reconciliación** confesamos nuestros pecados y recibimos el perdón de Dios. La gracia del sacramento se transmite por medio de las palabras: nombramos nuestros pecados y el sacerdote nos da el perdón de Dios a través de las palabras de absolución.

La **Unción de los Enfermos** brinda consuelo y a veces sana a las personas que sufren una enfermedad física, espiritual o emocional. En el sacramento se utiliza óleo, un antiguo signo de curación.

Los sacramentos al Servicio de la Comunidad

Los sacramentos que conceden gracias especiales de servicio son dos:

En el **Matrimonio** un hombre y una mujer se comprometen a amarse y cuidarse mutuamente para el resto de sus vidas. La gracia de este sacramento se transmite por medio de los votos que el hombre y la mujer hacen entre sí. Es habitual que intercambien anillos como signo de amor y fidelidad.

En el sacramento del **Orden** los varones se ordenan para servir a la Iglesia como sacerdotes. Un momento clave de este sacramento es cuando el obispo impone sus manos sobre la persona que se ordena mientras pronuncia las palabras de ordenación. La imposición de manos es un signo antiguo que representa afecto, curación y unción especial para el servicio.

MI TURNO: Mis cosas favoritas

¿Qué objetos son "signos" especiales para ti? Quizá representan o te recuerdan acontecimientos o personas importantes de tu vida. Piensa en tres y explica por qué son "sagrados" para ti.

____

____

____

____

____

____

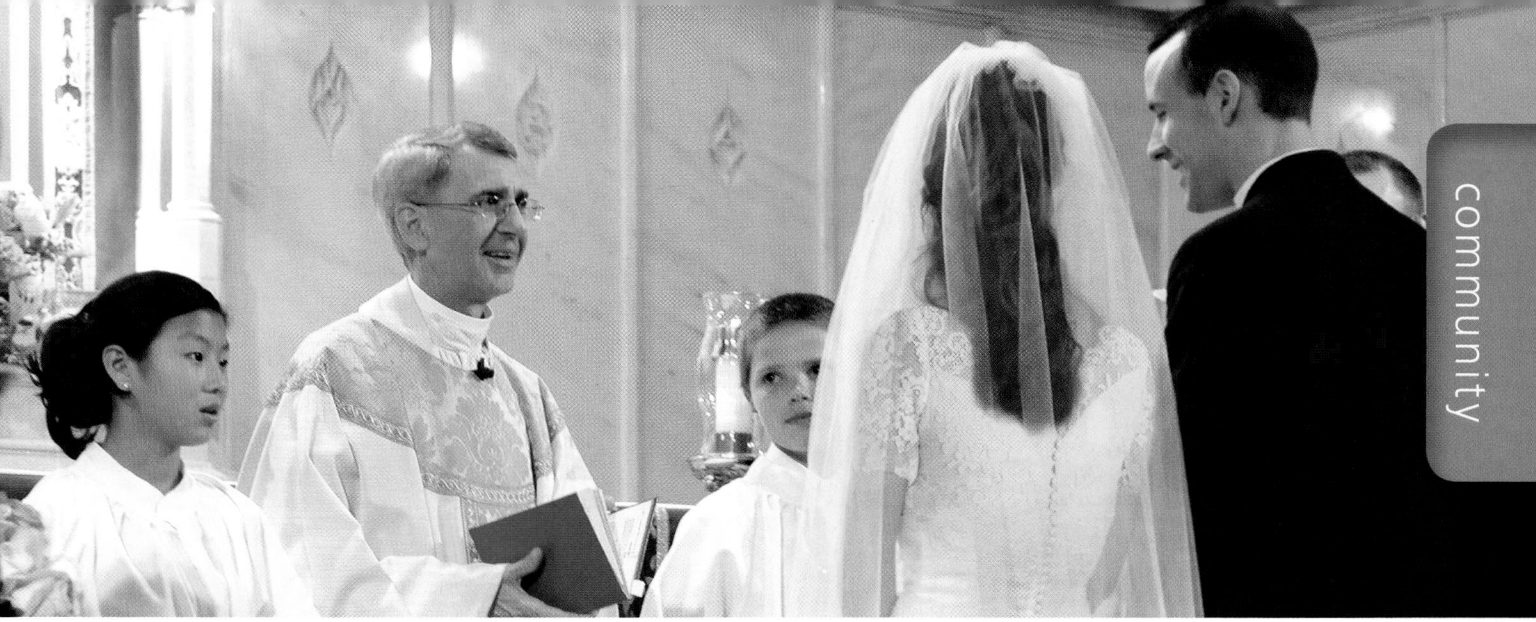

community

Sacraments of Healing

The two Sacraments of Healing restore us to spiritual and sometimes physical health.

In the Sacrament of **Penance and Reconciliation,** we confess our sins and receive God's forgiveness. The grace of the sacrament comes through words— we name our sins, and the priest gives God's forgiveness through words of absolution.

The Anointing of the Sick brings comfort and sometimes healing to those suffering from physical, spiritual, and emotional illness. The sacrament uses oil, an ancient sign of healing.

Sacraments of Service

Two sacraments give special graces of service.

In **Matrimony,** a man and a woman commit themselves to love and care for each other for the rest of their lives. The grace of the sacrament comes through the vows that the man and woman say to each other. They also usually exchange rings as a sign of love and fidelity.

Through the Sacrament of **Holy Orders,** men are ordained to serve the Church as priests. A key moment in this sacrament occurs when the bishop lays hands on the man and says the words of ordination. The laying on of hands is an ancient sign of affection, healing, and special anointing for service.

MY TURN: Favorite Things

What objects are special signs to you? Perhaps they symbolize or remind you of important people or events in your life. List three of them and explain why they are sacred to you.

El año litúrgico

El culto católico también sigue un calendario. Se desarrolla dentro de un ciclo anual de tiempos y festividades que conforman el denominado **año litúrgico**, también conocido como año de la Iglesia o como año cristiano.

El año litúrgico se divide en tiempos, cada uno con sus propias tradiciones y formas de rezar.

Se inicia con el Adviento, que comienza el cuarto domingo antes de Navidad y termina en la tarde del día de Nochebuena. El tema del Adviento es la espera. Esperamos dos sucesos: el nacimiento de Jesús en Navidad y la segunda venida de Cristo al final de los tiempos. El Adviento se observa en la misa a través de lecturas especiales de las Sagradas Escrituras.

El tiempo de Navidad celebra el nacimiento de Jesús y su manifestación ante el mundo. Comienza al anochecer del día 24 de diciembre y se extiende hasta la festividad del Bautismo del Señor, celebrada el domingo que sigue al 6 de enero.

La Cuaresma es el tiempo solemne de oración y reflexión que nos conduce a la Pascua. Comienza el Miércoles de Ceniza, seis semanas antes de Pascua, y dura 40 días (los domingos no se cuentan durante la Cuaresma). Tradicionalmente los católicos observan la Cuaresma haciendo ayuno, dedicando más tiempo a la oración y ayudando a las personas necesitadas.

La semana previa a la Pascua se llama Semana Santa y es un período especial de servicios religiosos de oración y adoración en los que se recuerdan la Pasión, muerte y Resurrección de Jesús. Comienza el Domingo de Ramos, así llamado por los ramos de palma con que la gente saludaba a Jesús a su llegada a Jerusalén la semana de su muerte. Las misas que se celebran el Jueves Santo evocan la Última Cena de Jesús y la celebración de la primera Eucaristía. El Viernes Santo por la tarde se realiza un servicio especial para conmemorar la muerte de Jesús. La Pascua es la celebración de su Resurrección de entre los muertos. El tiempo de Pascua culmina con la festividad de Pentecostés, que marca la llegada del Espíritu Santo a la Iglesia.

El resto del año litúrgico se denomina **Tiempo Ordinario**. El primer período del Tiempo Ordinario va desde la Navidad hasta la Cuaresma. El segundo período abarca las semanas comprendidas entre Pentecostés y el inicio del Adviento.

SIGNO SAGRADO: El incienso

Durante el tiempo de Pascua y en otras celebraciones importantes, el sacerdote y la comunidad son bendecidos en la misa con incienso, un humo de aroma dulce. El incienso se coloca entre brasas de carbón dentro de un recipiente llamado turíbulo o incensario. El humo del incienso simboliza las oraciones de las personas elevándose al cielo. “Sea mi oración como incienso en tu presencia” (Salmo 141:2).

The Liturgical Year

Catholic worship has a pattern too. It happens in an annual cycle of seasons and feasts called the **liturgical year,** also called the Church year and the Christian year.

The liturgical year is divided into seasons, each with its own traditions and ways of praying.

It begins with Advent, which starts on the fourth Sunday before Christmas and ends on Christmas Eve. The theme of Advent is waiting. We wait for two events: the birth of Jesus at Christmas, and the second coming of Christ at the end of time. Advent is observed by special Scripture readings at Mass.

The Christmas season celebrates the birth of Jesus and his becoming known to the world. It begins on the evening of Christmas Eve and continues through the Feast of the Baptism of the Lord, celebrated on the Sunday after January 6.

Lent is a solemn time of prayer and reflection that leads up to Easter. It begins on Ash Wednesday, six weeks before Easter, and lasts for 40 days (Sundays in Lent are not counted). Catholics typically observe Lent by fasting, spending more time in prayer, and helping those in need.

The week before Easter is called Holy Week and is a time of special prayer and worship services recalling the Passion, Death, and Resurrection of Jesus. It begins on Palm Sunday, named for the palms waved by the crowds celebrating Jesus' arrival in Jerusalem the week of his death. Masses on Holy Thursday mark Jesus' Last Supper and his celebration of the first Eucharist. A special service on Good Friday afternoon observes the Death of Jesus. Easter is the celebration of his Resurrection from the dead. The Easter season ends with the Feast of Pentecost, marking the coming of the Holy Spirit to the Church.

The rest of the liturgical year is called **Ordinary Time.** The first block of Ordinary Time is the time between the Christmas season and Lent. The second part is the weeks after Pentecost until the beginning of Advent.

SACRED SIGN: Incense

During the Easter season and at other special times, the priest and people are blessed at Mass with incense, a sweet-smelling smoke. The incense is thrown onto burning coals in a container called a thurible. The smoke of burning incense symbolizes the prayers of the people rising to Heaven. "Let my prayer be incense before you." (Psalm 141:2)

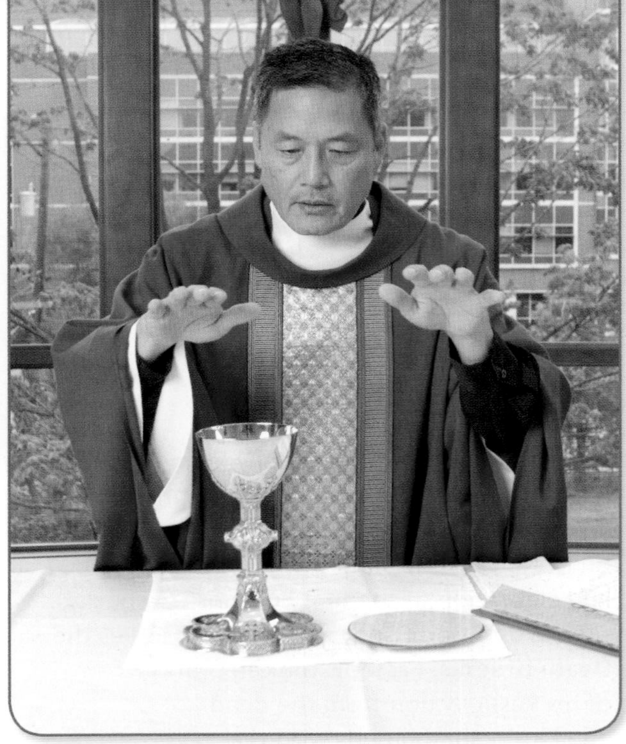

La celebración del Misterio Pascual

A través del año litúrgico y de los sacramentos celebramos el **Misterio Pascual**. Según la tradición bíblica un misterio no es algo que necesite ser resuelto, sino algo en lo que entrar para maravillarse. Esencialmente un misterio es algo que se revela aunque permanece oculto. Si bien Dios se nos ha revelado a través de toda la historia de la Salvación, con Jesucristo como el culmen de su Revelación, él se mantiene más allá de nuestro alcance. Podemos encontrarnos con Dios. Podemos conocer a Dios. Pero no podemos resolver el misterio que es Dios. Cuando los católicos escuchamos hablar sobre el misterio de nuestra fe, el Misterio Pascual de Jesús, el misterio de la Trinidad o los misterios del Rosario nos preguntamos cómo se supone que debemos solucionar todos estos misterios.

RITO: Proclamar la Palabra de Dios

La celebración de todos los sacramentos incluye proclamar la Palabra de Dios tal como se encuentra en la Biblia. En esta Palabra encontramos la Revelación de Dios en su plenitud. Cuando escuchamos con atención y el corazón abierto, Dios nos invita a profundizar nuestra relación con él.

Signos sagrados

El lenguaje no nos alcanza cuando tratamos de explicar el misterio de Dios. Como católicos, dependemos de signos, símbolos, rituales y gestos para expresar nuestros encuentros con Dios. Una pregunta frecuente puede ser *"¿Dónde encuentro a Dios?"* El culto católico hace especial hincapié en la presencia de Dios en el mundo que vivimos cada día. Dios está aquí. Lo podemos experimentar en las cosas que tocamos, vemos, oímos, sentimos y saboreamos. Le rendimos culto en iglesias con estatuas, vitrales religiosos, flores y cruces. El sacerdote lleva **vestiduras** coloridas y usa preciosos recipientes en el altar. Cantamos himnos sagrados. En ocasiones especiales se utiliza **incienso** para bendecir el altar y a las personas.

Celebrating the Paschal Mystery

Through the liturgical year and the sacraments, we celebrate the **Paschal Mystery.** In biblical tradition, a mystery is not something to be solved, but something to be entered into and to stand in awe of. In essence, a mystery is something that is revealed and yet remains hidden. Even though God has revealed himself to us throughout all of Salvation history, culminating in the pinnacle of his Revelation, Jesus Christ, God remains beyond our grasp. We can encounter God. We can know God. But we cannot solve God. When we Catholics hear about the mystery of our faith, the Paschal Mystery of Jesus, the mystery of the Trinity, or the mysteries of the Rosary, we might wonder how we are supposed to solve all these mysteries.

Sacred Signs

Language alone fails us when trying to explain the mystery of God. As Catholics, we rely on signs, symbols, rituals, and gestures to express our encounters with God. A common question might be *"Where do I find God?"* Catholic worship strongly emphasizes God's presence in the world that we experience every day. God is here. We can experience him in things that we touch, see, hear, feel, and taste. We worship in churches adorned with statues, stained-glass windows, flowers, and crosses. The priest wears colorful **vestments** and uses beautiful vessels on the altar. We sing sacred music. On special occasions, **incense** is used to bless the altar and the people.

RITE: Proclaiming the Word of God

The celebration of all the sacraments includes the proclamation of God's Word as found in the Bible. It is in this Word that we find the fullness of God's Revelation. When we listen carefully with open hearts, God invites us into a deeper relationship with him.

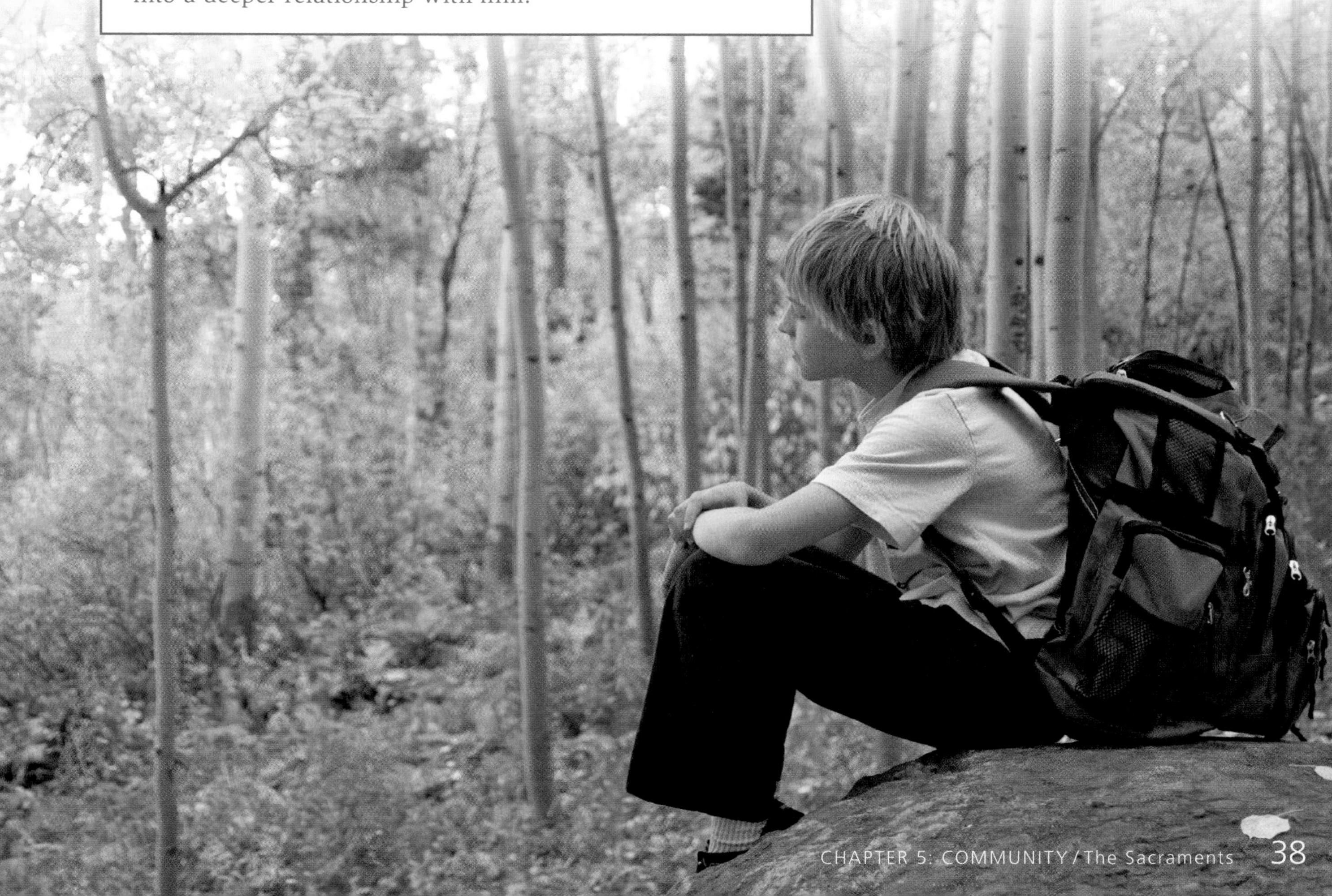

TESTIGO: SAN PÍO X

Pío X nació en Italia en 1835. Se convirtió en sacerdote a los 23 años. Siendo papa instituyó cambios relativos a los niños y a la Eucaristía. Los niños empezaron a recibir la Sagrada Comunión cuando llegaban a lo que se conoce como la edad de la discreción, es decir, a los 7 años. Los cambios que introdujo siguen vigentes hoy en día.

Sacramentales

Los objetos que forman parte de la devoción católica se conocen como **sacramentales**. Entre ellos se incluyen medallas religiosas, rosarios, agua bendita, crucifijos, óleo sagrado, velas y campanas. Celebramos el Adviento con una corona de Adviento y la Navidad con la representación del nacimiento en Belén. El Miércoles de Ceniza recibimos cenizas y el Domingo de Ramos ramas de olivo o de palma. Los sacramentales también incluyen gestos. Nos persignamos con la Señal de la Cruz, hacemos una genuflexión en la iglesia y, a veces, nos arrodillamos para rezar.

Los sacramentales son como un "lenguaje de señas", es decir, una manera de comunicarse sin recurrir a las palabras. Nos comunicamos por medio de señas todo el tiempo. Puedes expresarte o comunicar una emoción a través de los accesorios de joyería que usas, la manera en que decoras tu cuarto, tu nombre de usuario o el perfil con el que te identificas en las redes sociales. Regalar un ramo de rosas rojas dice algo. Lo mismo sucede con un anillo de matrimonio. Rodear con tu brazo el hombro de un amigo que está triste también dice algo. Todas estas señales y símbolos suelen decir mucho más que las palabras, a veces de manera mucho más poderosa.

También funciona a la inversa. Dios usa un lenguaje de señas para comunicarnos su amor y su gracia. Si bien los sacramentos son las señales más poderosas, los sacramentales también enriquecen nuestro entendimiento y devoción hacia Dios.

MI TURNO: Este es el día creado por Dios

Cada día es un regalo de Dios. Reflexiona y escribe cinco cosas por las que te sientes hoy agradecido.

____

____

____

____

Sacramentals

The objects that are part of Catholic devotion are known as **sacramentals.** They include religious medals, rosaries, holy water, crucifixes, holy oil, candles, and bells. We observe Advent with an Advent wreath and Christmas with a Nativity scene. We receive ashes on Ash Wednesday and palms on Palm Sunday. Sacramentals also include gestures. We make the Sign of the Cross, we genuflect in church, and we sometimes kneel when we pray.

Sacramentals are "sign language"—a way of communicating without words. We communicate in sign language all the time. You can express yourself or communicate an emotion by the jewelry you wear, the way you decorate your room, your user name, and your social-networking profile. A gift of red roses says something. So does a wedding ring. So does putting your arm around the shoulder of a friend who is upset. These signs and symbols often speak more powerfully than words—sometimes much more powerfully.

God uses sign language to communicate his love and grace to us. While the most powerful of these signs are the sacraments, sacramentals also enrich our understanding of and devotion to God.

community

WITNESS: Saint Pius X

Giuseppe Melchiorre Sarto was born in Italy in 1835. He became a priest when he was 23 years old. When he became pope, he changed his name to Pius X and instituted changes regarding children and the Eucharist. Children began receiving Holy Communion not long after they reached the age of discretion, which was age seven. The changes he instituted are still observed today.

MY TURN: This is the Day the Lord Has Made

Every day is a gift from God. Reflect on and then write five things you are grateful for this day.

____

____

____

____

____

comunidad

resumen

RESUMEN DEL TEMA

La misa es la manera más importante en que los católicos damos gracias, alabamos a Jesús y fortalecemos nuestra relación con Dios. Por medio de la Eucaristía nos nutrimos del sacrificio de Jesús. Así como expresamos amor por nuestros amigos y familia a través de palabras y gestos, expresamos también nuestro amor por Dios a través de los sacramentos y rindiéndole culto.

RECUERDA

¿Qué es el año litúrgico?

El año litúrgico es el ciclo anual del culto cristiano. Sus principales tiempos son el Adviento, la Navidad, la Cuaresma y la Pascua. El tiempo restante se denomina Tiempo Ordinario.

¿Cuáles son los tres tipos de sacramentos?

Los sacramentos de la Iniciación (Bautismo, Confirmación y Eucaristía), los sacramentos de la Curación (Penitencia y Reconciliación y Unción de los enfermos) y los sacramentos al Servicio de la Comunidad (Matrimonio y Orden).

¿Qué es el Misterio Pascual?

El Misterio Pascual es la Pasión, muerte, Resurrección y Ascensión de Jesús: el sacrificio por el cual somos liberados de la esclavitud del pecado.

¿Qué son los sacramentales? Menciona algunos ejemplos.

Los sacramentales son objetos que forman parte de la devoción católica. Algunos ejemplos son el rosario, el incienso, las vestiduras religiosas, los himnos y el óleo.

ACTÚA

1. Pide a tus amigos que te hablen sobre los objetos sagrados que tienen un sentido especial para ellos, como medallas religiosas, imágenes sagradas y canciones.
2. Participa en alguna actividad de tu parroquia que sirva a la comunidad, como puede ser leer en la misa.

Palabras a saber

Unción de los Enfermos
Bautismo
Confirmación
Eucaristía
Orden, sacramento del
Matrimonio
Penitencia y Reconciliación
incienso
liturgia
año litúrgico
Tiempo Ordinario
Misterio Pascual
sacramentales
vestiduras

REFLEXIONA

La misa es un momento tanto de comunicación personal con Dios como de rendir culto como comunidad de creyentes. Escribe sobre por qué crees que ambos aspectos de la misa son importantes para la fe católica.

____

____

____

____

____

____

____

Oh, Dios mío, te amo con todo mi corazón y con toda mi alma porque eres pura bondad y mereces todo mi amor. Amo a mi prójimo como a mí mismo por tu amor. Perdono a todos los que me han hecho daño y pido perdón a quienes yo he herido. Amén.

summary

FAITH SUMMARY

The Mass is a central part of the way we as Catholics thank and praise Jesus and strengthen our relationship with God. We are nourished by Jesus' sacrifice in the Eucharist. Just as we express our love for friends and families through words and gestures, we express our love for God through sacraments and worship.

REMEMBER

What is the liturgical year?
The liturgical year is the annual cycle of Christian worship. Its principal seasons are Advent, Christmas, Lent, and Easter. The time between seasons is called Ordinary Time.

What are the three types of sacraments?
Sacraments of Initiation (Baptism, Confirmation, and Eucharist), Sacraments of Healing (Penance and Reconciliation, Anointing of the Sick), and Sacraments of Service (Matrimony and Holy Orders)

What is the Paschal Mystery?
The Paschal Mystery is the suffering, Death, Resurrection, and Ascension of Jesus—the sacrifice by which we are freed from the bondage of sin.

O my God, I love you above all things with my whole heart and soul because you are good and worthy of all my love. I love my neighbor as myself for the love of you. I forgive all who have injured me and I ask pardon of those whom I have injured. Amen.

Words to Know

Anointing of the Sick
Baptism
Confirmation
Eucharist
Holy Orders
Matrimony
Penance and Reconciliation
incense
liturgy
liturgical year
Ordinary Time
Paschal Mystery
sacramentals
vestments

community

What are sacramentals? Give examples of sacramentals.
Sacramentals are the objects that are part of Catholic devotion. Some examples of sacramentals are the rosary, incense, vestments, hymns, and oil.

REACH OUT

1. Ask your friends to tell you about sacred objects that they find meaningful, such as religious medals, holy pictures, and songs.
2. Join an activity in your parish that serves the community, such as reading or singing at Mass.

REFLECT

Mass is a time for both personal communication with God and worship as a community of believers. Write about why you think both aspects of Mass are important to the Catholic faith.

____

____

____

____

____

____

____

Acogida, fuerza y sustento

Recuerda alguna vez que hayas estado preparándote para salir de viaje. ¿Cómo te sentías? ¿Entusiasmado? ¿Nervioso? ¿Las dos cosas?

¿Llegaste a tu destino y descubriste que te habías olvidado de llevar algo importante? ¿Qué hiciste en ese caso?

Dijeron a Pedro y a los otros apóstoles: "¿Qué debemos hacer, hermanos?" Pedro les contestó: "Arrepiéntanse y háganse bautizar invocando el nombre de Jesucristo, para que se les perdonen los pecados, y así recibirán el don del Espíritu Santo".

–Hechos de los apóstoles 2:37–38

Welcome, Strength, and nourishment

Recall times when you were preparing to go away on a trip. How did you feel? Excited? Anxious? Both?

Did you get to your destination and discover that you forgot to pack something important? What did you do about it?

[T]hey asked Peter and the other apostles, "What are we to do, my brothers?" Peter [said] to them, "Repent and be baptized, every one of you, in the name of Jesus Christ for the forgiveness of your sins; and you will receive the gift of the holy Spirit." *–Acts of the Apostles 2:37–38*

sustento

Echando raíces

Posiblemente hayas oído a alguien comparar la vida con un viaje. Tal vez lo hayas oído más de una vez. Es una analogía muy común que coincide bastante bien con la realidad. Tu vida *es* un viaje. No sabes a dónde te llevará, pero es seguro que vas a encontrar aventuras, desafíos, sorpresas, desilusiones y triunfos. Ya has experimentado algunas de estas cosas, pero hay mucho más aún.

Ahora tu principal tarea es prepararte para el viaje. Estás educándote, desarrollando tus talentos, adquiriendo habilidades, haciendo amigos y aprendiendo cómo manejar los desafíos y lo inesperado. Prepararse implica construir una base espiritual sólida. Hay tres sacramentos de la Iglesia católica que te ayudan con esta misión: el Bautismo, la Confirmación y la Eucaristía. Te conectan con Dios instalándote con firmeza en la Iglesia de Cristo y dándote fuerzas y sustento para el viaje.

Los sacramentos de la Iniciación

Muchas organizaciones y asociaciones establecen un procedimiento para incorporar nuevos miembros. A menudo existe un ritual de iniciación. Los cargos políticos, por ejemplo, hacen un juramento antes de tomar su puesto. El nuevo director de la escuela puede ser presentado formalmente en una asamblea.

Estos procedimientos son ritos de iniciación, algo que hacemos al principio de una actividad. Para los católicos el Bautismo, la Confirmación y la Eucaristía son los **sacramentos de la Iniciación**. Al recibirlos pasamos a ser plenamente católicos. Tanto como lo es el papa.

Iniciarse en la vida espiritual es como comenzar la vida natural. Nacemos, nos fortalecemos y recibimos sustento. Con el Bautismo nacemos a la nueva vida en Cristo, con la Confirmación nos fortalecemos por medio de los dones del Espíritu Santo y la Eucaristía nos da el sustento necesario para la vida espiritual. En la Iglesia católica estos tres sacramentos normalmente se reciben durante los primeros 10 ó 15 años de vida. Los sacramentos de la Iniciación van de la mano, aunque no se administren todos al mismo tiempo.

MI TURNO: Ser parte del grupo

Recuerda alguna vez en la que te hayas incorporado a un nuevo grupo: una nueva escuela, asociación, equipo deportivo o círculo de amigos. ¿Qué te hizo sentir parte de ese grupo?

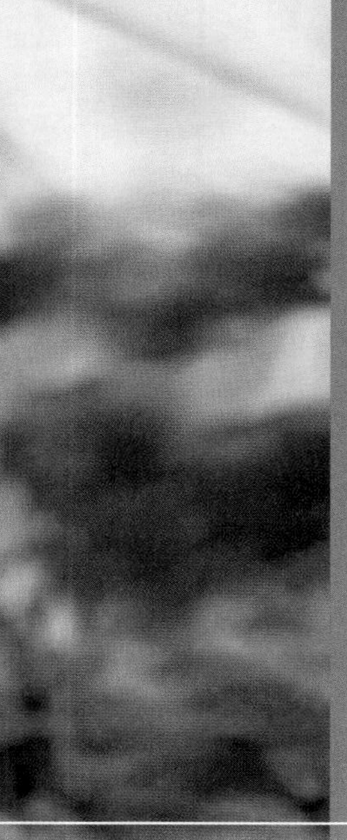

Planting Your Roots

nourishment

You've probably heard someone compare life to a journey. Maybe you've heard this more than once. It's a common analogy that happens to fit pretty well. Your life *is* a journey. You don't know where it will take you, but it's sure to contain adventures, challenges, surprises, disappointments, and triumphs. You've experienced some of these already. There are more to come.

Your main job right now is to get ready for the journey. You're getting an education, developing your talents, acquiring skills, making friends, and learning how to deal with challenges and surprises. Getting ready includes laying a solid spiritual foundation. Three sacraments of the Catholic Church help you do this: Baptism, Confirmation, and the Eucharist. They connect you with God by firmly planting you in Christ's Church and giving you strength and food for the journey.

Sacraments of Initiation

Many organizations and clubs have a procedure to bring in new members. Often a ritual is involved. Public officials begin their work by taking an oath of office. A new principal might be formally introduced at a school assembly.

These are rites of initiation—something we do at the beginning of things. For Catholics, Baptism, Confirmation, and the Eucharist are the **Sacraments of Initiation.** When you receive them, you're fully Catholic. You are just as much a Catholic as the pope is.

Initiation into the spiritual life is like the beginning of our natural lives. We are born, strengthened, and fed. In Baptism we are born into the new life in Christ. Confirmation strengthens us with the Gifts of the Holy Spirit. The Eucharist gives us the food that's essential to the spiritual life. In the Catholic Church, these three sacraments are usually given in the first 10 to 15 years of life. The Sacraments of Initiation go together even though they're received at different times.

MY TURN: Part of the Group

Remember a time when you came into a new group—a new school, a club, a sports team, a circle of friends. What happened to make you feel as if you belonged?

welcome

El Bautismo

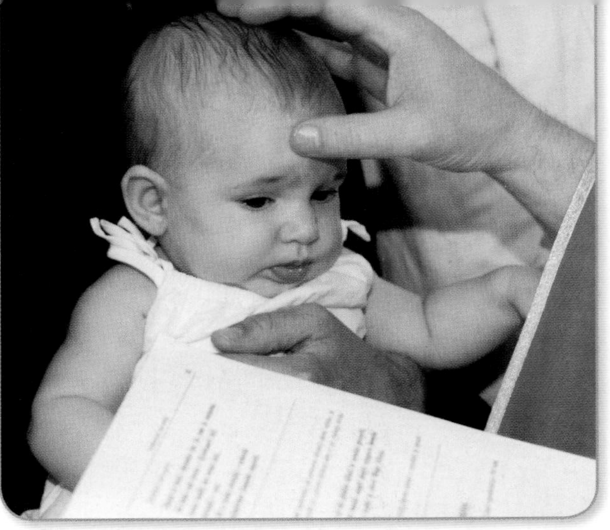

Todo cristiano es bautizado. Cuando les preguntaron a los primeros cristianos de Jerusalén qué había que hacer para salvarse, Pedro respondió: "Arrepiéntanse y háganse bautizar invocando el nombre de Jesucristo" (Hechos de los apóstoles 2:38). El Bautismo es necesario. El Bautismo nos libera del pecado y nos convierte en hijos e hijas de Dios. Somos incorporados a la Iglesia para ser parte de su misión.

Leer los signos del Bautismo

Las palabras no logran describir de forma adecuada lo que hace el Bautismo, por eso los católicos recurrimos a comparaciones, analogías, imágenes y signos. El signo más importante es el agua. La palabra *bautismo* deriva de un vocablo griego que significa "introducir o sumergir en el agua". El agua es esencial para la vida. A menudo lo olvidamos porque tenemos la posibilidad de abrir el grifo cada vez que necesitamos usarla. Pero los judíos y cristianos de Palestina, que pasaron mucho tiempo en el desierto, nunca lo olvidaron. Para ellos el agua era casi literalmente la fuente de la vida. Por ese motivo la Biblia está llena de imágenes alusivas al agua como fuente de vida que brotaba de la tierra.

En el Bautismo el agua significa tanto vida como muerte. De manera simbólica la persona pecadora es sumergida en el agua y "muere" para "volver a nacer" al ser sacada del agua. Hoy en día, en la mayoría de los casos se derrama solo un poco de agua en la cabeza de los niños y adultos que se bautizan, pero el rito sigue significando morir y volver a nacer.

El ritual del Bautismo

La Señal de la Cruz. Al igual que la misa y otras liturgias, el Bautismo comienza con la Señal de la Cruz: "En el nombre del padre, del Hijo y del Espíritu Santo".

La lectura de las Sagradas Escrituras. Se proclama el Evangelio a través de lecturas de la Palabra escrita de Dios.

La unción. El ministro del Bautismo aleja a Satanás y otros espíritus malignos ungiendo a la persona con óleo.

La bendición del agua bautismal. El sacerdote bendice el agua que se usará en el Bautismo.

Las promesas bautismales. La persona que va a ser bautizada (o sus padres y padrinos) renuncia a Satanás y profesa la fe cristiana.

El rito del Bautismo. El ministro derrama agua tres veces sobre la cabeza del bautizado diciendo: "Yo te bautizo en el nombre del Padre y del Hijo y del Espíritu Santo". A este procedimiento se le denomina el "Rito esencial del Bautismo", la parte indispensable para que una persona sea bautizada.

La segunda unción. El cristiano recién bautizado es ungido con óleo por segunda vez, un signo sagrado que denota pertenencia a Cristo.

La vestidura blanca. Se envuelve al nuevo cristiano en un paño o manto blanco para simbolizar que está "revestido de Cristo".

La vela. Se entrega una vela al nuevo cristiano para simbolizar a Cristo como "la luz del mundo" y nuestra misión de llevar luz al mundo.

Las promesas bautismales

Las **promesas bautismales** son una serie de preguntas que el ministro del sacramento le hace a la persona que quiere ser bautizada. Si fuiste bautizado de pequeño, tus padres y padrinos respondieron a estas preguntas por ti.

Baptism

Every Christian is baptized. When people asked the first Christians in Jerusalem what they needed to do to be saved, Peter answered "Repent and be baptized, every one of you, in the name of Jesus Christ." (Acts of the Apostles 2:38) Baptism is necessary. Baptism frees us from sin and makes us sons and daughters of God. We are incorporated into the Church and made part of the Church's mission.

Reading the Signs of Baptism

Words can't adequately describe what Baptism does, so we Catholics turn to comparisons, analogies, images, and signs. The primary sign is water. The word *baptism* comes from a Greek word meaning to "plunge or immerse in water." Water is essential for life. We, who can turn on a faucet anytime we need water, tend to forget this. The Jews and Christians in Palestine who spent a lot of time in the desert never forgot that. For them, water was quite literally the source of life. That's why the Bible is full of images of life-giving water springing up from the earth.

Water means both life and death in Baptism. Symbolically, the sinful person is plunged into water and "dies," then is pulled out of the water and "born again." Today most infants and adults are baptized by having water poured over their heads, but the rite still signifies dying and being born again.

The Rite of Baptism

The Sign of the Cross. Like Mass and other liturgies, Baptism begins with the Sign of the Cross: "In the name of the Father, and of the Son, and of the Holy Spirit."

Scripture readings. The Gospel is proclaimed through reading the written Word of God.

Anointing. The minister of Baptism drives away Satan and other evil spirits by anointing the person with oil.

Blessing the baptismal water. The priest blesses the water that will be used for Baptism.

Baptismal promises. The person (or the infant's parents and godparents) renounces Satan and professes the Christian faith.

The Rite of Baptism. The minister pours water three times over the person's head, saying "I baptize you in the name of the Father, and of the Son, and of the Holy Spirit." This is called the essential Rite of Baptism—the one part that's necessary for the person to be baptized.

Second anointing. The newly baptized Christian is anointed with oil again, a sacred sign of belonging to Christ.

White garment. The new Christian is wrapped in a white mantle or garment to symbolize "putting on Christ."

Candle. A candle is given to the new Christian symbolizing both Christ as "the light of the world" and our mission to bring light to the world.

Baptismal Promises

The **baptismal promises** are a series of questions that the minister of the sacrament asks the person seeking Baptism. If you were baptized as an infant, your parents and godparents answered these questions for you.

¿Quiénes se bautizan?

Hoy en día la Iglesia bautiza a niños pequeños para que su familia y la comunidad cristiana local puedan darles formación espiritual lo antes posible. La ceremonia bautismal también incluye a los **padrinos**, que aceptan ayudar a los padres con el desarrollo espiritual del niño. El Bautismo no es un sacramento solitario. Los niños son bautizados dentro de una comunidad de fe.

Los adultos que no han sido bautizados ingresan en la Iglesia por medio de un proceso llamado **Ritual de la Iniciación Cristiana de Adultos (RICA)**, basado en las prácticas de las primeras comunidades cristianas. Después de varios meses de instrucción y formación, los catecúmenos son bautizados durante el servicio de la Vigilia Pascual. Los adultos bautizados en otra tradición cristiana se unen a la Iglesia haciendo una profesión de fe y celebrando los sacramentos de la Confirmación y la Eucaristía. Esto a veces también se hace durante la Vigilia Pascual.

La Confirmación

El Bautismo te inicia en la Iglesia, pero tienes toda una vida llena de desafíos por delante. La Confirmación es el sacramento que te brinda el conocimiento, la fortaleza, el entendimiento y la gracia necesarios para enfrentarte a ellos. La Confirmación te confiere el don del Espíritu Santo: el poder de Dios y la presencia constante de Jesucristo en tu vida. El Espíritu Santo nos llega a cada uno de nosotros en el sacramento de la Confirmación.

Leer los signos de la Confirmación

El óleo. La palabra *cristiano* proviene de un vocablo griego que significa "ungido". En el Bautismo somos ungidos con óleo. Somos ungidos nuevamente en la Confirmación, y en este caso el óleo tiene varios significados: es signo de abundancia y de alegría, de purificación y de curación.

MI TURNO: Signos

Anota cuatro ideas que quieras comunicarle a un amigo. Por ejemplo: "eres especial", "necesito ayuda", "estoy preocupado". Inventa signos para comunicar estas ideas sin usar palabras.

____

____

____

____

____

Vela bautismal.

Baptismal Candle.

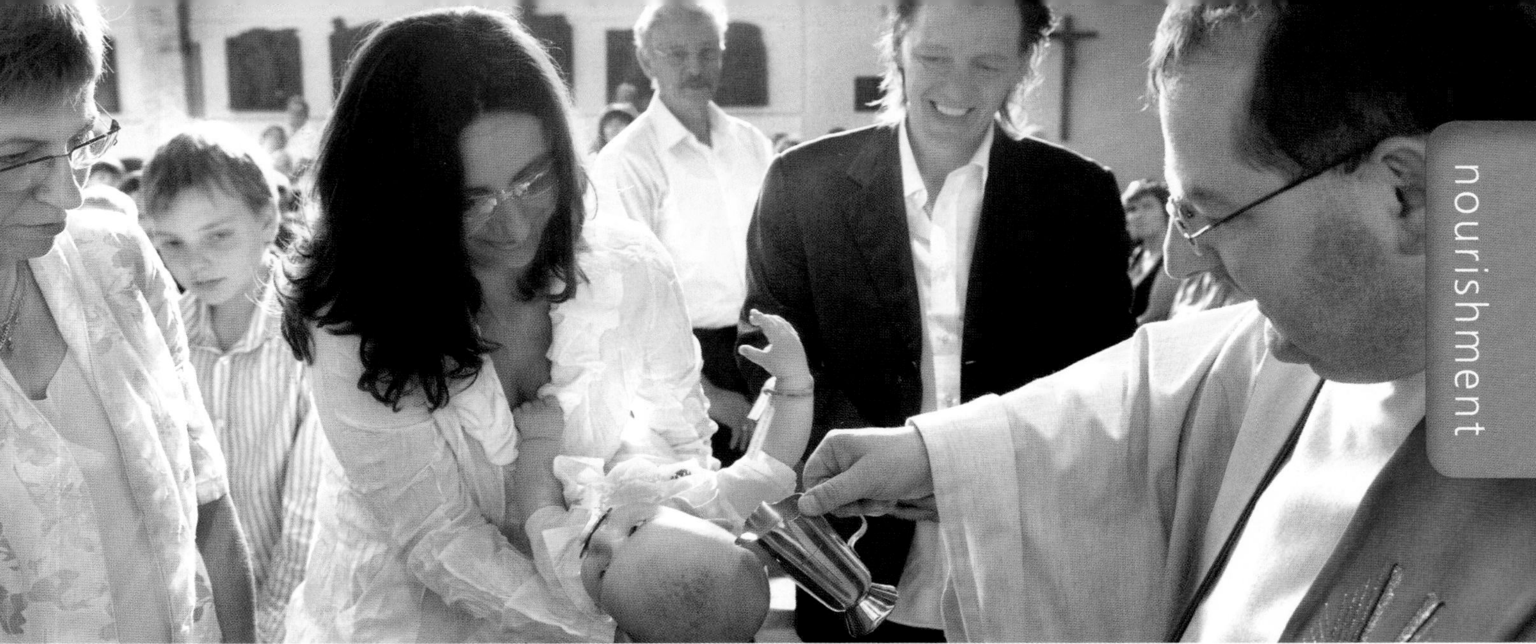

nourishment

Who Is Baptized?

The Church now baptizes infants so that the family and the local Christian community can provide spiritual formation as early as possible. The baptismal ceremony also includes **godparents** who agree to help the parents with the spiritual development of the child. Baptism isn't a solitary sacrament. Infants are baptized into a community of faith.

Unbaptized adults come into the Church through a process called the **Rite of Christian Initiation of Adults (RCIA),** which is modeled closely on the ancient practices of the early Church. After months of instruction and formation, catechumens who have gone through the process are baptized at the Easter Vigil service. Adults who have been baptized in another Christian tradition join the Church by making a profession of faith and celebrating the Sacraments of Confirmation and the Eucharist. This is sometimes done during the Easter Vigil Service as well.

Confirmation

Baptism gets you started, but there's a whole life full of challenges ahead of you. Confirmation is the sacrament that gives you the knowledge, strength, insight, and grace to meet them. It brings the Gift of the Holy Spirit—the power of God and the constant presence of Jesus Christ in your life. The Holy Spirit comes to each of us in the Sacrament of Confirmation.

Reading the Signs of Confirmation

Oil. The word *Christian* comes from Greek words meaning "anointed." We were anointed with oil in Baptism. We're anointed again in Confirmation, and this time the oil has several meanings.

MY TURN: Signs

Write four ideas that you want to communicate to a friend. Examples: "You are special." "I need help." "I'm worried." Invent and describe signs to communicate these ideas without using words.

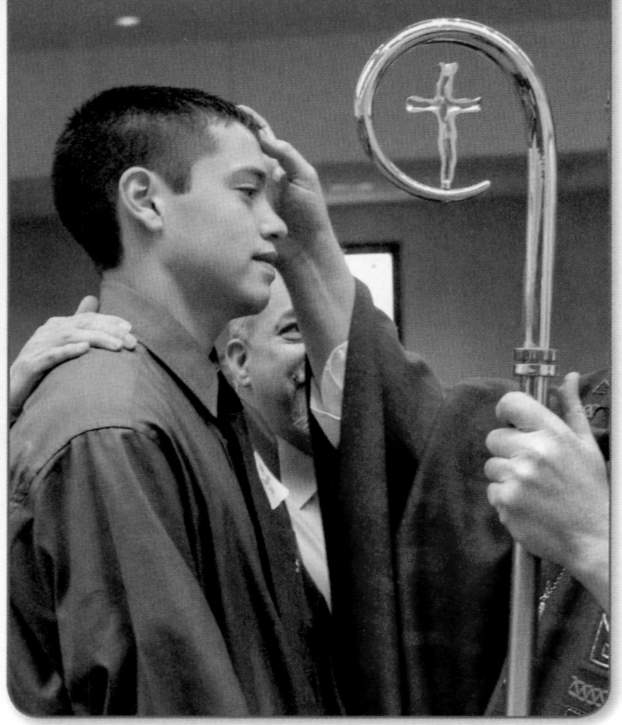

Todo esto nos llega a través del Espíritu Santo. El óleo especial que se usa en la Confirmación se llama crisma y es un aceite perfumado.

La imposición de las manos. La imposición de manos sobre otra persona es un antiguo símbolo de bendición y de sanación. Un rito que los apóstoles practicaban a menudo después de **Pentecostés**: "Entonces les impusieron las manos y recibieron el Espíritu Santo" (Hechos de los apóstoles 8:17). Lo mismo te sucederá a ti en la Confirmación, cuando el obispo imponga sus manos sobre tu cabeza.

El sello. El sello es un signo que generalmente significa autoridad y propiedad. Los documentos oficiales suelen rubricarse con un sello. El ganado suele marcarse con un sello para identificar a quién pertenece. El sentido cristiano de la palabra surge de los sellos que usaban los reyes y funcionarios de alto rango para demostrar que algo les pertenecía. A esto se refería Pablo cuando escribió que Dios es quien "nos ha sellado y quien ha puesto el Espíritu como garantía en nuestro corazón" (2 Corintios 1:22). Cuando en la Confirmación el obispo dice: "Recibe por esta señal el Don del Espíritu Santo", se está refiriendo a que le perteneces a Cristo.

La Eucaristía

La Eucaristía completa el proceso de iniciación católica. El Bautismo te hace cristiano. Ahí comienza tu viaje de vida, a menudo en sentido literal, puesto que la mayoría de los católicos son bautizados casi inmediatamente después de nacer. La Confirmación te da fuerza para el viaje; Dios estará contigo a través del poder del Espíritu Santo. La Eucaristía es alimento para el viaje. Durante toda tu vida Jesús está contigo de la manera más íntima.

Leer los signos de la Eucaristía

El pan y el vino. El pan es un símbolo de vida. El vino es un símbolo de alegría y abundancia. Es fácil comprender estos signos: porque sustenta la vida, el pan simboliza el cuerpo físico; porque suele ser rojo, el vino simboliza la sangre. Ése es el sentido del pan y el vino que Jesús dio a sus discípulos en la Última Cena. Entregó vida y alegría; también entregó su Cuerpo y su Sangre verdaderos.

Un sacrificio. Hacer un sacrificio implica renunciar a algo bueno para acceder a algo mejor. Sacrificas tiempo con tus amigos para dedicarte a estudiar. Te esfuerzas practicando tocar un instrumento musical para poder tocarlo bien.

SIGNO SAGRADO: El óleo

Los santos óleos se utilizan en los sacramentos del Bautismo, la Confirmación, el Orden y la Unción de los Enfermos. Tradicionalmente el obispo bendice los óleos en la catedral durante la misa del Jueves Santo. Los óleos son el crisma, usado en el Bautismo, la Confirmación y el Orden Sacerdotal; el óleo de los catecúmenos, usado para ungir a quienes pasan a formar parte de la Iglesia y el óleo de los enfermos, usado en la Unción de los Enfermos. De todos los santos óleos sólo el crisma incorpora bálsamo, que es lo que le da esa fragancia tan característica.

It's a sign of abundance and joy, of cleansing and healing. All these come to us through the Holy Spirit. The special oil used at Confirmation is called Chrism, a perfumed oil.

Laying on of hands. Laying hands on another person is an ancient sign of blessing and healing. The apostles did it often after **Pentecost:** "they laid hands on them and they received the holy Spirit." (Acts of the Apostles 8:17) The same thing happens to you at Confirmation when the bishop lays a hand on your head.

Seal. A seal is a sign often meaning authority and ownership. Official documents are stamped with a seal. The brand on a rancher's cattle is a seal. The Christian meaning of the word comes from the seals that kings and high officials used to show that something belongs to them. This is what Paul meant when he wrote that God has "put his seal upon us and given the Spirit in our hearts as a first installment." (2 Corinthians 1:22) When the bishop says "be sealed with the Gift of the Holy Spirit" at Confirmation, he means that you belong to Christ.

The Eucharist

The Eucharist completes the process of Catholic initiation. Baptism makes you a Christian. You get started on the journey of life—often literally so because most Catholics are baptized soon after they are born. Confirmation gives you strength for the journey; God will be with you through the power of the Holy Spirit. The Eucharist is food for the journey. All your life, Jesus is with you in the most intimate way.

Reading the Signs of the Eucharist

Bread and Wine. Bread is a symbol of life. Wine is a symbol of joy and abundance. It's easy to understand these signs. Bread, which sustains life, is also a symbol of the physical body, and red wine is a symbol of blood. That is the meaning of the bread and wine Jesus gave to his disciples at the Last Supper. He gave life and joy; he also gave his actual Body and Blood.

A Sacrifice. A sacrifice means giving up something good in order to have something better. You sacrifice time with your friends in order to study. You work hard practicing a musical instrument so that you can play it well.

The Eucharist is a sacrifice too. The bread and wine offered at Mass belong to us. The liturgy calls them "the work of human hands." They are basic human food. The priest offers them to God. God returns the bread and wine to us as the Body and Blood of Christ—the gift of Jesus himself.

SACRED SIGN: Oil

Holy oils are used in the Sacraments of Baptism, Confirmation, Holy Orders, and Anointing of the Sick. Traditionally, the bishop blesses the oils during Mass on Holy Thursday at the cathedral. The oils are Chrism, which is used in Baptism, Confirmation, and Holy Orders; oil of catechumens, which is used to anoint those joining the Church; and oil of the sick, which is used for Anointing of the Sick. Among the holy oils, only Chrism includes balm, which gives the oil its unique fragrance.

sustento

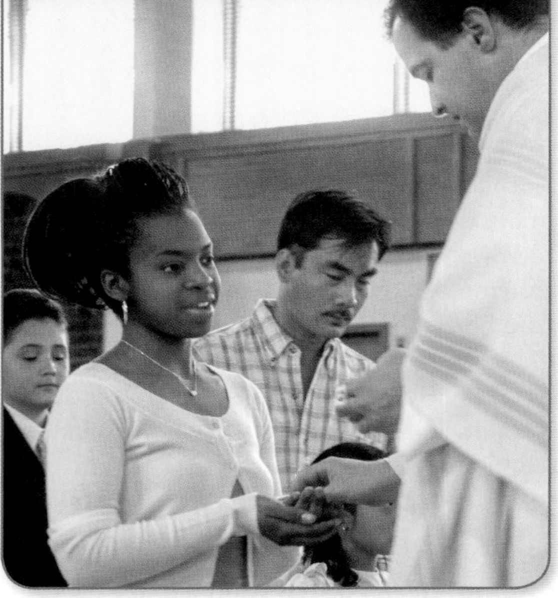

La Eucaristía también es un sacrificio. El pan y el vino que se ofrecen en la misa nos pertenecen. La liturgia los denomina "fruto de la tierra y del trabajo del hombre". Son alimentos básicos para las personas. El sacerdote los presenta a Dios como ofrenda. Dios nos devuelve el pan y el vino convertidos en el Cuerpo y la Sangre de Cristo: la ofrenda de Jesús mismo.

El sacrificio eucarístico es la recreación del sacrificio de Jesús en la cruz para restablecer la amistad entre Dios y la humanidad. Es el Misterio Pascual, lo más importante que jamás haya sucedido. Es algo que experimentamos cada vez que acudimos a misa.

Un banquete. En su sentido más simple, la Eucaristía es un banquete. Nos reunimos con otras personas alrededor de una mesa, pasamos un tiempo juntos y comemos.

Los banquetes son para grupos de personas. Normalmente no hablamos de banquetes si estamos comiendo solos. El grupo con el que compartimos el banquete de la Eucaristía es la comunidad local de católicos, que suele incluir a personas que conocemos. La mesa en torno a la cual nos reunimos es el altar. Escuchamos historias sobre nuestra familia (las lecturas de las Sagradas Escrituras), recordamos y honramos a nuestro líder (Jesús), rezamos juntos y cantamos canciones. Luego consumimos su Cuerpo y bebemos su Sangre. El alimento es Jesucristo mismo, a quien recibimos de la manera más íntima. Es alimento espiritual. Es el sustento que necesitamos para convertirnos en las personas que debemos ser.

La presencia real

En la Eucaristía Jesús está presente de manera singular. El pan y el vino de la Eucaristía en verdad se convierten en el Cuerpo y la Sangre de Cristo. Esto se denomina **presencia real**. Sencillamente significa que Jesucristo en verdad está presente en la Eucaristía de una forma más profunda que en los otros sacramentos.

Es más fácil recibir el don de la presencia real que explicarlo. Ciertamente Jesús quiso que lo recibiéramos por completo en el Pan y el Vino consagrados de la Eucaristía. Cómo sucede esto es algo que sólo podemos comprender de manera parcial. A propósito de la Eucaristía, Cirilo, un importante Padre de la Iglesia, dijo: "No te preguntes si esto es verdad, sino acoge más bien con fe las palabras del Señor, porque él que es la verdad, no miente".

RITO: Palabras de la Consagración

La parte más solemne de la misa corresponde a las palabras de Consagración. Mientras el sacerdote pronuncia estas palabras, el pan y el vino se transforman verdaderamente en el Cuerpo y la Sangre de Cristo.

Tomen y coman todos de él,
porque esto es mi Cuerpo,
que será entregado por ustedes.
Tomen y beban todos de él,
porque éste es el cáliz de mi Sangre,
Sangre de la alianza nueva y eterna,
que será derramada por ustedes
y por muchos
para el perdón de los pecados.
Hagan esto en conmemoración mía.

The Eucharistic sacrifice is a reenactment of Jesus' sacrifice on the Cross to restore humanity to friendship with God. It's the Paschal Mystery—the most important thing that has ever happened. It's something we experience every time we go to Mass.

A Meal. At its simplest, the Eucharist is a meal. We get together with people around a table, spend time together, and eat some food.

Meals are for groups of people. You don't usually call it a meal when you eat alone. The group we share the Eucharistic meal with is the local community of Catholics, which usually includes people we know. The table we gather around is the altar. We listen to stories about our family (the Scripture readings). We remember and honor our leader (Jesus). We pray together and sing songs. Then we eat his Body and drink his Blood. The food is Jesus Christ himself, given to us in the most intimate way. It is spiritual food. It's the nourishment we need to become the people we were meant to be.

The Real Presence

Jesus is present in a unique way in the Eucharist. The bread and wine of the Eucharist truly become the Body and Blood of Christ. This is called the **Real Presence.** It simply means that Jesus Christ is truly present in the Eucharist in a deeper way than in the other sacraments.

It's easier to receive the Gift of the Real Presence than it is to explain it. Jesus certainly intended that we should have him fully in the consecrated Bread and Wine of the Eucharist. How this comes about is something we can only partially understand. Speaking of the Eucharist, a great Father of the Church named Cyril said "Do not doubt whether this is true, but rather receive the words of the Savior in faith, for since he is the truth, he cannot lie."

RITE: Words of Consecration

The most solemn part of the Mass is found in the words of consecration. As the priest speaks these words, the bread and wine truly become the Body and Blood of Christ.

Take this, all of you, and eat of it,
for this is my Body,
which will be given up for you.
Take this, all of you, and drink from it,
for this is the chalice of my Blood,
the Blood of the new and eternal covenant,
which will be poured out for you and for many
for the forgiveness of sins.
Do this in memory of me.

sustento

TESTIGO: Santa María McKillop

Santa María McKillop (1842–1909) fundó la Orden de las Hermanas de San José y del Sagrado Corazón para trabajar con los pobres. Tuvo que enfrentarse a una gran oposición a su obra, sobre todo por parte de sacerdotes y obispos. Superó los obstáculos combinando el respeto y la obediencia con una defensa contundente de sus ideas.

Las partes de la misa

La misa es el punto cúlmen de la vida católica, y sigue siempre un orden fijo. Es una acción de Cristo y su Iglesia que conmemora la Última Cena en la cual Jesús compartió su Cuerpo y su Sangre con sus discípulos.

La misa se divide en cinco partes principales.

- **Ritos iniciales:** Nos preparamos para celebrar la Eucaristía.
- **Liturgia de la Palabra:** Escuchamos de la Biblia la historia del plan de Salvación de Dios.
- **Liturgia Eucarística:** Celebramos la presencia de Cristo en la Eucaristía.
- **Rito de la Comunión:** Recibimos el Cuerpo y la Sangre de Jesucristo.
- **Ritos de despedida:** Somos bendecidos y enviados a vivir el Evangelio.

En todas partes del mundo las personas se reúnen como hermanos alrededor de la mesa eucarística de Dios. La comunidad se sustenta del Cuerpo y la Sangre de Cristo y es enviada a servir a Dios y a cumplir la misión de la Iglesia en el mundo.

MI TURNO: Mi eslogan personal

¿Qué frase breve te describiría mejor en este momento de tu vida? En las líneas siguientes escribe dos o tres eslóganes personales que expresen quién eres.

Parts of the Mass

The Mass is the high point of the Catholic life, and it always follows a set order. It is an action of Christ and his Church that memorializes the Last Supper at which Jesus shared his Body and his Blood with his disciples.

There are five main parts of the Mass.

- **Introductory Rites**—We prepare to celebrate the Eucharist.
- **Liturgy of the Word**—We hear from the Bible the story of God's plan for Salvation.
- **Liturgy of the Eucharist**—We celebrate Christ's presence in the Eucharist.
- **Communion Rite**—We receive the Body and Blood of Jesus Christ.
- **Concluding Rites**—We are blessed and sent forth to live the Gospel.

People all over the world gather at God's Eucharistic table as brothers and sisters. The community is nourished by the Body and Blood of Christ and is sent into the world to serve God and to carry out the mission of the Church.

WITNESS: Saint Mary McKillop

Saint Mary McKillop (1842–1909) founded the Josephite order of nuns to work with those who are poor. She faced tremendous opposition to her work, much of it coming from priests and bishops. She overcame the obstacles by combining respect and obedience with a forceful defense of her ideas.

MY TURN: Personal Slogan

What phrase or short sentence would best describe you at this moment in your life? On the lines below, write two or three personal slogans that express who you are.

sustento

resumen

RESUMEN DEL TEMA

El Bautismo, la Confirmación y la Eucaristía son los sacramentos que nos asientan en la vida cristiana. El Bautismo nos libera del pecado original y nos hace parte de la Iglesia. La Confirmación nos fortalece por medio de los dones del Espíritu Santo. En la Eucaristía recibimos el Cuerpo y la Sangre de Cristo: alimento espiritual del que nos nutrimos.

RECUERDA

¿Cuáles son los sacramentos de la Iniciación?
Los sacramentos de la Iniciación son el Bautismo, la Confirmación y la Eucaristía.

¿Cuál es el signo más importante del Bautismo y qué significa?
El signo más importante es el agua. En el lenguaje ritual, la persona es sumergida simbólicamente en el agua y luego sacada, representando así la muerte y la resurrección a una nueva vida.

¿A qué alude el ministro de la Confirmación cuando dice: "Recibe por esta señal el Don del Espíritu Santo"?
El don del Espíritu Santo en la Confirmación es un sello, un signo de que pertenecemos a Cristo.

¿Qué quiere decir la Iglesia cuando habla de la presencia real de Cristo en la Eucaristía?
La presencia real significa que Cristo está presente de manera total y completa en el Pan y el Vino consagrados, que se convierten verdaderamente en su Cuerpo y su Sangre.

ACTÚA

1. Piensa en personas de tu comunidad que necesitan ayuda. Decídete a hacer algo para acercarte a alguna de ellas.
2. ¿En qué ámbito de tu vida necesitas más ayuda en este preciso momento? Cuando dispongas de tiempo para estar a solas, pídele a Jesús que te ayude con esta situación.

Palabras a saber

promesas bautismales
padrinos
Pentecostés
presencia real
Ritual para la Iniciación Cristiana de Adultos (RICA)
sacramentos de la Iniciación

REFLEXIONA

Piensa en esta semana que pasó. Menciona alguna situación que ejemplifique cómo sentiste la presencia de Dios en tu vida. Describe tu experiencia.

____

____

____

____

____

____

____

____

____

____

Gracias, Jesús, por venir a mí en los sacramentos. Gracias por mi familia, por mis amigos y por todas las cosas buenas que tengo. Rezo para que siempre estés conmigo y con todas las personas a las que amo. Amén.

summary

FAITH SUMMARY

Baptism, Confirmation, and the Eucharist are the sacraments that establish us in the Christian life. Baptism frees us from Original Sin and makes us part of the Church. Confirmation strengthens us by giving us the Gifts of the Holy Spirit. In the Eucharist we receive the Body and Blood of Christ—spiritual food to nourish us.

REMEMBER

What are the Sacraments of Initiation?
Baptism, Confirmation, and the Eucharist.

What is the primary sign of Baptism, and what does it mean?
The primary sign is water. In ritual language, the person is symbolically plunged into water and pulled out, symbolizing dying and rising again to new life.

What does the bishop mean when he says, "Be sealed with the Gift of the Holy Spirit."
The Gift of the Holy Spirit in Confirmation is a seal—a sign that we belong to Christ.

Jesus, thank you for coming to me in the sacraments. Thank you for my family and friends and all the good things I have. I pray that you will always be with me and with those I love. Amen.

Words to Know

baptismal promises
godparents
Pentecost
Real Presence
Rite of Christian Initiation of Adults (RCIA)
Sacraments of Initiation

What does the Church mean by the Real Presence of Christ in the Eucharist?
The Real Presence means that Christ is fully and completely present in the consecrated Bread and Wine which truly become his Body and Blood.

REACH OUT

1. Think of people in your community who are in need of help. Resolve to do something to reach out to them.
2. Where do you most need help in your life right now? When you get some time alone, ask Jesus to help you with this.

REFLECT

Think about this past week. List one example where you felt God's presence in your life. Describe your experience.

Perdonar y ser discípulo

Recuerda alguna vez que hayas estado enfermo. ¿Cómo te trataron los demás? ¿Qué te hizo sentir mejor? ¿Qué cosas no te ayudaron? Piensa en alguna ocasión en la que una persona a quien amas estaba enferma o no se sentía bien física o afectivamente. ¿Qué hiciste para ayudarla?

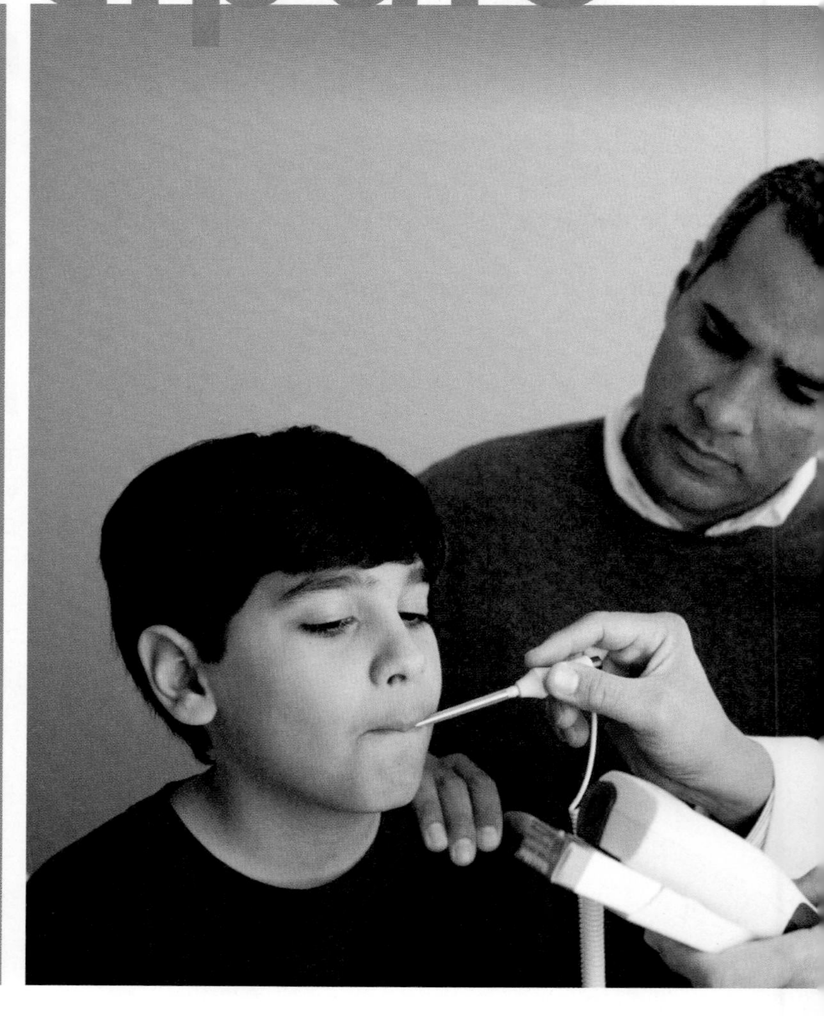

Los fariseos y letrados murmuraban y preguntaban a los discípulos: "¿Cómo es que comen y beben con recaudadores de impuestos y pecadores?" Jesús les replicó: "No tienen necesidad del médico los que tienen buena salud, sino los enfermos. No vine a llamar a justos, sino a pecadores para que se arrepientan" *–Lucas 5:30–32*

Forgiveness and discipleship

Remember times when you were sick. How did people treat you? What made you feel better? What didn't help? Think of a time when someone you love was sick or not feeling well in body or heart. What did you do to help him or her?

The Pharisees and their scribes complained to his disciples, saying, "Why do you eat and drink with tax collectors and sinners?" Jesus said to them in reply, "Those who are healthy do not need a physician, but the sick do. I have not come to call the righteous to repentance but sinners."

–Luke 5:30–32

discípulo

Ayuda en el camino

El Bautismo, la Confirmación y la Eucaristía son el inicio. El Bautismo te hace cristiano, la Confirmación te da al Espíritu Santo y la Eucaristía te da a Jesucristo mismo. ¡Ya estás listo! Los cuatro sacramentos restantes podrían considerarse sacramentos para vivir una vida plena y fecunda. Cuando tienes problemas espirituales el sacramento de la Reconciliación corrige las cosas. La Unción de los Enfermos, otro de los sacramentos de la Curación, brinda salud espiritual y, a veces, salud física a los que están enfermos. Otros dos sacramentos, el Matrimonio y el Orden, preparan a los católicos para una vida de servicio. Un hombre y una mujer se comprometen de modo permanente el uno con el otro en el sacramento del Matrimonio. El Orden es el sacramento por medio del cual los varones son ordenados como obispos, sacerdotes y diáconos.

Los sacramentos de la Curación

Durante su paso por la tierra, Jesús pasó gran parte de su tiempo con personas a quienes podría habérselas considerado como "marginadas": mendigos, discapacitados y enfermos graves, indigentes y aquellos cuyos pecados habían sido hecho públicos. Destinaba a ellos sus enseñanzas. Hablaba con ellos. Comía en la misma mesa que ellos. Esto escandalizaba a los líderes religiosos de la época, y lo desafiaban disgustados cuestionándole "¿Cómo es que comes y bebes con recaudadores de impuestos y pecadores?", a lo que Jesús respondía: "No tienen necesidad del médico los que tienen buena salud, sino los enfermos" (Lucas 5:30–31).

Las personas enfermas en cuerpo y espíritu son amigos especiales de Jesús. Los amó durante su vida en la tierra y aún los ama hoy. Todos estamos quebrados o enfermos o incompletos, pero Dios nos ama igual. Su manera especial de llegar a nosotros en estas circunstancias es por medio de los dos sacramentos de la Curación: la Reconciliación y la Unción de los Enfermos.

MI TURNO: Palabras que curan

Haz una lista de las palabras o frases que inmediatamente se te ocurren cuando piensas en la curación. Elige una de esas palabras o frases y explica por qué la asocias con la curación.

____

____

____

____

____

____

discipleship

Help Along the Way

Baptism, Confirmation, and the Eucharist get you started. Baptism makes you a Christian, Confirmation gives you the Holy Spirit, and the Eucharist gives you Jesus Christ himself. You're ready! The other four sacraments might be called sacraments for living whole and fruitful lives. When you get into spiritual trouble, the Sacrament of Penance and Reconciliation sets things right again. Another Sacrament of Healing, the Sacrament of Anointing of the Sick, brings spiritual health—and often physical healing—to those who are ill. Two more sacraments—Matrimony and Holy Orders—equip Catholics for lives of service. A man and a woman permanently commit themselves to each other in marriage in the Sacrament of Matrimony. Holy Orders is the sacrament by which men are ordained as bishops, priests, and deacons.

Sacraments of Healing

During his time on earth, Jesus spent much of his time with those whom people might politely call "riffraff"—beggars, the disabled and seriously ill, poor people, children, and public sinners. He directed his teaching to them. He talked with them. He ate with them. This shocked the religious leaders of his time and they challenged him angrily: "Why do you eat and drink with tax collectors and sinners?" Jesus replied, "Those who are healthy do not need a physician, but the sick do." (Luke 5:30–31)

Those who are sick in body and spirit are Jesus' special friends. He loved them during his life on earth, and he loves them still. We are all broken or sick or not whole, and God loves us too. His special way of coming to us in our brokenness today is in the two Sacraments of Healing—Reconciliation and the Anointing of the Sick.

MY TURN: Healing Words

List words or phrases that immediately come to mind when you think of healing. Pick one word or phrase and explain the association.

____

____

____

____

____

healing

discípulo

Penitencia y Reconciliación

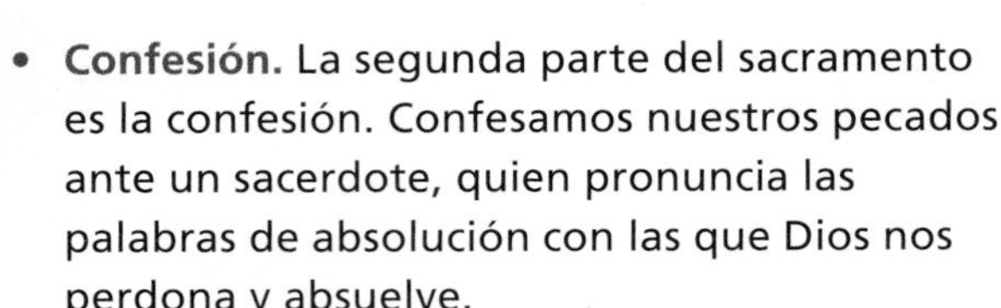

Cuando te enfadas tanto que arremetes contra un amigo, dañas esa amistad. Cuando envidias a alguien o robas algo, te recluyes en tu propio mundo de sombras. Cuando mientes, albergas resentimiento o rompes promesas, dejas de ser la persona que Dios te ha encomendado ser. El pecado nos separa de Dios y nos aísla de los demás, rompe relaciones. El sacramento de la Reconciliación corrige las cosas. Restablece nuestras relaciones y sana lo que se había roto. *Reconciliación* significa "volver a unir". A menudo nos perdemos. Este sacramento es el camino de vuelta a casa.

Abrir ese camino de vuelta a casa fue lo primero que hizo Jesús tras su Resurrección. Reunió a los apóstoles y les dio autoridad para perdonar los pecados: "Reciban el Espíritu Santo. A quienes les perdonen los pecados les quedarán perdonados; a quienes se los retengan les quedarán retenidos" (Juan 20:22–23). La confesión era un elemento común de la vida de las primeras comunidades cristianas. A menudo era un ritual público que se llevaba a cabo especialmente para los pecados públicos y graves. Fue a principios de la Edad Media cuando el sacramento adoptó la forma que tiene en la actualidad: principalmente un intercambio privado entre un **penitente** y un sacerdote.

Leer los signos de la Reconciliación

Confesión es el término comúnmente utilizado para referirse a este sacramento, pero la confesión de los pecados a un sacerdote es sólo una de las partes del sacramento. Las otras dos son la **contrición** y la **penitencia**.

- **Contrición.** El proceso se inicia con un acto contrición: admitimos que cometimos una ofensa, que somos responsables de esa ofensa y que nos arrepentimos. Ser honestos sobre algo que hemos hecho no siempre es fácil. La reconciliación comienza cuando admitimos con franqueza que hemos cometido una ofensa.
- **Confesión.** La segunda parte del sacramento es la confesión. Confesamos nuestros pecados ante un sacerdote, quien pronuncia las palabras de absolución con las que Dios nos perdona y absuelve.
- **Penitencia.** La parte final del sacramento es la penitencia. Normalmente el sacerdote nos pide rezar alguna oración o realizar algún acto de caridad. Por medio de la penitencia expresamos nuestra determinación de hacer las cosas bien. La penitencia nos recuerda la necesidad de vivir de manera diferente, de acuerdo con la voluntad de Dios en nosotros.

El ritual de la Reconciliación

Existe un orden establecido para el sacramento de la Reconciliación porque es un ritual, al igual que lo son la misa y los demás sacramentos.

- Reflexionamos sobre cómo hemos pecado u ofendido a Dios o a otra persona.
- Decimos el pecado. Al decir el pecado aceptamos que hemos cometido una ofensa.
- El sacerdote escucha. En el sacramento de la Reconciliación el sacerdote está obligado a guardar en absoluto secreto lo que se le dice a fin de preservar la dignidad de la persona que se confiesa. Es lo que se denomina "sigilo sacramental".
- El sacerdote sugiere una penitencia acorde a nuestra falta para que recibamos el perdón total.
- Aceptamos la penitencia y rezamos el Acto de Contrición.
- El sacerdote pronuncia las palabras de absolución. Nuestros pecados son perdonados y nos retiramos a cumplir nuestra penitencia.

curación

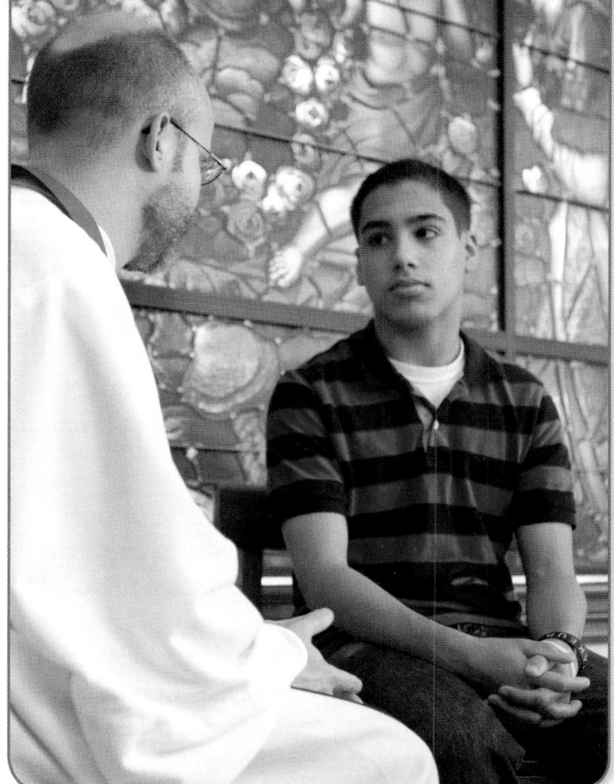

Penance and Reconciliation

When you lash out at a friend in anger, you damage that friendship. When you envy someone or steal something, you retreat into a gloomy world of your own. When you lie or nurse resentments or break promises, you fail to be the person God created you to be. Sin separates us from God and from one another. Sin wrecks relationships. The Sacrament of Reconciliation puts things right. It restores our relationships and heals what's broken. *Reconciliation* means "to bring together, to meet again." We often lose our way. This sacrament is the way back home.

Opening this way back home was the first thing Jesus did after his Resurrection. He gathered the Apostles together and gave them the authority to forgive sins: "Receive the holy Spirit. Whose sins you forgive are forgiven them; and whose sins you retain, are retained." (John 20:22–23) Confession was a feature of the life of the early Church. It was often a public ritual, especially for serious and public sins. But by the early Middle Ages, the sacrament had taken the form it has today—primarily a private exchange between a **penitent** and a priest.

Reading the Signs of Reconciliation

Confession is the term commonly used for this sacrament, but the confession of one's sins to a priest is only one part of the sacrament. The other two parts are **contrition** and **penance.**

- **Contrition.** The process begins with contrition—the admission that we've done wrong, that we're responsible for the wrongdoing, and that we're sorry. Being honest about what we've done isn't always easy. Being reconciled begins with a frank admission that we've done wrong.
- **Confession.** The second part of the sacrament is confession. We confess our sins to a priest, and the priest speaks the words of absolution through which God forgives and pardons us.
- **Penance.** The final part of the sacrament is the penance. Usually the priest will ask us to say prayers or perform an act of charity. Through the penance we express our resolve to make things right. The penance is a reminder of the need to live differently, in accordance with God's will in us.

The Rite of Reconciliation

There is an order to the Sacrament of Reconciliation because it is a ritual, like the Mass and the other sacraments.

- We think about how we have sinned or wronged God or another person.
- We name the sin. Naming the sin is accepting that we have done wrong.
- The priest listens. In the Sacrament of Reconciliation, the priest is bound to absolute secrecy in order to preserve the dignity of the confessor. This secrecy is called the "sacramental seal."
- The priest suggests a fitting penance for us to receive forgiveness fully.
- We accept the penance and pray the Act of Contrition.
- The priest speaks the words of absolution. Our sins are forgiven, and we are dismissed to perform our penance.

discípulo

La Unción de los Enfermos

Piensa en la última vez que te enfermaste; quizás tuviste gripe. Además de la fiebre, la tos y los dolores se puede sentir decaimiento, fatiga, aburrimiento e intranquilidad. La enfermedad física afecta a las emociones y al espíritu tanto como al cuerpo.

La enfermedad es una oportunidad a la vez que un desafío espiritual. Nos recuerda algo muy fácil de olvidar cuando estamos sanos: nuestra verdadera fortaleza proviene únicamente de Dios. Una de las razones por las que Jesús dedicó tanto tiempo a los pecadores, a los pobres y a los enfermos es porque ellos comprendían cuánto necesitaban a Dios. Lo mismo ocurre con la enfermedad; cuando enfermamos, nuestro cuerpo y nuestro espíritu se turban. El sacramento de la Unción de los Enfermos es un encuentro con Jesucristo cuando lo necesitamos.

Leer los signos de la Unción de los Enfermos

Normalmente *hacemos* algo para demostrarle amor y apoyo a una persona enferma: le damos un abrazo, enviamos una tarjeta, le regalamos flores o dulces, le firmamos la escayola de la pierna quebrada. Como en todos los sacramentos, en la Unción de los Enfermos la gracia se transmite por medio de un elemento tangible. El signo fundamental es la unción de la frente y las manos con óleo santo.

El óleo tiene diversos significados en la Unción de los Enfermos. Como también ocurre en otros sacramentos, usar el óleo significa ser elegido y distinguido del resto. El óleo es un sello, un signo de pertenencia a Dios y símbolo de fortaleza, también es un signo antiguo de curación. A través de la unción el enfermo recibe tres gracias: nueva vida en Cristo, fortaleza como miembro del cuerpo de Jesús y curación del cuerpo y del espíritu.

La Iglesia enfatiza la dimensión comunitaria del sacramento. Se suele alentar a la familia y a los amigos del enfermo a que estén presentes durante el sacramento. En muchas parroquias el sacramento se administra de manera simultánea a muchas personas durante servicios comunitarios de sanación.

MI TURNO: La mejor medicina

Cuando estamos tristes o enfermos hay personas o cosas que siempre nos hacen sentir mejor. Haz una lista de las personas o cosas que te levantan el ánimo cuando estás enfermo o triste.

____

____

____

Escribe una breve oración para dar las gracias por las cosas o personas que traen alegría a tu vida.

____

____

____

The Anointing of the Sick

Think of the last time you were sick; maybe you had the flu. Along with fever, cough, aches and pains can come gloominess, boredom, fatigue, and restlessness. Physical illness affects the emotions and spirit as well as the body.

Illness is both a spiritual opportunity and a spiritual challenge. It reminds us of something that's easy to forget when we're well: Our true strength comes from God alone. One of the reasons Jesus spent so much time with sinners, poor people, and sick people is that they understood how much they needed God. Sickness works the same way with us. When we're sick, our bodies and spirits are troubled. The Sacrament of the Anointing of the Sick is an encounter with Jesus Christ when we are in need of him.

Reading the Signs of the Anointing of the Sick

We usually *do* something to show love and support for a sick person—give him or her a hug, send a card, bring flowers or candy, sign the cast on a broken leg. The grace of the Sacrament of the Anointing of the Sick, as for all the sacraments, also comes through something tangible. The central sign is anointing the forehead and hands with holy oil.

Oil has several meanings in the Anointing of the Sick. As in other sacraments, using oil means being chosen and set apart. Oil is a seal—a sign of belonging to God and a sign of strength. Oil is also an ancient sign of healing. The sick person who is anointed receives all these graces: new life in Christ, strength as a member of Jesus' body, and healing of spirit and body.

The Church emphasizes the communal dimension of the sacrament. Family and friends are encouraged to be present for the sacrament. In many parishes today, the sacrament is given to many people at once in communal healing services.

MY TURN: The Best Medicine

When we are feeling down or sick, certain people or things always make us feel better. List some of the people or things that lift your spirits when you are ill or upset.

____

____

____

____

Write a brief prayer of thanks for those people and things in your life that cheer you up.

____

____

____

____

El ritual de la Unción de los Enfermos

Como ocurre en otros sacramentos, la Unción de los Enfermos sigue un ritual específico o ceremonia formal que incluye lo siguiente:

- El **Acto penitencial** por el cual el enfermo y el resto de los presentes invocan el perdón de Dios por sus pecados.
- Lecturas de las Sagradas Escrituras apropiadas para este sacramento.
- La imposición de las manos, un signo antiguo de curación y bendición. El sacerdote impone sus manos sobre el enfermo y reza.
- La unción con óleo. El sacerdote dice: "Por esta santa unción y por su bondadosa misericordia, te ayude el Señor con la gracia del Espíritu Santo. Para que, libre de tus pecados, te conceda la Salvación y te conforte en tu enfermedad".
- Participación en el sacramento de la Reconciliación.
- Recepción de la Eucaristía. También se suele dar la Eucaristía, en especial a las personas que están a punto de morir. Esta última Eucaristía se denomina **viático**, que significa "alimento para el viaje".

El sacramento puede recibirse más de una vez. La única condición es que el católico que lo reciba padezca una enfermedad grave o se encuentre en un estado clínico muy delicado.

Los sacramentos de Servicio a la Comunidad

Los sacramentos del Matrimonio y el Orden preparan a los católicos para trabajar en el mundo. Se denominan sacramentos de Servicio a la Comunidad porque nos disponen para trabajar por el bien del prójimo. En el Matrimonio, un hombre y una mujer se comprometen el uno con el otro en una unión de amor y apoyo mutuo para toda la vida. En el sacramento del Orden, los varones son ordenados para dedicar su vida al servicio de la Iglesia. En ambos casos se confirma uno de los grandes secretos detrás de una vida plena: somos más felices cuando servimos a los demás. Como dijo santa Teresa de Ávila: "Hoy Cristo no tiene otras manos más que las nuestras para realizar su trabajo".

SIGNO SAGRADO: La imposición de las manos

La imposición de las manos forma parte del ritual de los sacramentos del Bautismo, la Confirmación, la Unción de los Enfermos y el Orden. En el sacramento del Orden la imposición es el medio por el cual un varón es ordenado como obispo, sacerdote o diácono. Representa la transmisión de autoridad de los apóstoles mediante la sucesión apostólica. En la Unción de los Enfermos la imposición de las manos simboliza la venida del Espíritu Santo para curar y fortalecer a la persona enferma.

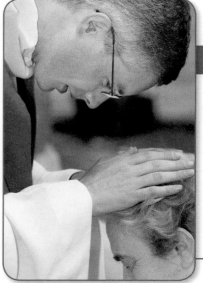

The Rite of Anointing of the Sick

Like other sacraments, the Anointing of the Sick follows a specific rite, or formal ceremonial act, that includes the following:

- A **Penitential Rite** where the sick person and others present ask God's forgiveness for sin.
- Readings from Scripture appropriate for this sacrament.
- The laying on of hands, an ancient sign of healing and blessing. The priest lays his hands on the sick person and prays.
- Anointing with oil. The priest says, "Through this holy anointing may the Lord in his love and mercy help you with the grace of the Holy Spirit. May the Lord who frees you from sin save you and raise you up."
- Participation in the Sacrament of Reconciliation.
- Reception of the Eucharist. The Eucharist is often given, especially to people who are near death. This final Eucharist is called **viaticum,** meaning "food for the journey."

The sacrament can be received more than once. Catholics need only to be suffering from a serious illness or medical condition.

Sacraments of Service

Matrimony and Holy Orders are sacraments that equip Catholics for work in the world. They are called Sacraments of Service because they prepare us to work for the good of others. In marriage, a man and a woman commit themselves to each other in a lifelong union of love and mutual help. In Holy Orders, men are ordained for lives of service to the Church. Both sacraments testify to one of the great secrets of a successful life: We are happiest when we serve others. As Saint Teresa of Ávila said, "Christ has no hands but ours to do his work today."

SACRED SIGN: Laying On of Hands

Laying on of hands is part of the rituals of the Sacraments of Baptism, Confirmation, Anointing of the Sick, and Holy Orders. In Holy Orders, it is the means by which a man is included in one of the orders of bishop, priest, or deacon. It signifies the passing on of the authority of the Apostles through apostolic succession. In the Sacrament of the Anointing of the Sick, it is a sign of the coming of the Holy Spirit to heal and strengthen the person who is ill.

discípulo

El Matrimonio

El Matrimonio nos enseña algo sobre cómo es Dios. Dios es una Trinidad de tres Personas unidas en el amor; el Matrimonio cristiano constituye la unión de un hombre y una mujer en una sociedad de amor para toda la vida. El Matrimonio es como la la Iglesia en tanto que la familia es una sociedad de personas que se aman unas a otras y trabajan por el bien de todos.

Un hombre y una mujer comienzan su vida en común con la promesa solemne y exclusiva de amarse y cuidarse el uno al otro para el resto de sus vidas. Al hacerlo reciben la gracia y fortaleza que necesitan para ser fieles a su promesa.

Leer los signos del Matrimonio

El Matrimonio es único en tanto que el hombre y la mujer se confieren el sacramento mutuamente. El núcleo del sacramento del Matrimonio es la promesa, o voto solemne, de fidelidad y amor mutuos. La Iglesia no puede hacer esta promesa; sólo el hombre y la mujer que se unen en matrimonio pueden hacerla. La parte central de este sacramento es la promesa que los cónyuges se hacen mutuamente, los votos matrimoniales. Estas promesas comprenden tres elementos esenciales:

- El novio y la novia no pueden ser obligados a contraer matrimonio. Contraen matrimonio por su propia voluntad.
- La promesa es para toda la vida y excluye a otras personas.
- La pareja promete recibir abiertamente a los hijos que Dios les mande y educarlos conforme a las enseñanzas de la Iglesia.

El ritual del Matrimonio

El ritual del Matrimonio para las parejas católicas consta de los siguientes elementos esenciales:

- El ministro que celebra el sacramento invita a la pareja a dar su consentimiento.
- La pareja expresa públicamente su consentimiento, simbolizado también por la bendición y el intercambio de anillos.

El Orden

En un sentido, todo cristiano es un sacerdote a través del Bautismo. Los varones ordenados como sacerdotes, obispos y diáconos son llamados de una manera especial, difunden el amor y la gracia de Dios como servidores de Cristo en la Iglesia.

RITO: El intercambio de anillos

Antes de pronunciar los votos, el sacerdote o diácono que preside la ceremonia se dirige a la pareja para conocer sus intenciones. Les pregunta si acuden de forma libre y sin reservas. Les pregunta: "¿Están dispuestos a ser fieles el uno al otro en el Matrimonio, durante toda la vida?" También les pregunta si están dispuestos a aceptar con amor a los hijos que Dios les envíe. Después de responder afirmativamente, los novios intercambian anillos y se prometen mutuamente "ser fieles en las alegrías y en las penas, en la salud y en la enfermedad". Prometen amarse y respetarse todos los días de su vida.

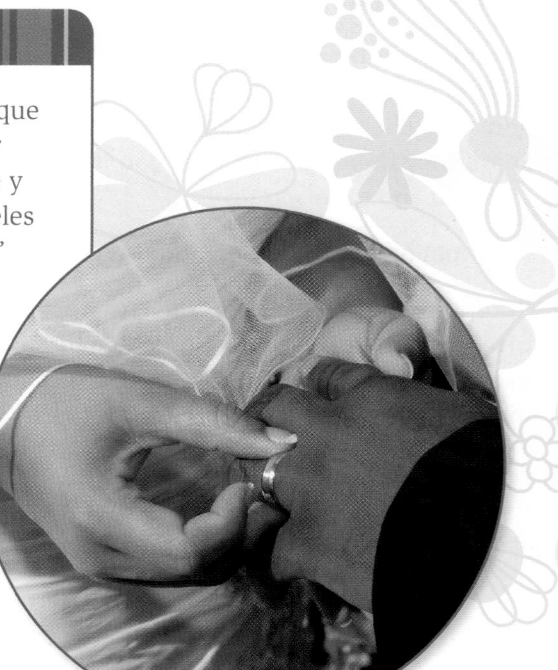

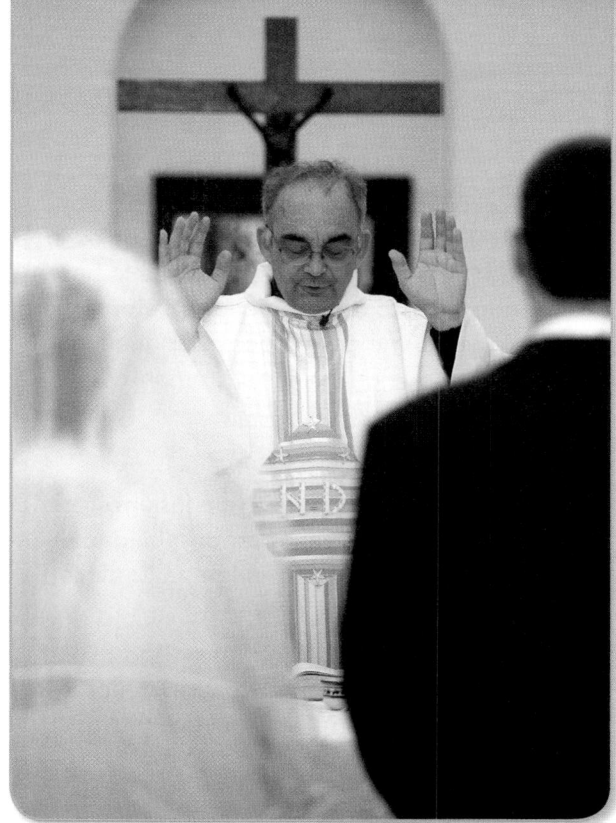

Matrimony

Marriage shows us something of what God is like. God is a Trinity of three Persons joined in a union of love; a Christian marriage is a union of a man and a woman in a lifelong loving partnership. Marriage is like the Church in that the family is a society of people who love each other and work for each other's good.

RITE: The Exchange of Rings

Before the vows, the priest or deacon presiding at the ceremony questions the couple about their intentions. He asks if they have come freely and without reservation. He asks, "Will you love and honor each other for the rest of your lives?" He asks if they are willing to accept children lovingly from God. After they answer yes to these questions, the bride and groom exchange rings and mutually promise "to be true in good times and in bad, in sickness and in health." They promise to love and honor each other all the days of their lives.

A man and a woman begin their life together with a solemn promise to love and care for each other exclusively for the rest of their lives. In so doing, they receive the grace and strength they need to be faithful to this promise.

Reading the Signs of Matrimony

Marriage is unique in that the man and woman confer the sacrament on each other. The core of the Sacrament of Matrimony is the solemn promise of mutual love and fidelity. The Church cannot make this promise; only the man and woman entering into marriage can make it. The central part of this sacrament is the promise the bride and groom make to each other—the vows of Matrimony. Three elements are essential in these promises:

- The bride and groom cannot be forced to marry. They enter marriage by their own free choice. This is called free consent.
- The promise is for life, and it excludes other people.
- The couple promises to be open to the children that God might send and to raise them in the Church.

The Rite of Matrimony

The Rite of Matrimony for Catholic couples consists of the following essential elements:

- The minister invites the couple to offer their consent.
- The couple then publicly profess their consent, which is further symbolized by the blessing and exchanging of rings.

Holy Orders

In one sense, every Christian is a priest through Baptism. Ordained priests, bishops, and deacons are called in a special way. They bring God's love and grace as Christ's servants for the Church.

TESTIGO: San Agustín

Cuando Agustín era un niño robó peras de un árbol junto con sus amigos con el único afán de hacer algo prohibido. Agustín sintió vergüenza por ser tan irrespetuoso y encontró redención en la fe católica. A los 32 años fue bautizado como cristiano. Pensó que viviría toda su vida como monje, pero los habitantes de Hipona, una ciudad del norte de África, le pidieron que fuera su obispo. Como obispo predicó y se ocupó de su pueblo. Ayudó a los católicos de su época y a los de todos los siglos desde entonces, a comprender cuánto los ama Dios como Padre, Hijo y Espíritu Santo. Fue nombrado Doctor de la Iglesia, lo que significa que la Iglesia cree que sus reflexiones y escritos representan una contribución esencial a las enseñanzas de la Iglesia, por ejemplo, las que se refieren al pecado original, la libre voluntad y la Santísima Trinidad.

Leer los signos del Orden

El servicio está en el corazón de todos los ministros ordenados. Los obispos, sacerdotes y diáconos representan a Cristo entre nosotros. Una de las maneras más importantes en que lo hacen es imitando a Cristo como humilde servidor que da todo lo que tiene por las personas que ama. Este sacramento se denomina sacramento del Orden porque el servicio a la Iglesia se realiza a través de tres órdenes.

- Los obispos son los sucesores de los apóstoles. Los obispos comparten la responsabilidad de la misión apostólica de toda la Iglesia junto con el papa, que es el obispo de Roma.
- Los sacerdotes trabajan con los obispos. Los sacerdotes actúan con la autoridad del obispo y ejercen su ministerio pastoral de muchas maneras diferentes.
- Los diáconos son ordenados para desarrollar un ministerio de servicio. Los diáconos colaboran con los párrocos en tareas como predicar, bautizar, ser testigos de matrimonios y ayudar en la misa.

El ritual del Orden

El ritual del sacramento del Orden para los obispos, sacerdotes y diáconos consta de los siguientes elementos esenciales:

- El obispo impone sus manos sobre los que están siendo ordenados.
- El obispo invoca a Dios para que derrame la gracia del Espíritu Santo sobre los que están siendo ordenados.
- Los obispos y sacerdotes son ungidos.

MI TURNO: Llamados a servir

Los sacerdotes están llamados a servir al pueblo de Dios. Haz una lista de algunas de las maneras en que puedes servir a Dios a través de tu parroquia.

____

____

____

Reading the Signs of Holy Orders

Service is at the heart of all ordained ministry. Bishops, priests, and deacons represent Christ among us. One of the most important ways they do this is to imitate Christ as the humble servant, giving everything he has for the people he loves. The Sacrament of Ordination is called Holy Orders. It is plural because the Church is served by three orders.

- Bishops are the successors of the Apostles. Together with the Pope, the Bishop of Rome, they share responsibility for the apostolic mission of the entire Church.
- Priests are coworkers of the bishops. They act with the bishop's authority and exercise his pastoral ministry in many ways.
- Deacons are ordained to a ministry of service. They assist parish pastors in preaching, baptizing, witnessing at weddings, and assisting in Mass.

The Rite of Ordination

The Rites of Ordination for bishops, priests, and deacons consists of these essential elements:

- The bishop imposes his hands on those being ordained.
- The bishop says the words of consecration asking God to pour forth the Holy Spirit upon those being ordained.
- Bishops and priests are anointed with oil.

WITNESS: Saint Augustine

When Augustine was a young boy, he and his friends stole pears from a tree just to do something that wasn't allowed. Augustine felt shame for being so disrespectful and found redemption in the Catholic faith. At the age of 32, Augustine was baptized a Christian. He thought that he would live as a monk. However, the people of the town of Hippo in North Africa asked him to be their bishop. As bishop he preached and helped his people. He helped Catholics of his time and of every century since then to understand how much God—as Father, Son, and Holy Spirit—loves them. Augustine was named a Doctor of the Church, which means that the Church believes his insights and writings are essential contributions to Church teachings, such as Original Sin, free will, and the Trinity.

discipleship

MY TURN: Called to Serve

Priests are called to serve God's people. List some ways you can serve God through your own parish.

____

____

____

discípulo

resumen

RESUMEN DEL TEMA

La Reconciliación y la Unción de los Enfermos se denominan sacramentos de la Curación porque restablecen nuestra salud espiritual y, a veces, física. El Matrimonio y el Orden son sacramentos al Servicio de la Comunidad porque nos preparan para servir a los demás. Estos cuatro sacramentos podrían llamarse sacramentos para vivir una vida plena, fiel y fecunda.

RECUERDA

¿Cuáles son los sacramentos de la Curación?
Los sacramentos de la Curación son la Reconciliación y la Unción de los Enfermos.

¿Cuáles son las tres partes del sacramento de la Reconciliación?
Las tres partes del sacramento son: admitir que cometimos una ofensa, confesar los pecados a un sacerdote y cumplir una penitencia, una acción que demuestra nuestro deseo de corregir las cosas.

¿Qué elementos son esenciales en las promesas conyugales hechas en el Matrimonio?
El libre consentimiento, la promesa de unión exclusiva para toda la vida y la aceptación abierta de los hijos.

¿Cuáles son los tres grados del Orden?
Episcopado, presbiterado y diaconado, que corresponden a la ordenación de obispo, sacerdote y diácono.

ACTÚA

1. ¿Cuál es tu experiencia de la Reconciliación? ¿Puedes hacer algo para que esta experiencia sea más satisfactoria?
2. ¿Dónde ha estado Dios presente en tu vida últimamente? Escribe una carta dirigida a ti mismo donde reflexiones sobre tu relación con Dios esta semana.

Palabras a saber

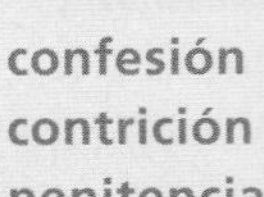

confesión
contrición
penitencia
penitente
Acto penitencial
viático

REFLEXIONA

Los sacramentos de la Curación nos ayudan a darnos cuenta de que es en la gracia de Dios donde encontramos sanación y fortaleza. Escribe sobre un momento en tu vida en el que más hayas necesitado la guía sanadora de Dios y se la pidieras.

Jesús, muéstrame cómo servir a los demás. Te pido especialmente por mi familia y amigos. Protégelos y concédeles lo que necesitan. Amén.

summary

FAITH SUMMARY

Reconciliation and the Anointing of the Sick are Sacraments of Healing that restore us to spiritual and often physical health. Matrimony and Holy Orders are Sacraments of Service that equip us to serve others. These four sacraments might be called sacraments for living whole, faithful, and fruitful lives.

REMEMBER

What are the Sacraments of Healing?
Reconciliation and the Anointing of the Sick

What are the three parts of the Sacrament of Penance and Reconciliation?
The three parts of the sacrament are the admission we have done wrong; confession of sins to a priest; and penance—an action that signifies our desire to make things right.

What elements are essential in the marital promises given in Matrimony?
Free consent, a promise of a lifelong, exclusive union, and openness to children

What are the three ordained orders?
Bishops, priests, and deacons

Jesus, show me ways to serve others. I especially pray for my family and friends. Protect them and give them what they need. Amen.

Words to Know

confession
contrition
penance
penitent
Penitential Rite
viaticum

REACH OUT

1. What has been your experience with Reconciliation? Can you do something to make this experience more rewarding?
2. In the past week or so, where has God been present in your life? Write a letter to yourself, reflecting on your relationship with God this week.

REFLECT

The Sacraments of Healing help us realize that God's grace is where we find healing and strength. Write about a time in your life when you most needed God's healing guidance and you asked for it.

____
____
____
____
____
____
____
____
____
____
____
____

discipleship

Dios nos guía y da su gracia

¿Qué diría una carta de recomendación sobre ti? ¿Cuáles de tus cualidades destacaría? ¿Qué diría sobre la forma en que te relacionas con los demás y tu manera de tratarlos? ¿Las palabras *amable, solidario, optimista* o *digno de confianza* describen tu actitud?

"Un letrado . . . le preguntó: "¿Cuál es el precepto más importante?" Jesús respondió: "El más importante es: Escucha, Israel, el Señor nuestro Dios es uno solo. Amarás al Señor, tu Dios, con todo tu corazón, con toda tu alma, con toda tu mente, con todas tus fuerzas. El segundo es: Amarás al prójimo como a ti mismo. No hay mandamiento mayor que éstos".

–Marcos 12:28–31

Guided by God's grace

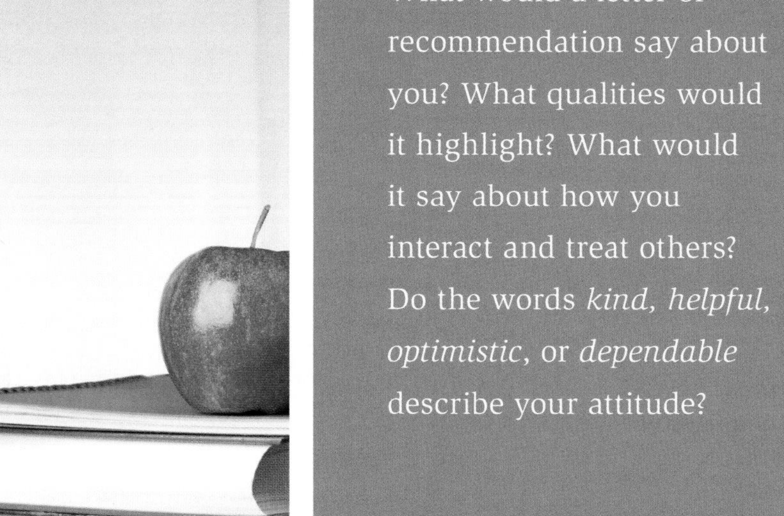

What would a letter of recommendation say about you? What qualities would it highlight? What would it say about how you interact and treat others? Do the words *kind, helpful, optimistic*, or *dependable* describe your attitude?

One of the scribes . . . asked him, "Which is the first of all the commandments?" Jesus replied, "The first is this: 'Hear, O Israel! The Lord our God is Lord alone! You shall love the Lord your God with all your heart, with all your soul, with all your mind, and with all your strength.' The second is this: 'You shall love your neighbor as yourself.' There is no other commandment greater than these."

–Mark 12:28–31

gracia

Amar a los demás

Hacia el final de su paso por la tierra Jesús presentó una parábola sobre el juicio al que los seres humanos serían sometidos al final de los tiempos. En ella, Jesús les dice a los bendecidos que serán salvados porque lo sirvieron a él cada vez que alimentaron al hambriento, dieron de beber al sediento, recibieron al emigrante, vistieron al desnudo, visitaron al enfermo y al prisionero. Dicho de otra forma, serán salvados porque amaron (Mateo 25:31–46).

La parábola nos lleva a la base de las enseñanzas morales católicas: todo ser humano debe ser tratado con respeto y amor porque Cristo vive en cada persona. Vivir una vida moral significa responder a la presencia de Jesús en cada ser humano, incluso en aquéllos que son despreciados o están hambrientos, sedientos, desnudos, enfermos o prisioneros.

Creemos que amar a los demás, sin importar quiénes sean, es una forma de amar a Dios. Puesto que Cristo está presente en todas las personas, no existe ninguna diferencia fundamental entre amar a Dios y amar al prójimo. Si lo que buscas es una manera de experimentar a Dios, ama a tu prójimo.

Una guía para vivir moralmente

Dios dio los Diez Mandamientos al pueblo judío después de haberlo liberado de la esclavitud en Egipto. Dios se apareció ante Moisés, el patriarca del pueblo, en el monte Sinaí, que está en el desierto y le dio los mandamientos.

Los Diez Mandamientos son una guía para amar a Dios y a los demás. También se los denomina **la Ley del Amor**. Solemos ver las leyes como algo restrictivo, pero la Ley del Amor no es así. La Ley del Amor nos hace libres. Es como aprender a jugar al tenis; si desconoces las reglas no puedes jugar, por ello las aprendes. Si no sabes cómo jugar, no disfrutarás al hacerlo, por eso aprendes a sostener la raqueta, a pegarle a la pelota, a colocar los pies o a posicionar el cuerpo en la forma correcta para devolver el tiro. Las reglas y la habilidad te liberan para poder jugar y disfrutar haciéndolo.

MI TURNO: Cristo en los demás

Piensa en alguna persona clave de tu vida. ¿De qué manera ves a Cristo en ella? Haz una lista de las cualidades de Jesús que reconoces en esa persona.

Describe alguna situación en la que el comportamiento de esa persona te haya enseñado algo acerca de cómo era Jesús.

Loving Others

grace

Toward the end of his time on earth, Jesus told a parable about the judgment of human beings at the end of time. Jesus tells the blessed that they are saved because they served him when they fed the hungry, gave drink to the thirsty, welcomed strangers, clothed the naked, cared for the sick, and visited prisoners. In other words, because they loved. (Matthew 25:31–46)

The parable draws attention to the basis of Catholic moral teaching: Every human being should be treated with respect and love because Christ lives in each person. Living a moral life means responding to Jesus' presence in every person, including those who are despised, hungry, thirsty, naked, sick, or imprisoned.

We believe that to love others, no matter who they are, is a way of loving God. Because Christ is present in everyone, there's no fundamental separation between love of God and love of neighbor. If you're looking for a way to experience God, love your neighbor.

A Guide to Living Morally

God gave the Ten Commandments to the Jewish people after he delivered them from slavery in Egypt. He appeared to Moses, the leader of the people, on Mount Sinai in the desert and gave these commands.

The Ten Commandments are the guide to loving God and other people. Another term for them is **the Law of Love.** We usually think of laws as restrictive. But the Law of Love is anything but. The Law of Love is a law that sets us free. It's like learning how to play tennis. If you don't know the rules, you can't have a game. So you learn the rules. If you don't have the skills to play, you won't enjoy yourself on the court. So you learn how to hold the racket, how to swing, how to position your feet, how to put your body in the right place to return a shot. The rules and skills set you free to play and enjoy the game.

MY TURN: Christ in Others

Think about one key person in your life. How can you see Christ in this person? List the quality of Jesus that you see in him or her.

Describe a time when this person behaved in a way that taught you something about what Jesus was like.

virtues

gracia

Los Diez Mandamientos

En su conjunto, los Diez Mandamientos son una Ley del Amor que nos muestra la manera correcta de conducir nuestras relaciones. Describen nuestras responsabilidades con Dios, con nuestra familia, con nuestra comunidad y con la sociedad en general. Prohíben las acciones que violan los derechos de los demás y que crean discordia en el mundo. Nos guían para comportarnos con gratitud, honestidad y compostura. No es de extrañar que el pueblo judío los recibiera como un regalo.

Jesús basó en los Mandamientos sus enseñanzas sobre la vida moral. Un hombre le preguntó: "¿Qué debo hacer para heredar vida eterna?" y Jesús le dijo que cumpliera los mandamientos (Marcos 10:17–19). Pero Jesús tenía mucho más para enseñar sobre lo que significa vivir de manera correcta. A Jesús le importaban las buenas acciones, pero estaba especialmente interesado en el estado de nuestros corazones.

1. Yo soy el Señor tu Dios. Amarás a Dios sobre todas las cosas.
2. No tomarás el Nombre de Dios en vano.
3. Santificarás las fiestas.
4. Honrarás a tu padre y a tu madre.
5. No matarás.
6. No cometerás actos impuros.
7. No robarás.
8. No darás falso testimonio ni mentirás.
9. No consentirás pensamientos ni deseos impuros.
10. No codiciarás los bienes ajenos.

Las Bienaventuranzas

Las enseñanzas de Jesús acerca de cómo vivir de la manera correcta se resumen en ocho máximas denominadas las Bienaventuranzas, término que significa "bendición". Podríamos considerar a las Bienaventuranzas como un programa para la felicidad. No se refieren a cómo actuar de la forma adecuada, sino a cómo convertirse en la clase adecuada de persona. Si eres una persona de las Bienaventuranzas, serás feliz. Vivirás con Dios en el cielo. La verdadera felicidad está en la misericordia, la paz, la humildad, la integridad y el depender de Dios. Ser uno de los bienaventurados no es fácil, pero la recompensa es grande (Mateo 5:1–10).

Bienaventurados los pobres de espíritu,
porque de ellos es el Reino de los cielos.

Bienaventurados los que lloran,
porque ellos serán consolados.

Bienaventurados los mansos,
porque ellos poseerán la tierra.

Bienaventurados los que tienen hambre y sed de justicia, porque ellos serán saciados.

Bienaventurados los misericordiosos,
porque ellos alcanzarán misericordia.

Bienaventurados los limpios de corazón,
porque ellos verán a Dios.

Bienaventurados los que trabajan por la paz,
porque ellos serán llamados hijos de Dios.

Bienaventurados los perseguidos a causa de la justicia, porque de ellos es el Reino de los cielos.

virtudes

The Ten Commandments

Taken together, the Ten Commandments are a Law of Love that shows us the right way to conduct all our relationships. They describe our responsibilities to God, to our family, to our community, and to society as a whole. They forbid actions that violate the rights of others and bring discord to the world. They direct us to behave with gratitude, honesty, and restraint. No wonder the Jewish people welcomed them as a gift.

Jesus made the Commandments the foundation of his teaching about the moral life. A man asked, "What must I do to inherit eternal life?" Jesus told him to keep the commandments. (Mark 10:17–19) But Jesus had more to say about living rightly. Jesus cared about right actions, but he was especially interested in the condition of our hearts.

1. I am the LORD your God: you shall not have strange gods before me.
2. You shall not take the name of the LORD your God in vain.
3. Remember to keep holy the LORD's Day.
4. Honor your father and your mother.
5. You shall not kill.
6. You shall not commit adultery.
7. You shall not steal.
8. You shall not bear false witness against your neighbor.
9. You shall not covet your neighbor's wife.
10. You shall not covet your neighbor's goods.

The Beatitudes

Jesus' teaching about right living is summed up in eight sayings called the Beatitudes, a word that means "blessing." We might call the Beatitudes a program for happiness. They are not about acting the right way, but about becoming the right kind of person. If you are a person of the Beatitudes, you will be happy. You will live with God in Heaven. True happiness lies in mercy, peacemaking, humility, integrity,

***Sermon on the Mount*, 2010, Laura James.**

***Sermón de la Montaña*, 2010, Laura James.**

and dependence on God. Being one of the blessed is not easy, but the reward is great. (Matthew 5:1–10)

Blessed are the poor in spirit,
for theirs is the kingdom of heaven.

Blessed are they who mourn,
for they will be comforted.

Blessed are the meek,
for they will inherit the land.

Blessed are they who hunger and thirst for righteousness,
for they will be satisfied.

Blessed are the merciful,
for they will be shown mercy.

Blessed are the clean of heart,
for they will see God.

Blessed are the peacemakers,
for they will be called children of God.

Blessed are they who are persecuted for the sake of righteousness,
for theirs is the kingdom of heaven.

gracia

Las virtudes

Es importante hacer lo correcto, pero es aun más importante convertirse en la clase adecuada de persona, en una persona con las cualidades de las Bienaventuranzas. La Iglesia denomina **virtudes** a estas cualidades, que son la firme actitud o forma de actuar que nos permite hacer el bien.

La fe, la esperanza y la caridad se denominan **virtudes teologales** porque se relacionan directamente con Dios y con la vida de gracia que vivimos a través del Espíritu Santo.

- **Fe** es la capacidad de creer en Dios, obedecerlo y entregarse personalmente a él. Parte de la fe es mantener una relación de confianza con Dios.
- **Esperanza** es la confianza que depositamos en Dios y en sus promesas. Es el poder por el que buscamos una vida de fe.
- **Caridad**, o amor, es el poder por medio del cual nos consagramos incondicionalmente a Dios, al prójimo y a nuestra participación en la misión de Cristo de salvar y sanar al mundo. La caridad es la mayor virtud.

Las **virtudes cardinales** son la prudencia, la justicia, la fortaleza y la templanza. El término *cardinal* deriva de la palabra latina *cardo*, que significa "algo de lo que otras cosas dependen". La vida moral depende de estas virtudes.

- **Prudencia** es la capacidad de reconocer qué es lo correcto. Nos permite saber qué es lo importante, fijar las metas adecuadas y elegir la mejor manera de alcanzarlas.
- **Justicia** es la virtud que se ocupa de que las personas tengan lo que les corresponde. La persona justa respeta y se preocupa por los derechos de los demás. Un principio que guía la justicia es "a cada uno lo que le corresponde".

MI TURNO: Reflexionar sobre los pecados

Piensa en los distintos tipos de pecado de los que eres testigo en tu vida diaria. Explica por escrito por qué crees que abunda tanto el pecado.

Virtues

It's important to do the right things, but it's even more important to become the right kind of person, a person with the qualities of the Beatitudes. The Church calls these qualities **virtues.** Virtues are a firm attitude or way of acting that enables us to do good.

Faith, hope, and charity are called the **Theological Virtues** because they are directly related to God and the life of grace we live through the Holy Spirit.

- **Faith** is the ability to believe in God, to obey him, and to commit ourselves personally to him. Part of faith is a trusting relationship with God.
- **Hope** is confidence in God and trust in his promises. It is the power by which we pursue a life of faith.
- **Charity,** or love, is the power by which we give ourselves wholeheartedly to God, to others, and to our part in Christ's mission to save and heal the world. Charity is the greatest virtue.

The **Cardinal Virtues** are prudence, justice, fortitude, and temperance. *Cardinal* comes from the Latin *cardo,* or "hinge." These virtues are the hinges on which the door of the moral life swings.

- **Prudence** is the ability to recognize what is right. It allows us to know what is important, to set the right goals, and to choose the best way to attain them.
- **Justice** is the virtue that longs to see people get what they are entitled to. The just person respects the rights of others and is concerned with fairness. A guiding principle of justice is "to each his due."

MY TURN: Reflection on Sins

Think about the different kinds of sins you witness every day. Write why you think sin is so prevalent.

- **Fortaleza**, o coraje, es la fuerza que nos permite hacer lo correcto frente a las dificultades y la oposición. La vida moral depende de la fortaleza porque las dificultades son inevitables.
- **Templanza**, o moderación, es la virtud del equilibrio y la contención. Una persona moderada evita los excesos y los juicios impulsivos. La templanza nos permite hallar un equilibrio entre lo que queremos y lo que necesitamos.

El pecado y la gracia

El no amar a Dios o a nuestro prójimo se denomina pecado. Llegamos al mundo separados de Dios, es lo que se llama pecado original. El Bautismo nos limpia de este pecado, pero la lucha contra el pecado continúa a lo largo de nuestra vida. Por suerte, siempre podemos contar con Dios para levantarnos cuando caemos. Esta ayuda especial que Dios nos brinda se llama gracia.

Los distintos tipos de pecado

El pecado se presenta de diferentes maneras; en un sentido amplio podrían distinguirse por su gravedad. Los **pecados veniales** son ofensas menos graves que dañan nuestra relación con Dios y el prójimo. Los **pecados mortales** son muy graves, rechazan y perjudican seriamente nuestra relación con Dios y el prójimo. Deben evitarse todos los tipos de pecado, pero los mortales son especialmente graves porque nos apartan de la vida de gracia. Para que un pecado sea mortal deben darse tres condiciones:

- **Materia grave.** Un pecado mortal debe constituir una ofensa muy grave. Que tú consideres grave un pecado no significa que sea necesariamente mortal.
- **Pleno conocimiento.** Debes ser consciente de la gravedad del pecado.
- **Deliberado consentimiento.** Aun sabiendo que la ofensa es grave, eliges libremente cometerla.

Otra manera de considerar los pecados es distinguir entre **pecados de obra** y **pecados de omisión**. Los pecados de obra se refieren a cosas que *haces*: mientes, tomas algo que no te pertenece o te vengas de alguien que te ofendió. Los pecados de omisión se refieren a cosas que *no* haces y que deberías hacer porque son tu responsabilidad: te mantienes al margen cuando una persona ofende a otra, no haces tu trabajo, no obedeces a tus padres o a otras personas con autoridad.

SIGNO SAGRADO: El crucifijo

El crucifijo muestra a Jesucristo en la cruz. Es un símbolo de la Salvación que Jesús logró para nosotros con su Pasión y muerte. La imagen de Jesús crucificado nos recuerda su verdadera naturaleza humana. En su condición de humano Jesús sufrió el rechazo, la humillación, el ridículo, el bandono y hasta la muerte en la cruz. Nacido de la Virgen María, Jesús fue como nosotros en todos los aspectos menos en el pecado. En la cruz y por amor a nosotros, Jesús se sacrificó por nuestros pecados para que pudiéramos ser salvados.

- **Fortitude,** or courage, is the strength to do what is right in the face of difficulty and opposition. The moral life depends on fortitude because difficulties will inevitably come.
- **Temperance,** or moderation, is the virtue of balance and restraint. A temperate person avoids excess and impulsive judgments. Temperance allows us to balance what we want with what we need.

Sin and Grace

Failure to love God and our neighbor is called sin. We come into the world separated from God—this is called Original Sin, which is washed away at Baptism. But the struggle with sin continues throughout our lives. Happily, we can always count on God to pick us up when we fall. This special help from God is called grace.

SACRED SIGN: Crucifix

The crucifix depicts Jesus Christ on the cross and is a symbol of the Salvation that Jesus gained for us through his Passion and Death. The image of Jesus on a crucifix reminds us of his true human nature. In his human nature, Jesus suffered rejection, humiliation, ridicule, abandonment, and even death on a cross. Born of the Virgin Mary, Jesus was like us in every aspect, except for sin. On the cross and out of love for us, Jesus sacrificed himself for our sins so that we might be saved.

Kinds of Sin

Sin comes in many shapes and sizes; one broad distinction has to do with the seriousness of sin. **Venial sins** are less serious offenses; they injure our relationships with God and others. **Mortal sins** are very serious; they reject and grievously harm our relationships with God and others. All sins are to be avoided, but mortal sin is especially grave because it cuts us off from the life of grace. Three conditions must be present to make a sin mortal.

- **Serious matter.** A mortal sin must be a very serious offense. The fact that you think it's serious doesn't necessarily make it a mortal sin.
- **Full knowledge.** You must know how serious the sin is.
- **Full consent.** Knowing that the offense is serious, you freely choose to do it anyway.

Another way we distinguish sins is between **sins of commission** and **sins of omission.** Sins of commission are things you *do;* you lie, you take something that doesn't belong to you; you take revenge on someone who has wronged you. Sins of omission are the things you *don't* do when you have the responsibility to do so. You stand by when a bully abuses someone. You neglect your work. You fail to obey your parents or other authority figures.

gracia

Los siete pecados capitales y las virtudes

Una clasificación útil de los pecados a la que recurren los cristianos desde hace siglos es la de los siete pecados capitales, que para ser más precisos podrían denominarse las "siete actitudes mortales". El pecado se inicia en el corazón y en la mente. Son los pensamientos negativos y deseos difíciles de controlar que nos llevan a cometer actos que dañan nuestra relación con Dios y con el prójimo. Por cada pecado existe un elemento de redención llamado virtud. Las virtudes nos guían para vivir vidas buenas o virtuosas.

- **Lujuria** es el deseo excesivo de los placeres corporales. Se combate con la virtud de la **castidad**.
- **Avaricia** es el deseo insaciable de tener "más, más y más". La persona avara ambiciona dinero y posesiones por el simple hecho de acumularlos, no por necesidad. La avaricia se supera por medio de la virtud de la **generosidad**.
- **Envidia** es el deseo de poseer lo que tienen los otros porque ellos lo tienen y tú no. La envidia nace del descontento con lo que se tiene y se contrarresta con la virtud de la **gratitud**.
- **Gula** es el consumo excesivo de comida y bebida. El remedio para la gula es la virtud de la **templanza**.
- **Pereza** es la dejadez y el abandono de las responsabilidades. La podemos superar practicando la virtud del **empeño**.

- **Ira** es el deseo de dañar a otra persona por venganza. Superamos la ira cultivando la virtud de la **mansedumbre**.
- **Soberbia** es egoísmo, la preocupación por uno mismo a expensas de los demás. La virtud de la **humildad** es el remedio para la soberbia.

Nota que cada una de las siete actitudes mortales es la distorsión de algo bueno: debes sentirte satisfecho de tus talentos y logros, pero ese sentimiento se convierte en soberbia cuando consideras que te hacen superior a los demás. Está bien relajarse y disfrutar. Pero cuando te dedicas tanto a relajarte que ignoras a tus amigos, tu familia, tus tareas escolares y tus otras responsabilidades, se vuelve pereza. La mayoría de los pecados se originan de un deseo humano normal llevado al extremo. Las virtudes nos permiten actuar dentro de nuestra condición humana para ser bondadosos con los demás, con nosotros mismos y con Dios.

RITO: Golpearse el pecho

En la misa, mientras rezamos el Yo Confieso o *Confiteor,* decimos "por mi culpa, por mi culpa, por mi gran culpa" y nos golpeamos el pecho. Este gesto sacramental es una llamada simbólica al corazón. Significa que nos arrepentimos y lamentamos los pecados cometidos, recordando al recaudador de impuestos penitente que se menciona en el Evangelio según san Lucas (18:9–14). Con este gesto y oración reconocemos que hemos pecado y, al mismo tiempo, ponemos nuestra confianza en el amor eterno de Dios.

grace

The Seven Capital Sins and Virtues

One helpful classification of sins that Christians have used for centuries is called the seven capital sins. They might be more accurately called "seven deadly attitudes." Sin begins in the heart and mind. These are the negative thoughts and unruly desires that lead to acts that damage a relationship with God and other people. For every sin, there is a redeeming element called a virtue. Virtues lead us to live virtuous, or good, lives.

- **Lust** is an excessive craving for bodily pleasures. You combat lust with the virtue of **chastity.**
- **Greed** is a passionate desire for "more, more, more." A greedy person wants money and possessions for the sake of having them, not because they are needed. Greed is overcome by the virtue of **generosity.**
- **Envy** is to desire to have what someone else has because they have it and you don't. Envy springs from discontent with what you have and is countered by the virtue of **gratitude.**
- **Gluttony** is excessive eating and drinking. The remedy for gluttony is the virtue of **temperance.**
- **Sloth** is laziness and neglect of responsibilities. We can overcome it by practicing the virtue of **zeal.**
- **Anger** is a desire to harm another person in revenge. We overcome anger by cultivating the virtue of **gentleness.**
- **Pride** is self-centeredness, a concern for oneself at the expense of others. The virtue of **humility** is the remedy for pride.

Note that each of the seven deadly attitudes is a distortion of something good: You should feel good about your talents and accomplishments, but this feeling becomes pride when you decide that it makes you better than other people. It's fine to relax and enjoy yourself. It is sloth when you're so busy relaxing that you ignore your friends, family, schoolwork, and other responsibilities. Most sin comes from a normal human desire taken to excess. Virtues allow us to act within our human condition to be good to others, to ourselves, and to God.

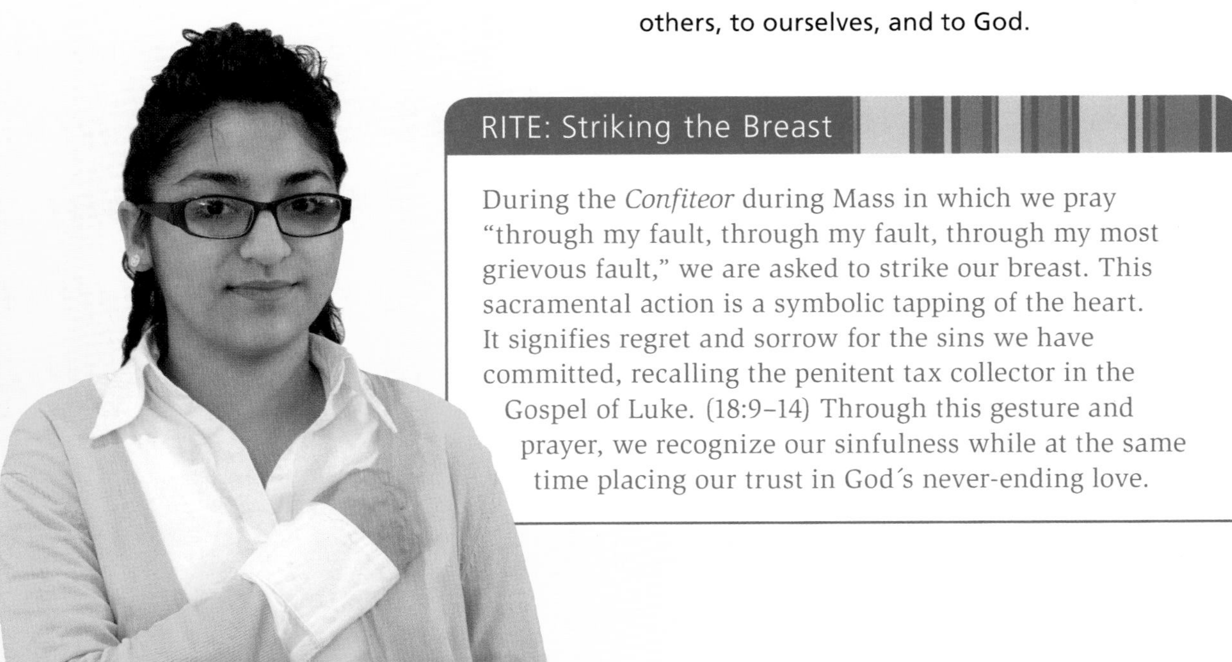

RITE: Striking the Breast

During the *Confiteor* during Mass in which we pray "through my fault, through my fault, through my most grievous fault," we are asked to strike our breast. This sacramental action is a symbolic tapping of the heart. It signifies regret and sorrow for the sins we have committed, recalling the penitent tax collector in the Gospel of Luke. (18:9–14) Through this gesture and prayer, we recognize our sinfulness while at the same time placing our trust in God´s never-ending love.

TESTIGO: Santa Mónica

Santa Mónica fue la madre de san Agustín y representa un buen ejemplo de persona con una vida virtuosa. Cuando Agustín era joven rechazó el cristianismo, que era la fe de su madre. De hecho, llevaba una vida despreocupada mientras buscaba respuestas en distintas religiones. Mónica se preocupaba por este comportamiento de su hijo y rezaba sin cesar por su conversión. Rezaba y ayunaba por Agustín, permaneciendo siempre cerca de él y siguiéndole en su viaje desde el norte de África, de donde eran, hasta Roma y Milán. Las lágrimas de Mónica, sus plegarias y sus sacrificios durante años ayudaron a lograr la conversión de Agustín en el año 386 d. C. La festividad de santa Mónica se celebra el 27 de agosto, un día antes de la festividad de san Agustín.

La misericordia

El pecado es una realidad en nuestras vidas, pero también lo es la misericordia de Dios, y la misericordia tiene la última palabra. **Misericordia** es la compasión y la bondad que mostramos hacia una persona que está en problemas. No es algo por lo que necesitamos rogar. El amor misericordioso de Dios nos libra del mal y nos devuelve a la gracia. Cuando respondemos a la misericordia de Dios con arrepentimiento y contrición, restablecemos la relación que teníamos con Dios.

De hecho, al apartarnos del pecado profundizamos nuestra relación con Dios. Recibir la misericordia de Dios nos permite amarlo más. Podemos contar con la misericordia de Dios. Siempre está a nuestra disposición.

MI TURNO: Mostrar misericordia

Escribe sobre alguna situación en la que hayas visto a una persona mostrando misericordia hacia otra. ¿Qué aprendiste de esa experiencia?

____

____

____

____

Mercy

Sin is a reality of our lives, but so is God's mercy, and mercy has the last word. **Mercy** is compassion and kindness toward one who is in trouble. It's not something for which we need to beg. God's merciful love delivers us from evil and restores us to grace. When we respond to God's mercy with repentance and contrition, we are restored to the relationship we had with God.

In fact, turning away from sin deepens our relationship with God. Receiving God's mercy allows us to love him more. We can count on God's mercy. It's always there for us.

WITNESS: Saint Monica

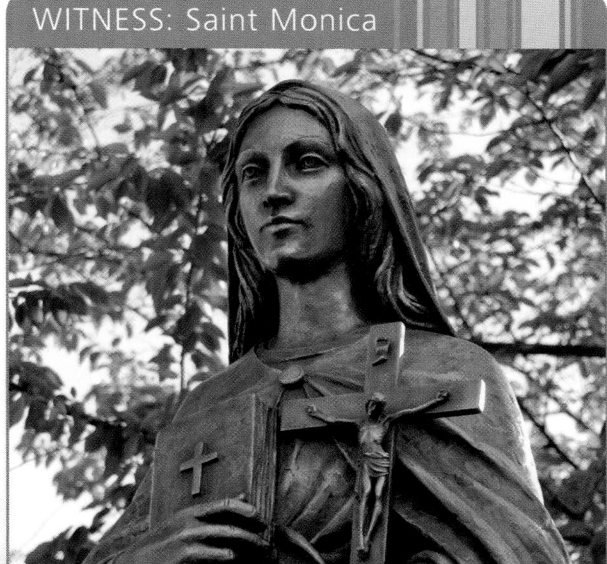

Saint Monica was the mother of Saint Augustine and a good example of one who lived a virtuous life. When he was young, Augustine rejected Christianity, the faith of his mother. Instead he lived a carefree life while searching for answers in different religions. This greatly troubled Monica, who never ceased praying for her son's conversion. She prayed and fasted for her son and stayed close to him, following him from their native North Africa to Rome and Milan. Monica's tears, prayers, and sacrifices over many years helped bring about Augustine's conversion in A.D. 386. Saint Monica's feast day is August 27, the day before the feast day of Saint Augustine.

MY TURN: Showing Mercy

Write of a time when you witnessed someone being merciful toward another. What did you learn from that experience?

____

____

____

____

gracia

resumen

RESUMEN DEL TEMA

La enseñanza moral católica se basa en el principio según el cual todas las personas merecen respeto y amor porque Jesús vive en ellas. Los Diez Mandamientos, las Bienaventuranzas y las enseñanzas de la Iglesia acerca de la virtud nos guían para cumplir nuestras responsabilidades con los demás y crecer como personas morales.

RECUERDA

¿Cuáles son las tres condiciones que deben cumplirse para que un pecado sea mortal?

La ofensa debe ser grave, la persona debe conocer su gravedad y aun así debe elegir libremente cometerla.

¿Por qué se llama Ley del Amor a los Diez Mandamientos?

Los Diez Mandamientos son un regalo de nuestro Dios amoroso. Nos muestran cómo llevar una vida de servicio con amor a Dios y a los demás.

¿En qué difieren las Bienaventuranzas de Jesús de los Diez Mandamientos?

Las Bienaventuranzas se enfocan en cómo convertirse en la clase adecuada de persona. Los Mandamientos se concentran en las acciones correctas.

¿Qué son las virtudes?

Las virtudes son la firme actitud o forma de actuar que nos permite hacer el bien.

ACTÚA

1. ¿Cuáles de las siete virtudes planteadas en este capítulo quisieras desarrollar más en este momento? ¿Por qué?
2. ¿Cuáles de las ocho bienaventuranzas te llama más la atención? ¿Cuál te parece más alejada de tu experiencia personal? ¿Por qué?

Palabras a saber

virtudes cardinales
misericordia
pecado mortal
pecados de obra
pecados de omisión
la Ley del Amor
virtudes teologales
pecado venial
virtudes

REFLEXIONA

Piensa en tu personalidad. ¿De qué rasgos estás más orgulloso y cuáles te gustaría cambiar?

Gracias, Padre, por tu misericordia hacia mí y hacia las personas a quienes amo. Cuando tropiezo y peco, ayúdame a ver mis errores y dame la fuerza necesaria para no repetirlos. Concédeme la gracia de actuar correctamente y de continuar creciendo en la virtud. Amén.

summary

FAITH SUMMARY

Catholic moral teaching is based on the principle that all people deserve respect and love because Jesus lives in them. The Ten Commandments, the Beatitudes, and the Church's teaching about virtue give us sure guidance in our responsibilities toward others and in our growth as moral people.

REMEMBER

What are three conditions that must be met to make a sin mortal?

The offense must be a serious one, the person must know it's serious, and the person must freely choose to do it.

Why are the Ten Commandments called the Law of Love?

The Ten Commandments are a gift from our loving God. They show us the way to a life of loving service to God and other people.

How do Jesus' Beatitudes differ from the Ten Commandments?

The Beatitudes are focused on becoming the right kind of person. The Commandments concentrate on right actions.

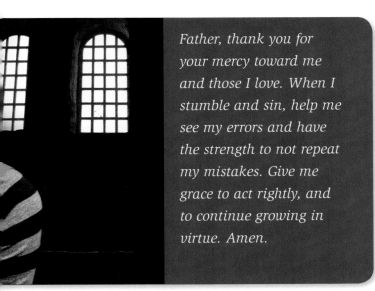

Father, thank you for your mercy toward me and those I love. When I stumble and sin, help me see my errors and have the strength to not repeat my mistakes. Give me grace to act rightly, and to continue growing in virtue. Amen.

Words to Know

Cardinal Virtues	the Law of Love
mercy	Theological Virtues
mortal sin	venial sin
sins of commission	virtues
sins of omission	

grace

What are virtues?

Virtues are a firm attitude or way of acting that enables us to do good.

REACH OUT

1. Which of the seven virtues discussed in the chapter would you like to have more of right now? Why?
2. Which of the eight beatitudes is most attractive to you? Which seems the farthest away from your experience? Why?

REFLECT

Think about your personality. Which traits are you most proud of, and which traits would you like to improve?

Nuestra fe en acción

Recuerda alguna ocasión en la que te hayas tenido que enfrentar a un reto que te parecía difícil de lograr. ¿Qué hiciste? ¿Recibiste ayuda de otras personas? ¿Cómo resultó todo? ¿Qué aprendiste acerca de tus puntos fuertes y débiles?

Entonces le preguntaba la multitud: "¿Qué debemos hacer?" Les respondía: "El que tenga dos túnicas, dé una al que no tiene; otro tanto el que tenga comida".
–Lucas 3:10–11

Our Faith in action

Recall a time when you had to face a big challenge that you weren't sure you could meet. What did you do about it? Did other people help you? How did it turn out? What did you learn about your strengths and your weaknesses?

And the crowds asked him, "What then should we do?" He said to them in reply, "Whoever has two tunics should share with the person who has none. And whoever has food should do likewise." *–Luke 3:10–11*

Vivimos en comunidades

Eres un individuo: una persona con derechos y dignidad y con una relación personal con Dios. También eres parte de una comunidad. De hecho, perteneces a diversas comunidades: tu familia, la Iglesia, tu pueblo o ciudad, tu estado y tu país. También eres miembro de la familia humana universal. Gran parte de la vida católica consiste en trabajar para el bien de los demás.

El hacer el bien conlleva tiempo, energía y recursos materiales. Hacemos el bien por amor, porque Dios nos ama y nos llama a compartir ese amor con las personas de nuestra vida. Con nuestras buenas obras nos acercamos a Cristo y hacemos del mundo un lugar mejor.

Las obras de misericordia

El término católico con el que tradicionalmente nos referimos a las buenas obras es obras de misericordia. *Misericordia* significa "bondad y compasión". Las obras de misericordia ponen en práctica la compasión en cuanto que bendicen y llevan alivio a los demás. Las **obras de misericordia corporales** son acciones que satisfacen las necesidades materiales y físicas de los más débiles y vulnerables. Por su parte, las **obras de misericordia espirituales** responden a las necesidades espirituales y emocionales de las personas.

Las obras de misericordia corporales

Las obras de misericordia corporales provienen de la parábola de Jesús sobre el juicio final. Según la parábola, los bienaventurados serán salvados porque sirvieron a Jesús cada vez que alimentaron al hambriento, dieron de beber al sediento, recibieron al emigrante, vistieron al desnudo, cuidaron al enfermo, visitaron al prisionero y dieron sepultura a los muertos. Estas son las siete obras de misericordia corporales, con sugerencias acerca de cómo llevarlas a la práctica.

MI TURNO: Dar y recibir misericordia

Describe alguna ocasión en la que hayas necesitado y recibieras misericordia de otra persona. ¿Cuál era la situación? ¿Cómo te ayudaron? ¿Qué sentiste al recibir esa ayuda?

____

____

____

Describe alguna situación en la que hayas ayudado a alguna persona que estaba en problemas. ¿Fue fácil o difícil ayudarla?

____

____

____

Colecta de ropa
Clothing Drive

We Live in Communities

You are an individual—a person with rights and dignity and a personal relationship with God. You are also part of a community. Actually, you belong to several communities—your family, the Church, your local town or city, your state and nation. You are also a member of the universal human family. A big part of Catholic living is working for the good of others.

Good deeds take our time, energy, and material resources. We do good deeds out of love—because God loves us and calls us to share that love with the people in our lives. Through our good deeds, we grow closer to Christ as we make the world a better place.

action

Works of Mercy

The traditional Catholic term for good deeds is works of mercy. *Mercy* means "kindness and compassion." Works of mercy put that compassion into practice by bringing blessing and relief to others. **Corporal Works of Mercy** are deeds that meet the material and physical needs of those who are weak and vulnerable. **Spiritual Works of Mercy** are directed to others' spiritual and emotional needs.

Corporal Works of Mercy

The Corporal Works of Mercy are drawn from Jesus' parable about the Last Judgment. In the parable, the blessed are saved because they served Jesus when they fed the hungry, gave drink to the thirsty, sheltered the homeless, clothed the naked, cared for the sick, visited prisoners, and buried the dead. Here are the seven Corporal Works of Mercy, with suggestions about ways to practice them.

MY TURN: Giving and Receiving Mercy

Describe a time when you were in need and received mercy from someone. What were the circumstances? How did someone help you? How did it feel to be helped?

____

____

____

Describe a time when you helped someone in trouble. Was it easy or difficult to do?

____

____

____

community

acción

Dar de comer al hambriento y de beber al sediento

En nuestra sociedad la comida es abundante, pero existen millones de personas en el mundo que no tienen comida o agua potable suficiente. En tu propia comunidad hay gente desnutrida. Puedes colaborar con los comedores comunitarios, los dispensarios de alimentos y con organismos de voluntarios que se ocupan de repartir alimentos donados entre las personas que pasan hambre, o hacer donaciones a organizaciones dedicadas a proveer de agua potable a áreas que no disponen de ella.

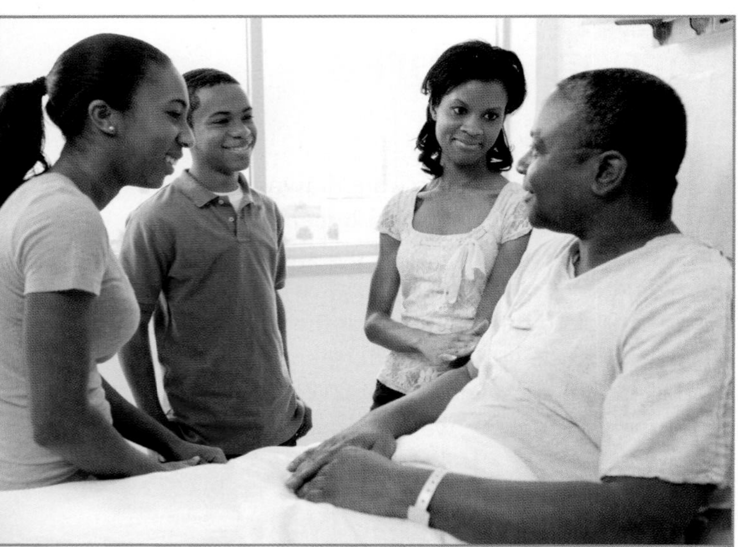

Vestir al desnudo

La ropa es costosa. Familias pobres, y muchas que no son tan pobres, consiguen la mayor parte de su ropa de agencias que reciben donaciones de ropa. Revisa tus cajones y armarios, saca la ropa que no necesitas y dónala a esas entidades. Haz una colecta de dinero para la organización católica de tu zona o diócesis que se encarga de servir a los necesitados.

Dar posada al peregrino

En tu propia comunidad algunas personas están literalmente desamparadas, sin techo y sin hogar. Puedes colaborar con los diversos organismos que les brindan asistencia. Pero otros muchos están desamparados de otra manera. A los inmigrantes o a los nuevos vecinos de tu comunidad les puede costar sentirse bienvenidos. Hay estudiantes en tu escuela que son "diferentes", que no tienen amigos o que tienen dificultades para integrarse. En tu vecindario, o quizás en tu propia familia, hay personas que se sienten aisladas porque viven en soledad o no pueden desplazarse con facilidad. Ayudarles es una obra de misericordia.

Visitar a los enfermos

Las lesiones y enfermedades graves afectan a la vida cotidiana de las personas y a menudo las hacen sentir solas, asustadas y deprimidas. Dedica tiempo a los enfermos y ancianos de tu familia y de tu vecindario. Organiza algún proyecto de clase para promover la recuperación de algún compañero que esté hospitalizado o enfermo en su casa.

Visitar al prisionero

La sociedad se olvida de los prisioneros; la gente suele ignorarlos. Quizá no tengas oportunidad de visitar a alguien que esté en la cárcel, pero puedes acercarte a los que son "prisioneros" de su soledad, enfermedad o vejez.

Enterrar a los muertos

En muchas partes del mundo ayudar a los pobres para que puedan dar una sepultura digna a las personas de su familia es una obra de misericordia. En nuestra sociedad podemos hacer esta obra mostrándonos atentos y solidarios con las personas que están de duelo.

El dar limosna a veces se considera una obra de misericordia corporal, pero es una obra de justicia. Jesús lideró con su ejemplo cuando dijo: "Les aseguro que lo que hayan hecho a uno solo de éstos, mis hermanos menores, me lo hicieron a mí" (Mateo 25:40). Podemos ser como Jesús cuando damos limosna, o dinero, a los pobres.

Feed the Hungry and Give Drink to the Thirsty

Water and food is abundant in our society, yet millions of the world's people don't have enough food to eat or clean water to drink. There are people in your own community who don't have adequate nutrition. You can support food pantries, soup kitchens, other volunteer agencies that feed the hungry with food donations, or donate to organizations that help provide clean, drinkable water to areas without.

Clothe the Naked

Clothing is expensive. Poor families, and many who are not so poor, get much of their clothing from agencies that receive surplus clothing. Go through your drawers and closets, remove clothes that you don't need, and donate them to these agencies. Raise money for your local or diocesan Catholic organization that serves the needy.

Shelter the Homeless

Some people in your own community are literally homeless. You can support agencies that help them. But many others are homeless in a different way. Immigrants and newcomers have trouble feeling at home in your community. There are students in your school who are "different," who lack friends, and who have difficulty fitting in. There are people in your neighborhood, perhaps even in your extended family, who are lonely because they live alone or cannot get around very well. Helping them is a work of mercy.

Visit the Sick

Injury and serious illness remove people from the flow of ordinary life and often cause them to feel lonely, fearful, and depressed. Spend time with sick and elderly family members and neighbors. Organize a class get-well project for a classmate who is ill at home or in the hospital.

Visit the Imprisoned

Prisoners are forgotten by society; people tend to overlook them. You might not have opportunities to visit someone in prison, but you can reach out to those who are "imprisoned" by loneliness, sickness, or old age.

Bury the Dead

In many parts of the world, helping those who are poor see to the proper burial of deceased family members is a work of mercy. In our society we can do this work by being attentive and helpful to those in mourning.

Almsgiving is often thought of as a Corporal Work of Mercy, but it is a work of justice. Jesus led by example when he said, "Whatever you have done to the least of my brethren, you have done to me." (Matthew 25:40) We can be like Jesus when we give alms, or money, to the poor.

Obras de misericordia espirituales

Las siete obras de misericordia espirituales responden a las necesidades espirituales y emocionales de las personas. Las primeras tres normalmente requieren de una más profunda comprensión y concentración. Las otras cuatro pueden ser ejecutadas de manera más rutinaria por cualquier persona.

Corregir al que yerra

En ocasiones es necesario advertir a los demás que con sus acciones se hacen daño a ellos mismos y a otras personas. Para hacerlo de forma efectiva debes ser prudente, conocer bien las circunstancias y tener una relación adecuada con la persona.

Enseñar al que no sabe

Busca la oportunidad de compartir lo que sabes con los demás. Puedes ayudar a tus amigos con las tareas de la escuela. Puedes compartir conocimientos prácticos con los niños más pequeños.

Aconsejar al que lo necesita

El mundo está lleno de cinismo y negatividad. En lugar de sumarte a ello, adopta una actitud positiva. Compartir tu esperanza con las personas que están desesperadas y deprimidas es una obra de misericordia.

Consolar al que sufre

Puedes estar junto a personas que están desanimadas y tristes. Quizá perdieron a algún amigo o les fue mal en la escuela o en algún deporte. Es posible que tengan problemas en su casa. Consolarlas con tu amistad es una obra de misericordia.

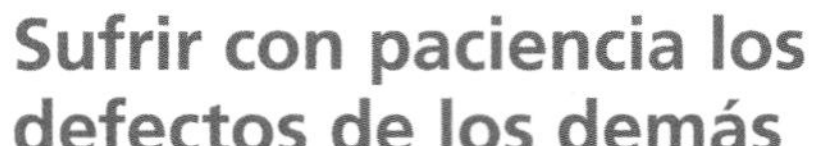

Sufrir con paciencia los defectos de los demás

Cuando las cosas te salen mal, no transfieras tu dolor a los demás. Evita quejarte constantemente, criticar y culpar. Concédeles a los demás el beneficio de la duda. Deja pasar los errores y las ofensas menores.

Perdonar las injurias

Perdona a quien te injurie u ofenda. Sentir rencor o querer vengarse solo agudiza el dolor. Reza por aquellos que te han lastimado. Si te cuesta perdonar, reza y pídele a Dios la fortaleza necesaria para perdonar.

Rogar a Dios por vivos y difuntos

Alivia tus necesidades y las de los demás por medio de la oración. Pide especialmente por esos problemas que no parecen tener una solución fácil.

MI TURNO: ¿Qué hacer?

Haz una lista de las maneras en que podrías poner hoy en práctica las obras de misericordia corporales y las espirituales.

____

____

____

____

____

____

Spiritual Works of Mercy

The seven Spiritual Works of Mercy respond to the spiritual and emotional needs of others. The first three often involve a deeper understanding and concentration. The other four can be done by everyone more routinely.

Admonish Sinners

Sometimes it's necessary to warn others about the harm their actions do to themselves and others. To do this effectively, you need to be tactful, knowledgeable, and to have the proper relationship with the person.

Instruct the Ignorant

Look for opportunities to share what you know with others. You can help friends with schoolwork. You can share practical knowledge with younger children.

Counsel the Doubtful

The world is full of cynicism and negativity. Rather than add to it, adopt a positive outlook. It is a work of mercy to share your hope with people who are guarded and depressed.

Comfort the Sorrowful

You may be with people who are discouraged and sad. They may have lost friends or performed poorly in school or sports. They might be troubled by problems at home. It is a work of mercy to comfort them with your friendship.

Bear Wrongs Patiently

When things go wrong for you, do not spread the pain to others. Avoid complaining, criticizing, and blaming. Give others the benefit of the doubt. Overlook minor mistakes and offenses.

Forgive All Injuries

When someone offends or injures you, forgive that person. Holding grudges or trying to get even only worsens the pain. Pray for those who have wronged you. If forgiveness is difficult, pray for the strength to forgive.

Pray for the Living and the Dead

Lift up your needs and those of others in prayer. Pray especially about those problems for which there seem to be no easy solutions.

MY TURN: What to Do?

List some ways you could put some of the Corporal and Spiritual Works of Mercy into practice today.

____

____

____

acción

Una sociedad justa

El amor que nos mueve para hacer obras de misericordia es la base del pensamiento católico. La Iglesia se preocupa por la política, la economía y la cultura porque todos los hombres y mujeres tienen dignidad y derechos que necesitan defenderse y promoverse. La Iglesia se opone a la opresión, a la explotación y a cualquier otra forma de injusticia. Defiende la libertad, la justicia y el bienestar para todas las personas en todas las sociedades.

La doctrina social de la Iglesia determina que la sociedad debería estar organizada para promover el bienestar político, económico y social. La doctrina social de la Iglesia establece que los derechos de las personas deben protegerse y que estos principios guían nuestros esfuerzos para trabajar por el bien de la sociedad en general.

Dos principios clave de la doctrina social de la Iglesia son el bien común y la subsidiariedad. El **bien común** se refiere al bienestar de la comunidad en su totalidad. Trabajamos por el bien común cuando ponemos en práctica las obras de misericordia corporales y espirituales, cuando participamos de forma activa en aquello que afecta a nuestra comunidad y cuando consideramos las necesidades de los demás al tomar decisiones sobre cómo utilizar el dinero y los recursos.

La **subsidiariedad** es el principio que dicta que el trabajo por el bien común debe ser manejado por la autoridad más cercana a las personas involucradas, es decir, la autoridad más inmediata y menos centralizada. Las decisiones políticas deberían ser tomadas a nivel local siempre que sea posible.

SIGNO SAGRADO: El hábito religioso

El hábito es la vestimenta o atuendo específico que llevan los hombres y las mujeres que pertenecen a una orden religiosa. Los hermanos, hermanas, frailes, monjas y monjes son algunos de los religiosos que pueden llevarlo, aunque no a todos se les exige. Los hábitos varían según la congregación, pero todos representan la dedicación de quien los lleva a su vocación por una vida religiosa y a los votos que hizo al ingresar a la orden de la cual es miembro.

Vida y dignidad de la persona humana

Una sociedad justa comienza por el respeto y la dignidad de la persona. Cada ser humano es creado a imagen y semejanza de Dios y, por lo tanto, tiene una dignidad sagrada que ningún gobierno puede borrar. El ser humano nunca podrá ser coaccionado, abusado o explotado para conseguir un fin social. La primera responsabilidad de los gobiernos e instituciones sociales es proteger los derechos de los individuos.

Derechos y responsabilidades

Una comunidad sana es aquella en la que se protegen los derechos y se cumplen las responsabilidades. Toda persona tiene derecho a la vida y a las cosas necesarias para vivir una vida digna: empezando por los alimentos y la vivienda, el empleo, el cuidado de la salud y la educación. Toda persona también tiene responsabilidades para con el prójimo, su familia y el bien común.

Cuidar de la creación

Los seres humanos somos corresponsbles de la creación de Dios. Tenemos la responsabilidad de proteger y administrar la creación para el bien de todos.

A Just Society

The love that moves us to do works of mercy is the foundation of Catholic thought. The Church is concerned about politics, economics, and culture because all men and women have dignity and rights that need to be defended and promoted. The Church opposes oppression, exploitation, and other forms of injustice. It upholds freedom, justice, and human well-being for everyone in every society.

The Church's social teaching states that society should be organized to promote political, economic, and social well-being. Catholic Social Teaching states that the rights of people be protected and that principles guide our efforts to work for the good of society as a whole.

Two key principles of Catholic Social Teaching are common good and subsidiarity. **Common good** is the well-being of society as a whole. We work for the common good when we practice the Corporal and Spiritual Works of Mercy, become active in the affairs of our communities, and consider the needs of others when making decisions.

Subsidiarity is the principle that work for the common good ought to be handled by the authority that is closest to the people involved—the most local and least centralized authority. Political decisions should be made at the local level if possible.

Life and Dignity of the Human Person

A just society begins with respect for the dignity of the person. Every human being is created in the image of God and thus has a sacred dignity that no government can erase. Human beings may never be coerced, abused, or exploited in order to achieve a social end. The first responsibility of governments and social institutions is to protect the rights of individuals.

Rights and Responsibilities

A healthy community is one where rights are protected and responsibilities are fulfilled. Every person has a right to life and to the things required for a decent life—starting with food and shelter, employment, health care, and education. Every person also has responsibilities—to one another, to his or her family, and to the common good.

Care for Creation

Human beings are the stewards of God's creation. We have a responsibility to protect and manage creation for the common good.

SACRED SIGN: Religious Habit

The habit is the unique dress or attire wore by men and women who belong to religious orders. Brothers, sisters, friars, nuns, and monks are some of the religious who might wear a habit, although not all of them are required to do so. The habits vary for each religious order, but all of them represent the dedication of the person wearing it to his or her vocation to religious life and to the vows he or she took when he or she became members of the religious order.

Participación en la familia y la comunidad

Todas las personas tienen el derecho a participar en la vida económica, política y cultural de la sociedad. Nadie debería ser excluido.

Solidaridad

La **solidaridad** es la unión de todas las personas en la sociedad. La Iglesia insta a todas las personas a construir estructuras sociales justas y a trabajar juntos por el bien común. Los cristianos expresan especial solidaridad con los pobres, con quienes Jesús se identificaba por completo.

Opción por los pobres

Una evaluación básica de la moralidad de una sociedad es ver cómo trata a sus miembros más vulnerables. Aquellos que son pobres tienen una reivindicación frente a nosotros. Tanto las naciones como los individuos están llamados a ocuparse de manera especial de los pobres y vulnerables, porque ellos son quienes más necesitan de nuestro cuidado y atención. Dar limosna a los pobres es un modo de trabajar por la justicia.

Dignidad del trabajo y derechos de los trabajadores

Las personas no están al servicio de la economía; la economía debe servir a las personas. Los trabajadores tienen derechos básicos que deben respetarse; estos derechos incluyen: derecho al trabajo productivo, a un salario justo, a condiciones de trabajo dignas, a la propiedad privada, al derecho de organizar sindicatos y afiliarse a ellos, y de buscar oportunidades económicas.

Tomar buenas decisiones

La Iglesia establece un amplio programa para vivir una vida virtuosa y feliz conforme a los Diez Mandamientos, las Bienaventuranzas, las obras de misericordia y su doctrina social. Si sigues estas enseñanzas morales te convertirás en la persona que Dios quiso que fueras cuando te creó. Lo logramos tomando buenas decisiones.

Eres libre y responsable

Al crearte Dios te dotó de **libre voluntad**, la facultad de tomar decisiones conforme a tu propia determinación. Dios quiere que elijas el bien, pero no te obliga a hacer lo correcto. Tú debes elegir hacerlo libremente.

La libertad implica que eres responsable por todo lo que haces de forma consciente y voluntaria. Es nuestra responsabilidad entender las consecuencias de aquello que elegimos hacer y reconocer que algunas decisiones traen consecuencias negativas.

RITO: Dar la paz

El darnos la paz en la misa es un símbolo de esperanza. Expresa nuestro deseo de paz, amor y unidad en la Iglesia y entre todos los seres humanos. Nos damos la paz antes de la Eucaristía; el gesto suele consistir en un apretón de manos y unas palabras que expresan el deseo sincero de que la otra persona experimente la paz de Cristo. Al intercambiar este saludo con los demás renovamos nuestro compromiso como pueblo que promueve la paz verdadera que solo Cristo puede concedernos.

Participation in Family and Community

All people have a right to participate in the economic, political, and cultural life of society. No one should be excluded.

Solidarity

Solidarity is the unity of all people in society. The Church urges all people to build just social structures and to work together for the common good. Christians express special solidarity with those who are poor, with whom Jesus identified completely.

RITE: The Sign of Peace

The Sign of Peace we exchange at Mass is a sign of hope. It expresses our desire for peace, love, and unity in the Church and among all humanity. Offered before we receive the Eucharist, the Sign of Peace is generally shared as a handshake along with a heartfelt wish that the other person may experience the peace of Christ. By exchanging a Sign of Peace with one another, we are renewing our commitment to be a people who bring about the true peace that only Christ can grant us.

Option for the Poor

A basic moral test of a society is how well it treats its most vulnerable members. Those who are poor have a claim on us. Nations as well as individuals are called to take a special concern for the poor and vulnerable because they are most in need of our care and attention. Giving alms to the poor is a work of justice.

Dignity of Work and Workers

People do not serve the economy; the economy must serve people. Workers have basic rights that must be respected. These include the right to productive work, to a fair wage and decent working conditions, to private property, to organize and join unions, and to pursue economic opportunity.

Making Good Choices

The Church lays out a rich program for a virtuous and happy life in the Ten Commandments, the Beatitudes, the works of mercy, and its social teaching. If you follow these moral teachings, you will become the person God created you to be. We do this by making good choices.

You Are Free and Responsible

God created you with **free will**—the ability to make choices of your own accord. God wants you to choose the good, but he does not force you to do the right thing. You need to choose it freely.

Freedom means that you are responsible for everything you do consciously and voluntarily. It is our responsibility to understand the outcomes of our choices and actions and to recognize that some choices lead to bad outcomes.

acción

TESTIGO: San Francisco de Asís

San Francisco nació en 1182 en la ciudad de Asís, en Italia. A los 20 años se consagró a una vida de oración. Tres años más tarde, Francisco adoptó una vida de pobreza y se dedicó completamente a Dios. Se desprendió de todos sus bienes terrenales y comenzó a vestirse con un hábito muy simple como símbolo de su dedicación a una vida de sencillez y en solidaridad con los pobres. Francisco amaba la naturaleza y sentía que todos los animales y las plantas eran parte del reino de Dios.

La conciencia

Se llama **conciencia** a la convicción de que una decisión es correcta y otra es incorrecta. Puedes imaginarla como una voz interior que te dice lo que está bien. Como la libertad, la conciencia es preciosa a los ojos de Dios. No debe obligarse a una persona a hacer algo que vaya en contra de lo que le dicte su conciencia.

Pensar de forma adecuada

Para formar adecuadamente tu conciencia debes empezar por cultivar la humildad y ser capaz de verte a ti y a tus obras tal como son. Considera el efecto que tus obras tienen sobre los demás y ten siempre en cuenta la posibilidad de que puedes equivocarte en tus juicios y decisiones. La mejor garantía es aprender de la experiencia, la tuya propia y la de los demás.

MI TURNO: Forjar el carácter

La conciencia puede ayudarte a forjar el carácter. Nombra uno o dos de tus rasgos característicos y explica cómo los desarrollaste dentro de tí.

____

____

____

____

____

____

Conscience

The conviction that one choice is right and the other is wrong is called **conscience.** You might think of it as an inner voice telling you what is right. Like freedom, conscience is precious in God's eyes. A person should not be compelled to do anything contrary to his or her conscience.

Right Thinking

Properly forming your conscience begins with humility and being able to see yourself and your actions as they truly are. Consider the effect of your actions on others, and always consider the possibility that your judgment might be wrong. The best safeguard is to learn from experience—ours and that of others.

WITNESS: Saint Francis of Assisi

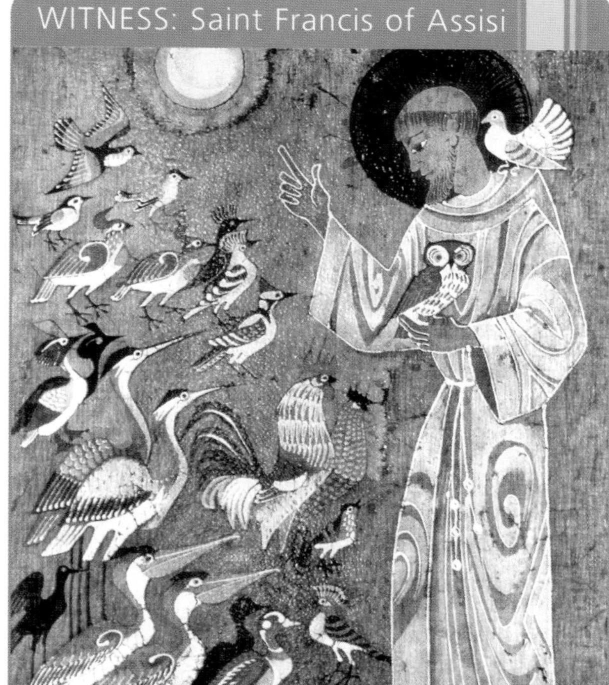

Saint Francis was born in the town of Assisi, Italy, in 1182. At the age of 20, he devoted himself to a life of prayer. Three years later, Francis embraced a life of poverty and dedicated himself to God. He gave away all his worldly goods and wore only a thin habit as a sign of his dedication to a life of simplicity in solidarity with the poor. Francis was a lover of nature and felt that all plants and animals were part of God's kingdom.

MY TURN: Character-Builders

Your conscience can help shape your character. List one or two traits you possess and explain how you developed those traits within yourself.

____

____

____

____

____

acción

resumen

RESUMEN DEL TEMA

Ponemos nuestra fe en acción al ocuparnos de las necesidades prácticas y espirituales de los demás y al trabajar para construir una sociedad justa. Estas acciones y otras decisiones morales requieren que aprendamos a elegir bien. Debemos formar nuestra conciencia de manera adecuada y pensar con claridad acerca de la rectitud moral de nuestras acciones.

RECUERDA

¿Cuáles son las obras de misericordia corporales y espirituales?
Las obras de misericordia corporales son aquellas obras que satisfacen las necesidades materiales y físicas de los más débiles y vulnerables. Las obras de misericordia espirituales se dirigen a las necesidades espirituales y emocionales de las personas.

¿Por qué tiene la Iglesia una doctrina social?
La Iglesia se preocupa por la organización justa de la sociedad porque todos los hombres y mujeres tienen dignidad y derechos que deben defenderse y promoverse.

¿Qué es la libre voluntad?
Es nuestra facultad de tomar decisiones conforme a nuestra propia determinación. Somos libres de elegir mal y somos responsables por lo que hacemos.

¿Qué es la conciencia?
La conciencia es la convicción de que una decisión es correcta y otra es incorrecta.

ACTÚA

1. ¿Cuál de las obras de misericordia corporales te parece más fácil de realizar en este momento? ¿Cuál te parece más difícil? ¿Por qué?
2. ¿Cuál es la decisión más importante que has tomado en tu vida? ¿Cómo tomaste esa decisión?

Palabras a saber

bien común
conciencia
obras de misericordia corporales
libre voluntad
solidaridad
obras de misericordia espirituales
subsidiariedad

REFLEXIONA

Escribe acerca de una situación en la que hayas tenido que lidiar con tu conciencia para hacer lo correcto. ¿Quedaste conforme con tu decisión?

____

____

____

____

____

____

____

____

____

____

____

Jesús, rezo para poder elegir siempre el bien. Cuando el camino no sea claro, guíame para encontrar la ayuda que necesito. Muéstrame el rumbo correcto. Amén.

summary

FAITH SUMMARY

We put our faith into action by tending to the practical and spiritual needs of others and by working to build a just society. These actions, and other moral choices, require us to learn how to choose well. We must form our consciences properly and think clearly about the moral rightness of our actions.

REMEMBER

What are the Corporal and Spiritual Works of Mercy?

The Corporal Works of Mercy are deeds that meet the material and physical needs of those who are weak and vulnerable. The Spiritual Works of Mercy are directed to others' spiritual and emotional needs.

Why does the Church have social teaching?

The Church is concerned about the right ordering of society because all men and women have rights and dignity that must be defended and promoted.

What is free will?

Free will is our ability to make choices of our own accord. We are free to choose wrong and are responsible for what we do.

What is conscience?

Conscience is the conviction that one choice is right and the other is wrong.

Jesus, I pray that I may always choose the good. When the way isn't clear, lead me to the help I need. Show me the right way. Amen.

Words to Know

common good
conscience
Corporal Works of Mercy
free will
solidarity
Spiritual Works of Mercy
subsidiarity

REACH OUT

1. Which of the Corporal Works of Mercy seems easiest for you to do right now? Which seems hardest? Why?
2. What is the most important decision you ever made? How did you go about making it?

REFLECT

Write about a time you battled your conscience over what was the right thing to do. Were you happy with your decision?

Gratitud y alabanza

A veces suceden cosas en nuestra vida que deseamos o necesitamos compartir con los demás. Cuando atravesamos problemas o momentos especialmente difíciles, ayuda mucho confiar en otra persona. Recuerda la última vez que *tuviste* que hablar con alguien. ¿A quién recurriste? ¿Por qué elegiste a esa persona?

"Pidan y se les dará, busquen y encontrarán, llamen y se les abrirá, porque quien pide recibe, quien busca encuentra, a quien llama se le abrirá".
–Mateo 7:7–8

Thanks and praise

Sometimes things happen in our lives that we wish or need to share with others. During especially difficult times or problems, it is helpful to confide in someone. Recall the last time you just *had* to talk to someone. Whom did you choose to talk to? Why did you choose that person?

"Ask and it will be given to you; seek and you will find; knock and the door will be opened to you. For everyone who asks, receives; and the one who seeks, finds; and to the one who knocks, the door will be opened."
–Matthew 7:7–8

alabanza

Una conexión con Dios

Solemos pensar en la oración como algo que hacemos *nosotros*, pero es mejor pensar que es algo que hace *Dios*. Cuando Dios nos creó incorporó en nosotros el deseo de rezar. La mayoría de la gente reza. Las personas han rezado desde siempre, en todas las culturas y en todas las épocas de la historia. Hay oraciones para cada necesidad, estado de ánimo y temperamento. Podría decirse que rezar es tan natural como respirar. Dios nos creó así.

Dios nos tiende la mano. Como cristianos rezamos en respuesta a la iniciativa de Dios. Rezamos por algo que necesitamos porque sabemos que Dios nos ama. Participamos en la misa, rezamos las oraciones tradicionales y dedicamos tiempo a darle gracias a Jesús porque Dios ha entablado una relación con nosotros. No necesitamos buscar a Dios. Dios está siempre cerca. Lo único que tenemos que hacer es acudir a él.

Los tipos de oración

Podemos ver la oración como si se tratara de una forma de comunicación entre amigos. San Ignacio de Loyola, uno de los más importantes maestros espirituales, dijo que uno debería "hablarle a Dios como a un amigo". Dios es poderoso, santo y misterioso, pero también está presente en nuestra vida de una forma personal. Dios quiere mantener una relación con nosotros y se ha esmerado para lograrlo.

Los cinco tipos principales de oración son la adoración, la petición, la intercesión, la gratitud y la alabanza. Mirémoslos desde la perspectiva de comunicación entre amigos.

La adoración

La **adoración** es un tipo de oración que reconoce la grandeza y la santidad de Dios. Reconoce a Dios por lo que es. Dios es grande y nosotros somos pequeños. Aun así, la relación es personal. Adorar a Dios es como pasar tiempo con un amigo y verlo tal como es realmente.

La petición

La **petición** es el tipo de oración por medio de la cual le dices a Dios qué es lo que necesitas. Pero Dios ya conoce tus necesidades. Pedirle a Dios lo que necesitas es como hablarle a un amigo acerca de tus preocupaciones, necesidades y problemas.

MI TURNO: Cerca de mis amigos

Describe alguna situación en la que te hayas sentido especialmente cerca de alguien: un amigo, un hermano o hermana o un adulto. ¿Dónde estabas? ¿Qué sucedió entre ustedes que los hizo sentir tan cerca?

____

____

____

____

____

____

Describe alguna situación en la que te hayas sentido especialmente cerca de Dios. ¿Dónde estabas? ¿Qué pensabas y qué sentías en ese momento?

____

____

____

____

conn

A Connection with God

We usually think about prayer as something *we* do, but it's better to think about it as something *God* does. God made us with a built-in desire to pray. Most people pray. People have always prayed—in every culture and in every time in history. There are prayers for every human need, mood, and temperament. You might say that prayer is as natural to us as breathing. God made us that way.

God reaches out to us. We pray as Christians in response to God's initiative. We pray for something we need because we know that God loves us. We participate in Mass, say traditional prayers, and spend some time thanking Jesus because God has established a relationship with us. We don't have to search for God. God is always there. All we need to do is turn to him.

Types of Prayer

One way to think about prayer is as a communication that goes on between friends. Saint Ignatius of Loyola, one of the greatest spiritual masters, said that we should "talk to God like a friend." God is mighty, holy, and mysterious, but he is also personal and present in our lives. He wants to have a relationship with us, and he has gone to great trouble to establish it.

The five main types of prayer are adoration, petition, intercession, thanksgiving, and praise. Let's look at them through the perspective of communication among friends.

Adoration

Adoration is prayer that recognizes God's greatness and holiness. It recognizes God for who he is. God is great and we are small. But the relationship is still a personal one. Adoration is like spending time with a friend and seeing your friend for who he or she really is.

Petition

Petition is making your needs known to God. God already knows what your needs are. Asking God for what you need is like talking to a friend about your worries, needs, and problems.

MY TURN: Close to My Friends

Describe the time when you felt especially close to someone else—a friend, a brother or sister, an adult. Where were you? What happened between the two of you that made you feel close?

____

____

____

Describe a time when you felt especially close to God. Where were you? What were you thinking and feeling at the time?

____

____

ection

alabanza

Tu amigo puede saber bastante sobre tus necesidades, pero hablar del tema consolida la amistad y la confianza entre ustedes.

La intercesión

La **intercesión** es el tipo de oración que se reza para pedir por las necesidades de los demás. De nuevo, Dios ya las conoce, pero hablarle sobre las necesidades de tus amigos, de tus familiares y de otras personas fortalece tu conexión con él. También profundiza tu sentido de identidad como parte de una familia espiritual en la cual todos cuidan los unos de los otros.

La gratitud

La gratitud es un componente importante de toda amistad. Puedes dar las gracias a tus amigos por lo que hacen por ti. Tu más profunda gratitud se reserva para Dios, que te ha dado todo lo que tienes. La oración de gratitud más importante que realizamos es la celebración de la Eucaristía.

La alabanza

Las oraciones de alabanza expresan tu alegría porque conoces a Dios y lo amas. Alabas a Dios porque existe y porque es bueno. Haces lo mismo cuando les dices a tus amigos lo mucho que te alegra que sean tus amigos.

Por qué rezamos

Rezar por nosotros y por los demás nos sale de manera natural. Cuando nos enfrentamos a una situación que no podemos controlar, recurrimos a quien creemos capaz de controlarla. Así es como rezamos para pedir que llueva durante una temporada de sequía, para que nuestro equipo gane un partido importante, para que se cure un enfermo, para recibir ayuda durante un examen o para que haya paz en el mundo. Pero Dios ya sabe acerca de de la sequía, del partido y del examen. No creemos que Dios está sopesando las opciones para decidir qué equipo ganará o si aprobarás o suspenderás un examen basándose en la calidad de tus plegarias. Entonces, ¿por qué rezamos por todas esas cosas?

Rezamos para alinear nuestra voluntad con la voluntad de Dios. Al rezar le estamos diciendo a Dios que nos importan mucho el tema de la sequía, la enfermedad de nuestro pariente y los otros problemas, y que queremos verlo obrando, independientemente del desenlace de estas situaciones. Es fácil ver la obra de Dios cuando las situaciones se resuelven de la manera que deseamos, pero Dios también está presente cuando ocurre lo contrario. Nuestro más profundo deseo es que ese familiar gravemente enfermo se recupere, pero si no lo hace, queremos que Dios nos consuele y nos ayude a ver que la muerte no es el fin. Queremos que la sequía termine, pero si no cesa, queremos que Dios esté con nosotros durante ese desafío. Queremos aprobar el examen pero, dentro de nosotros, lo que queremos es tener la mente despejada y los nervios controlados para poder hacerlo lo mejor posible durante la prueba.

Con nuestras oraciones expresamos la confianza de saber que no estamos solos, que Dios está con nosotros.

Formas de rezar

Los cristianos rezan de tres maneras: con los labios (oración vocal), con la mente (meditación) y con el corazón (contemplación).

La oración vocal

La forma más natural de rezar es recurrir a las palabras, es decir, a la **oración vocal**. Es aquí donde la oración comienza para la mayoría de las personas. Las palabras pueden decirse en voz alta o rezarse en el silencio del corazón. Puedes usar tus propias palabras o expresarte por medio de oraciones tradicionales como el Padrenuestro o el Avemaría. Puedes rezar a solas o con otras personas, en la misa o durante otros servicios religiosos.

conexión

Your friend may know quite a bit about what you need, but talking about it builds your friendship and trust.

Intercession

Intercession is prayer for the needs of others. Again, God already knows about them, but talking to him about the needs of your friends, family, and others strengthens your connection with God. It also deepens your sense of being part of a spiritual family in which all care for one another.

Thanksgiving

Gratitude is an important part of every friendship. You thank your friends for the things they do for you. Your deepest gratitude is reserved for God, who has given you everything you have. The greatest prayer of thanksgiving we celebrate is the Eucharistic celebration.

Praise

Prayers of praise express your joy because you know God and love him. You praise God because he exists and because he is good. You do the same thing when you tell your friends how glad you are that they are your friends.

Why We Pray

Prayer for ourselves and others arises naturally in us. When faced with a situation we can't control, we turn to the one who we think can control it. So we pray for rain during a drought, for our team to win the big game, for the healing of a sick person, for help passing an exam, for peace in the world. But God already knows about the drought and the game and the exam. We don't really think he is weighing his options, deciding which team will win or whether you will pass or fail, based on the quality of prayers. So why pray for these things at all?

We are praying to align our will with God's will. We are telling God that we care deeply about the drought and our relative's illness and the other problems, and that we want to see God at work no matter how these situations turn out. It's easy to see God at work when the situations turn out the way we wish. But he's also there when they don't. Our deepest desire is to see a gravely ill relative recover, but if she doesn't, we want God to comfort us and help us see that death is not the end. We want the drought to end, but if it goes on, we want God to be with us in a challenging time. We want to pass the exam, but, at a deeper level, we want a clear head and steady nerves so we can do our best.

Our prayers mean that we are confident that we are not alone—that God is with us.

Ways to Pray

Christians pray in three ways—with our lips (vocal prayer), in our mind (meditation) and in our heart (contemplation).

Vocal Prayer

Using words, or **vocal prayer,** is the most natural form of prayer. This is where prayer begins for most people. The words can be spoken aloud or prayed in the silence of your heart. They can be your own words or the words of traditional prayers like the Lord's Prayer and the Hail Mary. You can pray by yourself or with others at Mass or other worship services.

alabanza

A través de los siglos la Iglesia ha ido legando las **oraciones tradicionales** a las sucesivas generaciones como una preciosa herencia familiar. Estas oraciones permiten que las personas recen al unísono. Las palabras de muchas oraciones tradicionales, como los salmos, son hermosas y capaces de conmover profundamente el corazón.

Las **oraciones espontáneas** pueden parecernos más personales porque las rezamos valiéndonos de nuestras propias palabras para reflexionar acerca de nuestra relación con Dios. Hay muchas maneras de rezar espontáneamente, como dar las gracias por todas las bendiciones de nuestra vida, identificar nuestras necesidades y confiarle a Dios nuestros pensamientos, pedir perdón y perdonar a los que nos han ofendido, pensar en las necesidades de los demás o darte un momento de serenidad con Dios y escuchar lo que él tenga que decirte.

La meditación

La **meditación** es una forma de oración reflexiva orientada a tomar conciencia de la presencia de Dios y a entender la obra de Dios en nuestra vida. Se suele complementar con la lectura de un pasaje de las Escrituras, un texto de un escritor espiritual o una imagen sagrada. Más que cualquier otra forma de oración, la meditación involucra la mente y la imaginación. El Rosario combina la oración vocal con la meditación. Meditamos sobre los eventos de la vida de Jesús y María mientras pronunciamos las palabras del Padrenuestro, el Avemaría y el Gloria al Padre.

La **oración imaginativa** emplea lecturas de los Evangelios y de las Sagradas Escrituras para ayudarnos a concentrarnos en la oración. Podemos leer un pasaje de los Evangelios e imaginarnos a nosotros mismos como participantes de la escena, hablando con Jesús y siendo testigos suyos. Usar nuestra imaginación de esta forma hace que Jesús se haga vivamente presente ante nosotros.

MI TURNO: Pide lo que necesitas

Imagina que estás con Jesús durante su ministerio y que te pregunta qué necesitas. ¿Qué le dices?

____

____

____

Jesús te pregunta qué necesitan otras personas que conoces. ¿Qué le respondes?

____

____

____

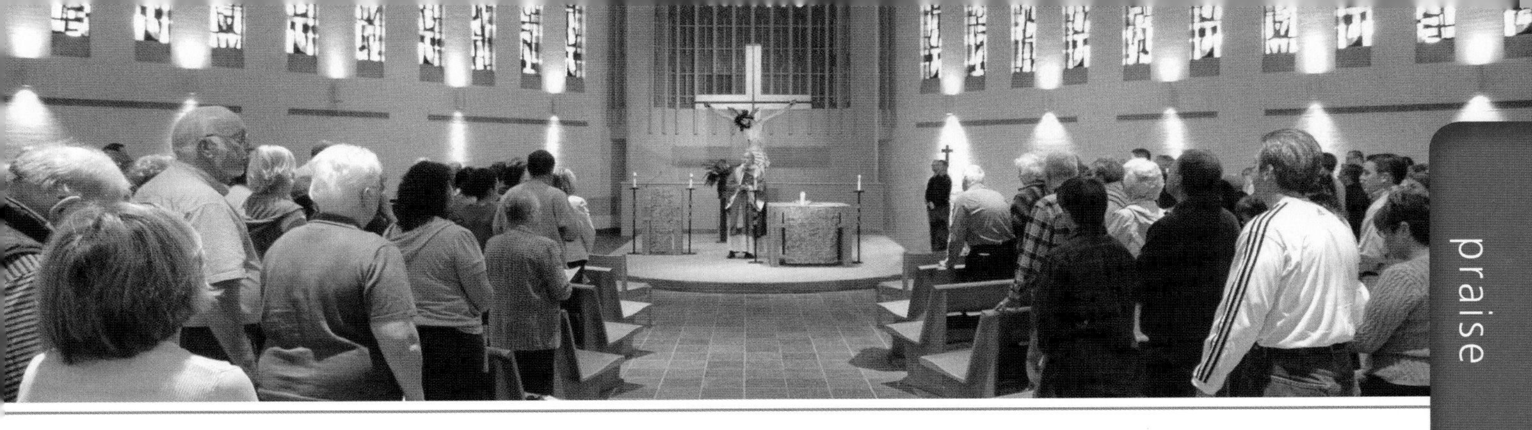

The Church passes **traditional prayers** down through the centuries like precious family heirlooms. They enable groups of people to pray in unison. The words of many traditional prayers like the Psalms are beautiful and capable of moving the heart profoundly.

Spontaneous prayers can feel more personal because we use our own words to reflect on our relationship with God. There are many ways to pray spontaneously, such as giving thanks for all the blessings of our lives, identifying our needs and telling God what's on our minds, asking for forgiveness and forgiving others who have done us wrong, thinking about the needs of others, or giving yourself some quiet time with God and listening for anything God has to say to you.

Meditation

Meditation is reflective prayer that seeks awareness of God's presence and understanding of God's work in our lives. It is usually aided by a passage from Scripture, a text from a spiritual writer, or a sacred image. More than other forms of prayer, meditation engages the mind and the imagination. The Rosary combines vocal prayer and meditation. We meditate on events in the lives of Jesus and Mary as we pray the words of the Lord's Prayer, the Hail Mary, and the Glory Be to the Father.

Imaginative prayer uses the Gospels and Scripture readings to help us focus our prayer. We can read a passage from the Gospels and imagine ourselves as a participant in the scene, speaking to and witnessing Jesus. Using our imaginations this way makes Jesus powerfully present to us.

MY TURN: Ask for What You Need

Imagine that you are with Jesus in his ministry. He asks you what you need. What do you say?

____

____

____

Jesus asks you what other people you know need. What do you tell him?

____

____

____

Repasar mentalmente lo que has hecho en el día es también una forma excelente de meditar. Te ayuda a ver las maneras en que Dios ha estado activo en tu vida. San Ignacio de Loyola desarrolló lo que se conoce como el **examen diario** para ayudarlo a ver la mano de Dios en acción en su vida cotidiana. El siguiente es un esquema basado en el examen diario de san Ignacio:

- Pide luz. Comienza pidiéndole a Dios que te conceda la gracia de poder rezar, ver y comprender.
- Da gracias. Mira a tu día con espíritu de gratitud. Reconoce que todo es un regalo de Dios.
- Haz un repaso del día. Con la guía del Espíritu Santo, piensa en tu día. Presta atención a lo que hiciste. Busca a Dios en las experiencias que viviste durante el día.
- Mira a lo que está mal. Confronta los fracasos y los desaciertos. Pide perdón por tus faltas. Pídele a Dios que te muestre cómo mejorar.
- Fija propósitos para el día siguiente. Piensa en qué está pasando en tu vida ahora y pídele a Dios que te guíe, te fortalezca y te de paciencia o apoyo. Piensa dónde puedes necesitar más a Dios.

La contemplación

La oración contemplativa consiste simplemente en descansar con serenidad en la presencia de Dios. Es una forma de rezar sin palabras y sin ideas. Meditar implica concentrarse en Dios de manera activa, con la mente y la imaginación. La **contemplación** es una oración del corazón. Sencillamente es disfrutar de Dios.

La **oración centrante** o centrada es una forma de contemplación muy común que busca abrir nuestro corazón para recibir el don de la gracia que nos regala Dios. Se centra en una palabra o una frase breve sagrada que nos ayuda a despejar la mente y nos dispone a recibir a Dios. Este tipo de oración no tiene que seguir un orden determinado, pero puede ayudarnos a dirigir nuestra atención hacia una palabra o frase sagrada con significado, por ejemplo, "Jesús", "Paz", "Gracia" o "Ven, Espíritu Santo". Usar una palabra sagrada para expresar nuestra disposición a recibir a la gracia de Dios puede ayudarnos a volver a centrarnos cuando nos distraemos.

Rezar con regularidad

No existen reglas que establezcan cómo rezar; lo más recomendable es encontrar el estilo de oración con el que te sientas más cómodo. Desarrollar el hábito de rezar con regularidad es gratificante y enriquecedor. Aquí se presentan algunas ideas para que te ayuden a empezar:

- Reserva tiempo para rezar con regularidad. Conviértelo en hábito. Así, la oración se volverá parte de tu vida, no algo extra.
- No dejes de rezar incluso cuando te resulte difícil hacerlo. Habrá veces que no te inspire, como ocurre en cualquier relación.
- Haz que sea algo simple. Sé directo y personal. Háblale a Jesús como amigo y hermano. Dios está cerca.

SIGNO SAGRADO: El Cirio Pascual

En el Bautismo recibimos una vela que simboliza la luz de Cristo y la llama de la fe. El fuego que se usa para encender esta vela se toma siempre del Cirio Pascual. Este cirio se bendice y enciende con un fuego nuevo en la Vigilia Pascual del Sábado Santo, cuando celebramos la muerte y Resurrección de Jesús. El Cirio Pascual suele estar decorado con una cruz y cinco granos de incienso que simbolizan las heridas de Cristo, los números del año en curso y las letras griegas alfa y omega, que representan a Cristo como "el principio y el fin". Se enciende como símbolo de la Resurrección en Bautismos y funerales.

A review of your day is also an excellent form of meditation. It helps you look for the ways that God has been active in your life. Saint Ignatius of Loyola developed a review called the **daily examen** in order to help him see God's hand at work in his daily experiences. A framework based on Saint Ignatius's daily examen is as follows:

- Pray for light. Begin by asking God for the grace to pray, to see, and to understand.
- Give thanks. Look at your day in a spirit of gratitude. Recognize that everything is a gift from God.
- Review the day. Guided by the Holy Spirit, look back on your day. Pay attention to your experiences. Look for God in them throughout your day.
- Look at what's wrong. Face up to failures and shortcomings. Ask forgiveness for your faults. Ask God to show you ways to improve.
- Make resolutions for the day to come. Think of what is currently happening in your life and ask God for guidance, strength, patience, or support. Think of where you may need God specifically.

Contemplation

Contemplative prayer is simply resting quietly in God's presence. It is prayer without words and without ideas. Meditation involves actively focusing on God with the mind and imagination. **Contemplation** is prayer of the heart. It is simply enjoying God.

Centering prayer is a popular form of contemplation that seeks to open our hearts to receive God's gift of grace. It centers on a sacred word or a brief phrase to help us empty our minds and make us receptive to God. A centering prayer does not have to follow a certain order, but it may help to focus on a sacred word or phrase that means something, for example, "Jesus," "Peace," "Grace," "Come Holy Spirit." Using a sacred word to express our desire to be receptive to God's grace can help us refocus our attention if our minds stray.

Regular Prayer

There are no set rules for prayer; it's best to find the style of prayer that suits you best. Forming a regular habit of prayer will be rewarding and enriching. Here are some ideas to get started:

- Set aside time to pray regularly. Make it a habit. This makes prayer part of your life, not something extra added on.
- Keep going with prayer even when it is hard. You will have dry times in prayer, just as you have dry times in any relationship.
- Keep it simple. Be direct and personal. Talk to Jesus as a friend and brother. God is near.

SACRED SIGN: The Paschal Candle

At Baptism, we receive a candle that symbolizes the light of Christ and the flame of faith. The flame used to light this candle is always taken from the Easter candle, also known as the Paschal Candle. The Paschal Candle is blessed and lit from a new fire at the Easter Vigil on Holy Saturday when we celebrate the Death and Resurrection of Jesus. The Paschal Candle is usually decorated with a cross, five grains of incense to symbolize the wounds of Christ, the numerals of the current calendar year, and the Greek letters alpha and omega to signify Christ as "the beginning and the end." It is lit as a Resurrection symbol for Baptisms and funerals.

alabanza

Señor, enséñanos a orar

El modelo de oración directa, simple y personal es el Padrenuestro. Jesús mismo la transmitió a los discípulos cuando le pidieron: "Señor, enséñanos a orar. . ." (Lucas 11:1).

Esta oración cristiana, que es breve pero poderosa, incluye siete peticiones a Dios. Las primeras tres tienen que ver con Dios, las otras cuatro con nuestras necesidades.

Padre nuestro, que estás en el cielo,

Padre significa que estamos cerca de Dios. La relación es personal. Es "nuestro" Padre, no "mi" Padre. Todos somos hermanos y hermanas, una misma familia.

Estas son palabras de alabanza. El cielo es la presencia gloriosa de Dios. Entramos en su presencia cuando rezamos.

santificado sea tu nombre;

Esta es la primera de las siete peticiones. *Santificado* significa "santo". Esta frase nos dice que Dios es santo. Es también una petición para que todas las personas vean la santidad de Dios.

venga a nosotros tu reino;

Un reino terrenal está determinado por sus límites geográficos. El reino de Dios está en los corazones y en el alma de los seres humanos.

hágase tu voluntad en la tierra como en el cielo.

La felicidad llega cuando nuestros deseos se alinean con la voluntad de Dios. Rezamos por nosotros mismos y para que todas las naciones se acojan al amor que Dios quiere para toda la humanidad.

Danos hoy nuestro pan de cada día;

Esta oración significa que debemos considerar nuestra propia responsabilidad con las personas del mundo que no pueden satisfacer sus necesidades básicas para vivir.

RITO: Arrodillarse

Arrodillarse es un gesto ritual que usamos para expresar respeto, reverencia, súplica y veneración. Nos arrodillamos en las celebraciones litúrgicas de la Iglesia, en especial en la misa, durante la consagración y antes de recibir la Sagrada Comunión, cuando hacemos una genuflexión y cuando adoramos al Santísimo Sacramento. Al igual que con nuestras palabras, cánticos, símbolos y momentos de silencio, ponernos de rodillas nos ayuda a expresar más plenamente nuestra relación de amor con Dios.

Lord, Teach Us to Pray

The model for direct, simple, personal prayer is the Lord's Prayer. Jesus himself gave it to the disciples when they asked him: "Lord, teach us to pray . . ." (Luke 11:1)

This short but powerful Christian prayer addresses seven petitions to God. The first three have to do with God. The other four have to do with our needs.

Our Father, who art in heaven,

Father means that we are close to God. The relationship is a personal one. It is "our" Father, not "my" Father. We are all brothers and sisters, in one family.

These are words of praise. Heaven is the glorious presence of God. We come into this presence as we pray.

RITE: Kneeling

Kneeling is a ritual gesture we use to express homage, reverence, petition, and worship. We kneel in the liturgical celebrations of the Church, especially at Mass, during the consecration and before receiving Holy Communion; when we genuflect; and when we adore the Blessed Sacrament. Kneeling, together with our words, songs, symbols and moments of silence helps us express more fully our loving relationship with God.

hallowed be thy name;

This is the first of the seven petitions. *Hallowed* means "holy," so this line is saying that God is holy. It is also a prayer that all people will see the holiness of God.

thy kingdom come,

An earthly kingdom is defined by geographical boundaries. God's kingdom is located in the hearts and minds of human beings.

thy will be done on earth as it is in heaven.

Happiness comes when our wills are aligned with God's. We pray for ourselves and that all nations will embrace the love that God wills for all humankind.

Give us this day our daily bread,

This prayer means that we must consider our own responsibility for those in the world who lack the basic necessities of life.

TESTIGO: Santa Teresa de Lisieux

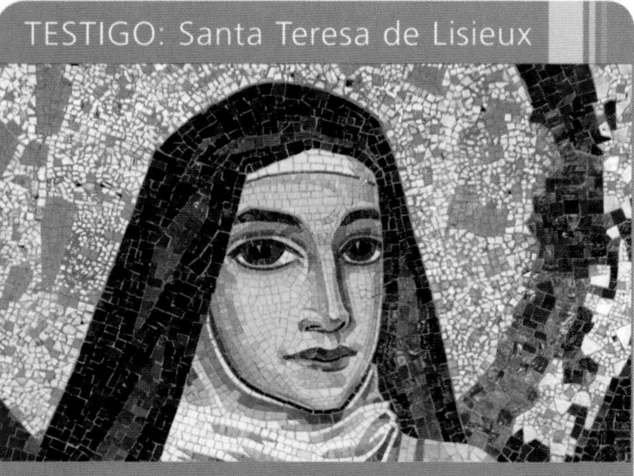

Santa Teresa de Lisieux (1873–1897) fue una monja francesa de la orden de las carmelitas cuya personalidad afable y sus famosos escritos sobre la oración la convirtieron en una de las santas más conocidas del siglo XX. También es conocida como santa Teresita del Niño Jesús. Llamó a su manera de acercarse a Dios "El caminito". No aspiraba a hacer grandes obras, sino que buscaba la santidad en la devoción por las pequeñas cosas: "cada pequeño sacrificio, cada mirada y cada palabra y el hacer hasta la menor de estas acciones por amor". Teresa consagró su vida en el convento a rezar por los demás, en especial por los misioneros. En reconocimiento por su influencia sobre la espiritualidad católica se la declaró Doctora de la Iglesia en 1997. Es una de las únicas tres mujeres a las que se les ha concedido este título.

perdona nuestras ofensas, como también nosotros perdonamos a los que nos ofenden;

Rezamos para que nuestros pecados sean perdonados y pedimos ayuda para perdonar a los demás. Esta oración reconoce que la misericordia no puede penetrar en nuestros corazones si los hemos endurecido con rencores y resentimientos.

no nos dejes caer en la tentación,

Le pedimos al Padre que nos conceda la ayuda que necesitamos para no meternos en problemas. No crecemos en la virtud ni nos mantenemos libres de pecado por nuestra propia sabiduría y fortaleza; lo hacemos porque Dios ha respondido a esta petición.

y líbranos del mal.

El mal aqueja al mundo de muchas maneras: guerras, injusticias, la pobreza, la codicia y todo tipo de crueldad. Presentamos todas estas miserias a nuestro Padre y le imploramos que nos libre de ellas.

Rezar sin cesar

El verdadero propósito de la oración es tomar conciencia de la presencia de Dios en nuestra vida. Puesto que Dios está siempre presente, es posible rezar en cualquier momento. De hecho, el verdadero propósito de la oración es que seamos conscientes en todo momento de que Dios es nuestro Padre, que Jesús es nuestro hermano y que el Espíritu Santo está con nosotros. Rezar es lo que hacemos para reconocer a Dios y responderle.

MI TURNO: Oración por los demás

Piensa en alguna noticia de actualidad que hayas escuchado recientemente. Escribe una oración breve por las personas involucradas, ya sea porque estén atravesando un momento difícil o pasando por un período de buena fortuna.

____

____

____

____

and forgive us our trespasses, as we forgive those who trespass against us;
We pray to be forgiven for our sins and for help forgiving others. This prayer recognizes that mercy cannot penetrate our hearts if they are hardened with grudges and resentments.

and lead us not into temptation,
We ask the Father to give us the help we need to stay out of trouble. We do not grow in virtue and stay free of sin through our own wisdom and strength. This happens because God has answered this prayer.

but deliver us from evil.
Evil afflicts the world in many ways—war, injustice, poverty, greed, and cruelty of many kinds. We bring all these miseries to our Father and beg him to free us from them.

Pray Without Ceasing

The heart of prayer is the awareness of God's presence in our life. Since God is always there, it is possible to pray at any time. In fact, the real goal of prayer is to be constantly aware that God is our Father, Jesus is our brother, and the Holy Spirit is with us. Prayer is everything we do to recognize God and respond to him.

WITNESS: Saint Thérèse of Lisieux

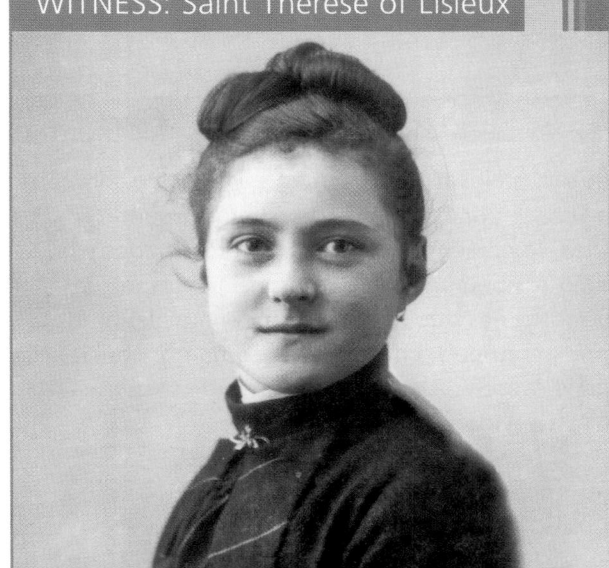

Saint Thérèse of Lisieux (1873–1897) was a French Carmelite nun whose winning personality and popular writings about prayer made her one of the most popular saints of the 20th century. She called her approach to God "The Little Way." She did not aspire to great deeds but sought sanctity in faithfulness to little things: "every little sacrifice, every glance and word, and the doing of the least actions for love." In the convent, Thérèse dedicated her life to praying for others, especially the missionaries. Recognizing her impact on Catholic spirituality, Thérèse was declared a Doctor of the Church in 1997. She is one of only three female Doctors of the Church.

MY TURN: Prayer for Others

Think of a news story that you heard recently. Write a brief prayer to God on behalf of the people involved, whether they are going through a difficult time or are experiencing good fortune.

____

____

____

alabanza

resumen

RESUMEN DEL TEMA

Rezar es elevar nuestra mente y nuestro corazón a Dios. En la oración reconocemos la santidad de Dios, le presentamos nuestras necesidades y las de otras personas, le damos las gracias por las bendiciones que hemos recibido y le alabamos por su bondad. En la oración tomamos conciencia de la presencia continua y activa de Dios en nuestra vida.

RECUERDA

¿Cuáles son los cinco tipos principales de oración?
Los cinco tipos principales de oración son la adoración, la petición, la intercesión, la gratitud y la alabanza.

¿Por qué pedirle a Dios lo que necesitamos cuando él ya sabe todo sobre nosotros?
Recurrimos a Dios con nuestras necesidades de la misma forma en que lo haríamos con alguno de nuestros amigos. Las oraciones de petición e intercesión fortalecen nuestra relación con Dios.

¿Cuáles son las tres maneras de rezar?
Rezamos de tres maneras: con los labios (oración vocal), con la mente (meditación) y con el corazón (contemplación).

¿Qué significa rezar siempre?
El verdadero propósito de la oración es ser conscientes de la presencia constante de Dios. Podemos rezar siempre al reconocer a Dios en todas las cosas.

ACTÚA

1. ¿Cuál de los métodos de oración descritos en este capítulo te gustaría intentar? ¿Por qué?
2. ¿Cuál ha sido la mejor experiencia de oración que has tenido? Descríbela.

Palabras a saber

adoración
oración centrante
contemplación
examen diario
oración imaginativa
intercesión
meditación
petición
oraciones espontáneas
oraciones tradicionales
oración vocal

REFLEXIONA

Piensa en cómo es tu vida en este momento. Reflexiona acerca de lo que has aprendido sobre las bases de nuestra fe. Escribe un examen diario en el que le digas a Dios cómo esperas vivir lo que has aprendido. Recuerda que esta actividad es personal y privada, y no tendrás que compartir tus respuestas con el resto de la clase.

Señor Jesús, recurro a ti para pedirte fortaleza y orientación. Enséñame a rezar como lo hiciste con los discípulos. Te ofrezco mi oración de gratitud. Amén.

summary

FAITH SUMMARY

Prayer is lifting our minds and hearts to God. In prayer we recognize God's holiness, bring our needs and the needs of others to him, thank him for the blessings we have received, and praise him for his goodness. In prayer we become aware of God's continual, active presence in our lives.

REMEMBER

What are the five main types of prayer?
The five main types of prayer are adoration, petition, intercession, thanksgiving, and praise.

Why pray for what we need when God already knows everything about us?
We bring our needs to God as we would to one of our friends on earth. Prayers of petition and intercession strengthen our relationship with God.

What are three ways to pray?
We pray in three ways—with the lips (vocal prayer), in the mind (meditation), and in the heart (contemplation).

What does it mean to pray always?
The real goal of prayer is to be aware of God's constant presence. We can pray always by recognizing God in all things.

Lord Jesus, I look to you for strength and guidance. Teach me to pray as you taught the disciples. I offer you my prayer of thanks. Amen.

Words to Know

adoration	meditation
centering prayer	petition
contemplation	spontaneous prayers
daily examen	traditional prayers
imaginative prayer	vocal prayer
intercession	

praise

REACH OUT

1. Which of the methods of prayer described here would you most like to try? Why?
2. What is the best experience you ever had in prayer? Describe it.

REFLECT

Think about your life at this moment. Reflect on what you learned about the foundations of our faith. Write a daily examen telling God how you hope to live what you have learned. Remember that this is private and you will not be asked to share your responses.

creencias
y prácticas católicas

Vivir nuestra fe

Como creyentes en Jesucristo estamos llamados a vivir una vida nueva y a tomar decisiones desde la moralidad, que nos mantengan unidos a Dios. Con la ayuda y la gracia del Espíritu Santo podemos elegir formas de actuar para seguir siendo amigos de Dios, ayudar a otras personas y cumplir nuestra misión profética de ser testigos de Jesús en toda circunstancia y desde el corazón mismo de la comunidad humana.

Los Diez Mandamientos

Los Diez Mandamientos son una expresión especial de la ley natural que conocemos por medio de la Revelación de Dios y la razón humana. Nos guían para tomar decisiones que nos permiten vivir como Dios quiere que vivamos. Los primeros tres mandamientos nos dicen cómo amar a Dios; el resto nos enseñan cómo amar al prójimo.

Moisés con los Diez Mandamientos.

Moses with the Ten Commandments.

1. Amarás a Dios sobre todas las cosas.
2. No tomarás el nombre de Dios en vano.
3. Santificarás las fiestas.
4. Honrarás a tu padre y a tu madre.
5. No matarás.
6. No cometerás actos impuros.
7. No robarás.
8. No dirás falso testimonio ni mentirás.
9. No consentirás pensamientos ni deseos impuros.
10. No codiciarás los bienes ajenos.

El Mandamiento Mayor

Los Diez Mandamientos se concretan en el Mandamiento Mayor de Jesús: "Amarás al Señor, tu Dios con todo tu corazón, con toda tu alma, con toda tu mente, con todas tus fuerzas. . . Amarás al prójimo como a ti mismo" (Marcos 12:30–31).

El Mandamiento Nuevo

Antes de morir en la cruz Jesús dio a sus discípulos un mandamiento nuevo: ". . .que se amen unos a otros como yo los he amado: ámense así unos a otros" (Juan 13:34).

Catholic beliefs and practices

Living Our Faith

As believers in Jesus Christ, we are called to a new life and to make moral choices that keep us united with God. With the help and grace of the Holy Spirit, we can choose ways to act to remain friends with God, to help other people, and to fulfill our prophetic mission to be witnesses to Christ in all circumstances and at the very heart of the human community.

The Ten Commandments

The Ten Commandments are a special expression of natural law made known to us by God's Revelation and by human reason. They guide us in making choices that allow us to live as God wants us to live. The first three commandments tell us how to love God; the rest show us how to love our neighbor.

1. I am the Lord your God: you shall not have strange gods before me.
2. You shall not take the name of the Lord your God in vain.
3. Remember to keep holy the Lord's Day.
4. Honor your father and your mother.
5. You shall not kill.
6. You shall not commit adultery.
7. You shall not steal.
8. You shall not bear false witness against your neighbor.
9. You shall not covet your neighbor's wife.
10. You shall not covet your neighbor's goods.

The Great Commandment

The Ten Commandments are fulfilled in Jesus' Great Commandment: "You shall love the LORD your God with all your heart, with all your soul, with all your mind, and with all your strength. . . . You shall love your neighbor as yourself." (Mark 12:30–31)

The New Commandment

Before his death on the cross, Jesus gave his disciples a new commandment: "[L]ove one another. As I have loved you, so you also should love one another." (John 13:34)

Las Bienaventuranzas

Las Bienaventuranzas son las enseñanzas de Jesús del Sermón de la Montaña (Mateo 5:3–10).

Jesús nos enseña que si vivimos de acuerdo con las Bienaventuranzas tendremos una vida cristiana feliz. En las Bienaventuranzas se cumplen las promesas hechas a Abrahán y sus descendientes, y se describen las recompensas que obtendremos como fieles seguidores de Cristo.

Bienaventurados los pobres de espíritu,
porque de ellos es el Reino de los cielos.

Bienaventurados los que lloran,
porque ellos serán consolados.

Bienaventurados los mansos,
porque ellos poseerán la tierra.

Bienaventurados los que tienen hambre y sed
de justicia, porque ellos serán saciados.

Bienaventurados los misericordiosos,
porque ellos alcanzarán misericordia.

Bienaventurados los limpios de corazón,
porque ellos verán a Dios.

Bienaventurados los que trabajan por la paz,
porque ellos serán llamados hijos de Dios.

Bienaventurados los perseguidos a causa de
la justicia, porque de ellos es el Reino de
los cielos.

Las obras de misericordia

Las obras de misericordia corporales y espirituales son acciones que llevan la compasión y misericordia de Dios a las personas necesitadas.

Las obras de misericordia corporales

Las obras de misericordia corporales son actos de bondad con los que ayudamos a nuestro prójimo en sus necesidades materiales y físicas. Incluyen:

dar de comer al hambriento

dar de beber al sediento

vestir al desnudo

dar posada al peregrino

visitar y cuidar a los enfermos

redimir al cautivo

enterrar a los muertos

Las obras de misericordia espirituales

Las obras de misericordia espirituales son actos de compasión destinados a satisfacer las necesidades emocionales y espirituales de las personas. Incluyen:

dar buen consejo al que lo necesita

corregir al que yerra

perdonar las injurias

rogar a Dios por vivos y difuntos

enseñar al que no sabe

consolar al triste

sufrir con paciencia los defectos de los demás

***Sermón de la Montaña*, siglo XV.**

***Sermon on the Mount*, 15th Century.**

The Beatitudes

The Beatitudes are the teachings of Jesus in the Sermon on the Mount. (Matthew 5:3–10)

Jesus teaches us that if we live according to the Beatitudes, we will live a happy Christian life. The Beatitudes fulfill God's promises made to Abraham and his descendants and describe the rewards that will be ours as loyal followers of Christ.

Blessed are the poor in spirit,
for theirs is the kingdom of heaven.

Blessed are they who mourn,
for they will be comforted.

Blessed are the meek,
for they will inherit the land.

Blessed are they who hunger and thirst
for righteousness,
for they will be satisfied.

Blessed are the merciful,
for they will be shown mercy.

Blessed are the clean of heart,
for they will see God.

Blessed are the peacemakers,
for they will be called children of God.

Blessed are they who are persecuted
for the sake of righteousness,
for theirs is the kingdom of heaven.

Works of Mercy

The Corporal and Spiritual Works of Mercy are actions that extend God's compassion and mercy to those in need.

Corporal Works of Mercy

The Corporal Works of Mercy are kind acts by which we help our neighbors with their material and physical needs. They include

feed the hungry

give drink to the thirsty

clothe the naked

shelter the homeless

visit the sick

visit the imprisoned

bury the dead

Spiritual Works of Mercy

The Spiritual Works of Mercy are acts of compassion that serve people's emotional and spiritual needs. They include

Counsel the doubtful

Instruct the ignorant

Admonish sinners

Comfort the afflicted

Forgive offenses

Bear wrongs patiently

Pray for the living and the dead

Operation Rice Bowl **is a hunger relief effort sponsored by Catholic Relief Services.**

Operación Plato de Arroz **es un programa de Catholic Relief Services para paliar el hambre.**

creencias

Los mandamientos de la Iglesia

Los mandamientos de la Iglesia describen el esfuerzo mínimo que debemos hacer al rezar y vivir una vida moral. Todos los católicos son llamados a ir más allá de ese mínimo y crecer en el amor a Dios y a su prójimo. Los mandamientos son los siguientes:

1. Oír misa entera todos los domingos y fiestas de guardar.
2. Confesar los pecados al menos una vez al año.
3. Comulgar al menos por Pascua de Resurrección.
4. Ayunar y abstenerse de comer carne cuando lo manda la Santa Madre Iglesia.
5. Ayudar a la Iglesia en sus necesidades.

Días de ayuno

(para los adultos)

Miércoles de Ceniza **Viernes Santo**

Días de abstinencia

(para los mayores de 14 años)

Miércoles de Ceniza **todos los viernes de Cuaresma**

Días de precepto

Días de precepto son aquellos días en los que, sin ser domingo, celebramos todas las grandes cosas que Dios ha hecho por nosotros a través de Jesús y de los santos. En los días de precepto los católicos deben oír misa. En los Estados Unidos se celebran seis días de precepto.

Santa María, Madre de Dios
1 de enero

Ascensión
Cuarenta días después de la Pascua (para aquellas diócesis que no celebran la Ascensión el séptimo domingo de Pascua)

Asunción de la Virgen María
15 de agosto

Todos los Santos
1 de noviembre

La Inmaculada Concepción
8 de diciembre

Natividad de Nuestro Señor Jesucristo
25 de diciembre

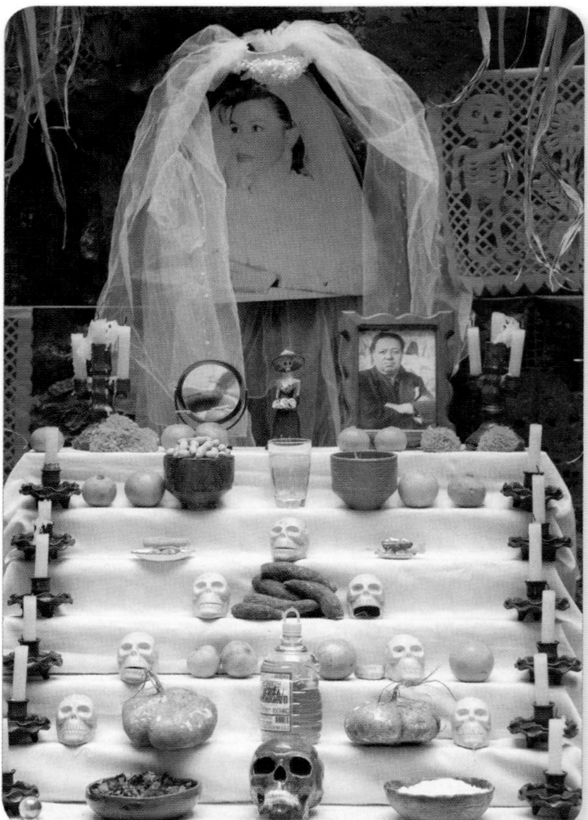

Altar del Día de los Muertos en el Día de Todos los Santos y el Día de los Fieles Difuntos (1 y 2 de noviembre) en México.

Altar for Mexican Day of the Dead celebration on All Saints Day and All Souls Day (November 1 and 2).

Precepts of the Church

The Precepts of the Church describe the minimum effort we must make in prayer and in living a moral life. All Catholics are called to move beyond the minimum by growing in love of God and love of neighbor. The Precepts are as follows:

1. attendance at Mass on Sundays and Holy Days of Obligation
2. confession of sins at least once a year
3. reception of Holy Communion at least once a year during the Easter season
4. observance of the days of fast and abstinence
5. providing for the needs of the Church

Days of Fast

(for Adults)

Ash Wednesday **Good Friday**

Days of Abstinence

(for all those over 14)

Ash Wednesday **All Fridays in Lent**

Holy Days of Obligation

Holy Days of Obligation are the days other than Sundays on which we celebrate the great things God has done for us through Jesus and the saints. On Holy Days of Obligation, Catholics are obliged to attend Mass. Six Holy Days of Obligation are celebrated in the United States.

Mary, Mother of God
January 1

Ascension
Forty days after Easter (for those dioceses that do not celebrate the Ascension on the seventh Sunday of Easter)

Assumption of the Blessed Virgin Mary
August 15

All Saints
November 1

Immaculate Conception
December 8

Nativity of Our Lord Jesus Christ
December 25

Ascension of Jesus.

Ascensión de Jesús.

We celebrate Mary's life on several Holy Days of Obligation.

Celebramos la vida de María en varios de los días de precepto.

Las virtudes

Las virtudes son dones que Dios nos concede para que vivamos una relación estrecha con él. Las virtudes son como los buenos hábitos. Deben practicarse; si se descuidan, pueden perderse. Las tres virtudes más importantes se denominan virtudes teologales porque provienen de Dios y conducen a Dios. Las virtudes cardinales son virtudes humanas adquiridas por medio de la educación y las buenas obras. Su nombre deriva del término latino *cardo,* que significa "aquello de lo cual dependen otras cosas".

Las virtudes teologales

fe	**caridad**	**esperanza**

Las virtudes cardinales

prudencia	**justicia**
fortaleza	**templanza**

Los dones del Espíritu Santo

El Espíritu Santo nos concede múltiples dones para que a través de ellos podamos hacer lo que Dios Padre nos pide. Los dones son:

sabiduría	**consejo**	**ciencia**
entendimiento	**fortaleza**	**temor de Dios**
piedad		

Los frutos del Espíritu Santo

Los frutos del Espíritu Santo son ejemplos de la manera en que actuamos porque Dios está vivo en nosotros. Los frutos son:

amor	**gozo**	**paz**
longanimidad	**benignidad**	**bondad**
mansedumbre	**continencia**	**modestia**
fe	**castidad**	**paciencia**

Tomar las decisiones correctas

Nuestra conciencia es la voz interna que nos ayuda a conocer la ley que Dios ha establecido en nuestro corazón. Nuestra conciencia nos ayuda a juzgar las cualidades morales de nuestras acciones. Nos guía para hacer el bien y evitar el mal.

El Espíritu Santo nos ayuda a forjar una buena conciencia. Para forjar nuestra conciencia estudiamos las enseñanzas de la Iglesia y seguimos la guía de nuestros padres y líderes pastorales.

Dios le ha dado a cada ser humano la libertad de elegir. Esto no significa que tenemos el derecho de hacer todo lo que queramos. Podemos vivir en plena libertad si cooperamos con el Espíritu Santo, que nos concede la virtud de la prudencia. Esta virtud nos ayuda a reconocer lo que está bien en cada situación y a tomar las decisiones correctas. El Espíritu Santo nos concede el don de la sabiduría y del entendimiento para ayudarnos a tomar las decisiones correctas en la vida, en la relación con Dios y con el prójimo. El don del consejo nos ayuda a reflexionar sobre las decisiones correctas que debemos tomar en la vida.

De izquierda a derecha: Las virtudes teologales de la caridad, la fe y la esperanza, Heinrich Maria Von Hess, 1819.

Left to right: the Theogical Virtues of charity, faith, and hope, Heinrich Maria von Hess, 1819.

Virtues

Virtues are gifts from God that lead us to live in a close relationship with him. Virtues are like good habits. They need to be used; they can be lost if they are neglected. The three most important virtues are called the Theological Virtues because they come from God and lead to God. The Cardinal Virtues are human virtues, acquired by education and good actions. They are named for the Latin word for "hinge" (*cardo*), meaning "that on which other things depend."

Theological Virtues

faith **charity** **hope**

Cardinal Virtues

prudence **justice**

fortitude **temperance**

Gifts of the Holy Spirit

The Holy Spirit makes it possible for us to do what God the Father asks of us by giving us many gifts. They include the following:

wisdom **counsel**

knowledge **understanding**

fortitude **fear of the Lord**

piety

Fruits of the Holy Spirit

The Fruits of the Holy Spirit are examples of the way we find ourselves acting because God is alive in us. They include the following:

love **joy** **peace**

kindness **generosity** **goodness**

gentleness **self-control** **modesty**

faithfulness **chastity** **patience**

Making Good Choices

Our conscience is the inner voice that helps us know the law God has placed in our hearts. Our conscience helps us judge the moral qualities of our own actions. It guides us to do good and avoid evil.

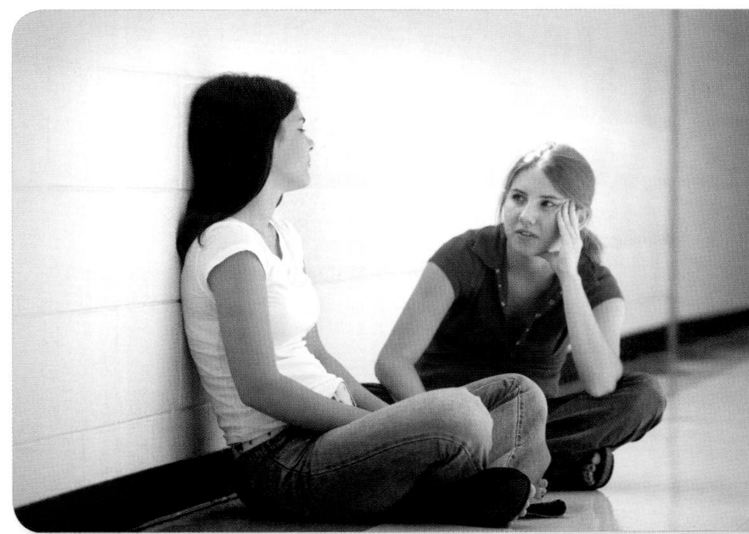

The Holy Spirit can help us form a good conscience. We form our conscience by studying the teachings of the Church and following the guidance of our parents and pastoral leaders.

God has given every human being freedom of choice. This does not mean that we have the right to do whatever we please. We can live in true freedom if we cooperate with the Holy Spirit, who gives us the virtue of prudence. This virtue helps us recognize what is good in every situation and make correct choices. The Holy Spirit gives us the gifts of wisdom and understanding to help us make the right choices in life, in relationship to God and others. The gift of counsel helps us reflect on making the correct choices in life.

El buen samaritano, Charalambos Epaminonda, 2008.

The Good Samaritan, Charalambos Epaminonda, 2008.

Manifestando nuestro amor al mundo

En la parábola del buen samaritano (Lucas 10:29–37), Jesús establece claramente nuestra responsabilidad de cuidar de los necesitados. La Iglesia católica nos enseña esta responsabilidad en los siguientes temas de la doctrina social de la iglesia.

Vida y dignidad de la persona humana

Toda vida humana es sagrada y todas las personas deben ser respetadas y valoradas por encima de los bienes materiales. Estamos llamados a cuestionar si nuestras acciones como sociedad respetan o amenazan la vida y la dignidad de la persona humana.

Llamado a la familia, la comunidad y la participación

La participación en la familia y la comunidad es fundamental para nuestra fe y para una sociedad saludable. Las familias deben recibir apoyo para que las personas puedan participar en la sociedad, construir un espíritu de comunidad y promover el bienestar general, en especial de las personas pobres y vulnerables.

Derechos y responsabilidades

Toda persona tiene derecho a la vida, así como a las cosas que contribuyen a vivir de una forma decente. Como católicos, tenemos la responsabilidad de proteger estos derechos humanos básicos para lograr una sociedad saludable.

Opción por los pobres y vulnerables

En nuestro mundo hay personas que son muy ricas, mientras que muchas otras son extremadamente pobres. Como católicos estamos llamados a prestar especial atención a las necesidades de los pobres, defender y promover su dignidad y satisfacer sus necesidades materiales más urgentes.

Dignidad del trabajo y derechos de los trabajadores

La Iglesia católica nos enseña que deben respetarse los derechos básicos de los trabajadores: derecho al trabajo productivo, a un salario justo y a la propiedad privada; así como el derecho a organizarse, afiliarse a sindicatos y a buscar oportunidades económicas. Los católicos creen que la economía está al servicio de las personas y que el trabajo no solo constituye una simple manera de ganarse la vida, sino que representa una forma importante de participar en la creación de Dios.

Solidaridad

Dios es nuestro Padre y eso nos hace a todos hermanos y responsables de cuidarnos los unos a los otros. La solidaridad es la actitud que conduce a los cristianos a compartir los valores materiales y espirituales. La solidaridad une a ricos y pobres, a débiles y fuertes, y contribuye a crear una sociedad que reconoce que dependemos los unos de los otros.

Cuidar de la creación

Dios es el Creador de todas las personas y las cosas y desea que disfrutemos de su creación. La responsabilidad de cuidar todo lo que Dios ha creado es un requisito de nuestra fe.

Showing Our Love for the World

In the story of the Good Samaritan (Luke 10:29–37), Jesus makes clear our responsibility to care for those in need. The Catholic Church teaches this responsibility in the following themes of Catholic Social Teaching.

Life and Dignity of the Human Person

All human life is sacred, and all people must be respected and valued over material goods. We are called to ask whether our actions as a society respect or threaten the life and dignity of the human person.

Call to Family, Community, and Participation

Participation in family and community is central to our faith and a healthy society. Families must be supported so that people can participate in society, build a community spirit, and promote the well-being of all, especially those who are poor and vulnerable.

Rights and Responsibilities

Every person has a right to life as well as a right to those things required for human decency. As Catholics, we have a responsibility to protect these basic human rights in order to achieve a healthy society.

Option for the Poor and Vulnerable

In our world, many people are very rich while at the same time many are extremely poor. As Catholics, we are called to pay special attention to the needs of the poor by defending and promoting their dignity and meeting their immediate material needs.

The Dignity of Work and the Rights of Workers

The Catholic Church teaches that the basic rights of workers must be respected: the right to productive work, fair wages, and private property; and the right to organize, join unions, and pursue economic opportunity. Catholics believe that the economy is meant to serve people and that work is not merely a way to make a living, but an important way in which we participate in God's creation.

Solidarity

Because God is our Father, we are all brothers and sisters with the responsibility to care for one another. Solidarity is the attitude that leads Christians to share spiritual and material goods. Solidarity unites rich and poor, weak and strong, and helps create a society that recognizes that we all depend on one another.

Care for God's Creation

God is the Creator of all people and all things, and he wants us to enjoy his creation. The responsibility to care for all God has made is a requirement of our faith.

Celebrar nuestra fe

Jesús se acerca a nuestras vidas a través de los sacramentos. Los sacramenos incluyen objetos físicos como el agua, el pan y el vino, el aceite y otros símbolos que son signos de la presencia de Jesús.

Los siete sacramentos

Los sacramentos de la Iniciación

Estos sacramentos constituyen la base sobre la que se sostiene la vida de todo cristiano.

El Bautismo

Por medio del Bautismo nacemos a una vida nueva en Cristo. El Bautismo nos limpia del pecado original y nos convierte en miembros de la Iglesia. Uno de sus signos es el agua que se vierte.

La Confirmación

La Confirmación sella nuestra vida de fe en Jesús. Los signos propios de este sacramento son la imposición de manos sobre la cabeza de una persona, acción que normalmente ejecuta un obispo, y la unción con óleo. Como en el caso del Bautismo, la Confirmación se recibe una sola vez.

La Eucaristía

La Eucaristía sustenta nuestra vida de fe. Recibimos el Cuerpo y la Sangre de Cristo bajo la apariencia de pan y vino.

Los sacramentos de la Curación

Estos sacramentos celebran el poder sanador de Jesús.

La Penitencia y la Reconciliación

Mediante la Reconciliación recibimos el perdón de Dios. Para ser perdonados debemos arrepentirnos de nuestros pecados. En este sacramento recibimos la gracia sanadora de Jesús por medio de la absolución que nos da el sacerdote. Los signos de este sacramento son la confesión de nuestros pecados, el arrepentimiento, el cumplimiento de la penitencia y satisfacción, y las palabras de absolución.

La Unción de los Enfermos

Este sacramento une el sufrimiento del enfermo con el sufrimiento de Jesús. El óleo, un símbolo de fortaleza, es el elemento representativo de este sacramento. El enfermo es ungido con óleo y recibe la imposición de manos de un sacerdote.

Los sacramentos al Servicio de la Comunidad

Estos sacramentos nos ayudan a servir a la comunidad.

El Matrimonio

En el Matrimonio, un hombre y una mujer bautizados se unen entre sí como signo de la unidad entre Jesús y su Iglesia. El Matrimonio requiere el consentimiento de los cónyuges, tal como lo expresan en las promesas matrimoniales. La pareja es el signo de este sacramento.

El Orden

En el sacramento del Orden los hombres se ordenan como sacerdotes para oficiar como líderes de la comunidad o como diáconos, para recordarnos nuestro llamado bautismal a servir al prójimo. Los signos de este sacramento son la imposición de las manos y la oración por medio de la cual el obispo le pide a Dios que el Espíritu Santo descienda sobre ellos.

Celebrating Our Faith

Jesus touches our lives through the sacraments. In the sacraments, physical objects—water, bread and wine, oil, and others—are the signs of Jesus' presence.

beliefs

The Seven Sacraments

Sacraments of Initiation

These sacraments lay the foundation of every Christian life.

Baptism

In Baptism we are born into new life in Christ. Baptism takes away Original Sin and makes us members of the Church. One of its signs is the pouring of water.

Confirmation

Confirmation seals our life of faith in Jesus. Its signs are the laying on of hands on a person's head, most often by a bishop, and the anointing with oil. Like Baptism, it is received only once.

Eucharist

The Eucharist nourishes our life of faith. We receive the Body and Blood of Christ under the appearance of bread and wine.

Sacraments of Healing

These sacraments celebrate the healing power of Jesus.

Penance and Reconciliation

Through Reconciliation we receive God's forgiveness. Forgiveness requires being sorry for our sins. In Reconciliation we receive Jesus' healing grace through absolution by the priest. The signs of this sacrament are our confession of sins, our repentance and satisfaction, and the words of absolution.

Anointing of the Sick

This sacrament unites a sick person's sufferings with those of Jesus. Oil, a symbol of strength, is a sign of this sacrament. A person is anointed with oil and receives the laying on of hands from a priest.

Sacraments at the Service of Communion

These sacraments help us serve the community.

Matrimony

In Matrimony a baptized man and woman are united with each other as a sign of the unity between Jesus and his Church. Matrimony requires the consent of the couple, as expressed in the marriage promises. The couple are the sign of this sacrament.

Holy Orders

In Holy Orders, men are ordained priests to be leaders of the community, or deacons to be reminders of our baptismal call to serve others. The signs of this sacrament are the laying on of hands and the prayer of the bishop asking God for the outpouring of the Holy Spirit by the bishop.

creencias

Reconciliarse con Dios y con el prójimo

Examen de conciencia

Un examen de conciencia es el acto de mirar en oración en nuestros corazones para preguntarnos cómo hemos dañado nuestra relación con Dios y con las otras personas con nuestros pensamientos, palabras y acciones. Reflexionamos acerca de los Diez Mandamientos y las enseñanzas de la Iglesia. Las siguientes preguntas nos ayudan a hacer un examen de conciencia.

Mi relación con Dios

- ¿Qué pasos estoy siguiendo para acercarme a Dios y a los demás? ¿Recurro a Dios con frecuencia, durante el día, en especial cuando estoy siendo tentado?
- ¿Participo en la misa con atención y devoción todos los domingos y los días de precepto? ¿Rezo con frecuencia y leo la Biblia?
- ¿Uso el nombre de Dios, de Jesús, de María y de los santos con amor y reverencia?

Mi relación con mi familia, mis amigos y el prójimo

- ¿He dado mal ejemplo con mis palabras o acciones? ¿Trato a los demás de manera justa? ¿He difundido rumores que lastiman a otras personas?
- ¿Soy afectuoso con los miembros de mi familia? ¿Soy respetuoso con mis vecinos, mis amigos y las personas con autoridad?
- ¿Muestro respeto por mi cuerpo y por el cuerpo de los demás? ¿Me mantengo alejado de las distintas formas de entretenimiento que no respetan el don de la sexualidad que Dios nos ha dado?
- ¿He tomado o dañado algo que no me pertenecía? ¿He hecho trampas en la escuela, copiado las tareas o mentido?

- ¿Discuto con otros para salirme con la mía? ¿He insultado a otras personas para hacerlas sentir inferiores a mí? ¿Soy rencoroso e intento lastimar a las personas que creo que me han lastimado?

Cómo hacer una buena confesión

El examen de conciencia constituye una parte importante de la preparación para el sacramento de la Reconciliación. El sacramento de la Reconciliación incluye los siguientes pasos:

1. El sacerdote nos saluda y nos persignamos con la Señal de la Cruz. Puede que lea la Palabra de Dios con nosotros.
2. Confesamos nuestros pecados. El sacerdote puede ayudarnos y aconsejarnos.
3. El sacerdote nos asigna una penitencia. Nuestra penitencia puede ser rezar ciertas oraciones, realizar un acto de caridad o ambas cosas.
4. El sacerdote nos pide que expresemos nuestro arrepentimiento; normalmente se hace recitando el Acto de Contrición.
5. Recibimos la absolución. El sacerdote dice: "Yo te absuelvo de tus pecados en el nombre del Padre, y del Hijo y del Espíritu Santo". Nosotros respondemos: "Amén".
6. El sacerdote nos despide diciendo: "Vete en paz". Nos retiramos y nos disponemos a cumplir la penitencia que el sacerdote nos ha dado.

Reconciling with God and Others

An Examination of Conscience

An examination of conscience is the act of prayerfully looking into our hearts to ask how we have hurt our relationships with God and other people through our thoughts, words, and actions. We reflect on the Ten Commandments and the teachings of the Church. The questions below will help us in our examination of conscience.

My Relationship with God

- What steps am I taking to help myself grow closer to God and others? Do I turn to God often during the day, especially when I am tempted?
- Do I participate at Mass with attention and devotion on Sundays and Holy Days? Do I pray often and read the Bible?
- Do I use God's name or the name of Jesus, Mary, and the saints with love and reverence?

My Relationship with Family, Friends, and Neighbors

- Have I set a bad example through my words or actions? Do I treat others fairly? Do I spread stories that hurt other people?
- Am I loving of those in my family? Am I respectful to my neighbors, friends, and those in authority?
- Do I show respect for my body and for the bodies of others? Do I keep away from forms of entertainment that do not respect God's gift of sexuality?
- Have I taken or damaged anything that did not belong to me? Have I cheated, copied homework, or lied?
- Do I quarrel with others just so I can get my own way? Do I insult others to try to make them think they are less than I am? Do I hold grudges and try to hurt people who I think have hurt me?

How to Make a Good Confession

An examination of conscience is an important part of preparing for the Sacrament of Reconciliation. The Sacrament of Reconciliation includes the following steps:

1. The priest greets us and we pray the Sign of the Cross. He may read God's Word with us.
2. We confess our sins. The priest may help and counsel us.
3. The priest gives us a penance to perform. Our penance may be prayers to be prayed, an act of kindness, or both.
4. The priest asks us to express our sorrow, usually by reciting the Act of Contrition.
5. We receive absolution. The priest says, "I absolve you from your sins in the name of the Father, and of the Son, and of the Holy Spirit." We respond, "Amen."
6. The priest dismisses us by saying, "Go in peace." We go forth to perform the act of penance he has given us.

creencias

La Eucaristía

El domingo es el día en que celebramos la Resurrección de Jesús. El domingo es el día del Señor. Nos reunimos en la misa, descansamos del trabajo y realizamos obras de misericordia. Personas de todo el mundo se reúnen como hermanos frente a la mesa eucarística de Dios en el día del Señor.

El Ordinario de la Misa

La misa es el punto cúlmine de la vida católica y sigue siempre un orden establecido.

Ritos Iniciales

Nos preparamos para celebrar la Eucaristía.

Procesión de entrada

Nos reunimos como comunidad y alabamos a Dios con un canto.

Saludo inicial

Rezamos la Señal de la Cruz para reconocer la presencia de Cristo en la comunidad.

Acto penitencial

Reconocemos nuestros pecados y le pedimos a Dios que tenga piedad de nosotros.

Gloria

Cantamos para alabar a Dios.

Oración Colecta

El sacerdote reúne todas nuestras oraciones en una sola.

Liturgia de la Palabra

Escuchamos la historia del plan de salvación de Dios.

Primera Lectura

Escuchamos la Palabra de Dios, que suele ser del Antiguo Testamento.

Salmo Responsorial

Respondemos a la Palabra de Dios, normalmente de forma cantada.

Segunda Lectura

Escuchamos la Palabra de Dios del Nuevo Testamento.

Aleluya o Aclamación antes del Evangelio

Cantamos o rezamos el "Aleluya" para alabar a Dios por la Buena Nueva. Durante la Cuaresma se utiliza otra aclamación.

Lectura del Evangelio

Nos ponemos de pie para aclamar la presencia de Cristo en el Evangelio.

Homilía

El sacerdote o el diácono explica la Palabra de Dios.

Profesión de Fe

Proclamamos nuestra fe recitando el Credo.

Oración Universal

Pedimos por nuestras necesidades y por las de los demás.

Liturgia Eucarística

Celebramos el banquete que Jesús instituyó en la Última Cena y recordamos el sacrificio que hizo por nosotros.

Presentación y preparación de los dones

Llevamos los dones del pan y el vino hasta el altar.

Oración sobre las ofrendas

El sacerdote reza para que Dios acepte nuestro sacrificio.

The Eucharist

Sunday is the day on which we celebrate the Resurrection of Jesus. Sunday is the Lord's Day. We gather for Mass, rest from work, and perform Works of Mercy. People from all over the world gather at God's Eucharistic table as brothers and sisters on the Lord's Day.

The Order of Mass

The Mass is the high point of the Christian life, and it always follows a set order.

Introductory Rites

We prepare to celebrate the Eucharist.

Entrance Chant

We gather as a community praising God in song.

Greeting

We pray the Sign of the Cross, recognizing the presence of Christ in the community.

Penitential Act

We acknowledge our sins and ask God for mercy.

Gloria

We praise God in song.

Collect Prayer

The priest gathers all our prayers into one.

Liturgy of the Word

We hear the story of God's plan for Salvation.

First Reading

We listen to God's Word, usually from the Old Testament.

Responsorial Psalm

We respond to God's Word, usually in song.

Second Reading

We listen to God's Word from the New Testament.

Gospel Acclamation

We sing or pray "Alleluia!" to praise God for the Good News. During Lent a different acclamation is used.

Gospel Reading

We stand to acclaim Christ present in the Gospel.

Homily

The priest or deacon explains God's Word.

Profession of Faith

We proclaim our faith through the Creed.

Prayer of the Faithful

We pray for our needs and the needs of others.

Liturgy of the Eucharist

We celebrate the meal that Jesus instituted at the Last Supper and remember the sacrifice he made for us.

Presentation and Preparation of the Gifts

We bring gifts of bread and wine to the altar.

Prayer over the Offerings

The priest prays that God will accept our sacrifice.

creencias

Plegaria Eucarística
Esta plegaria de agradeciemiento es el eje y el punto cúlmine de toda la celebración.

Prefacio
Agradecemos y alabamos a Dios.

Santo
Cantamos en alabanza al Señor.

Narración de la institución y Consagración
El pan y el vino se convierten en el Cuerpo y la Sangre de Jesucristo.

Aclamación memorial
Proclamamos la muerte y Resurrección de Jesús.

Rito de la Comunión
Nos preparamos para recibir el Cuerpo y la Sangre de Jesucristo.

Oración del Señor
Rezamos el Padrenuestro.

Rito de la paz
Nos deseamos mutuamente la paz de Jesucristo.

Cordero de Dios
Imploramos perdón, piedad y paz.

Comunión
Recibimos el Cuerpo y la Sangre de Jesucristo.

Oración después de la Comunión
Pedimos que la Eucaristía nos fortalezca para vivir como hizo Jesucristo.

Rito de Conclusión
Al concluir la misa el sacerdote nos bendice y nos despide.

Bendición
Recibimos la bendición de Dios.

Despedida
Nos vamos en paz para glorificar al Señor en nuestras vidas.

Eucharistic Prayer
This prayer of thanksgiving is the center and high point of the entire celebration.

Preface Dialogue
We give thanks and praise to God.

Preface Acclamation (or Holy, Holy, Holy)
We sing an acclamation of praise.

Institution Narrative
The bread and wine truly become the Body and Blood of Jesus Christ.

The Mystery of Faith
We proclaim Jesus' Death and Resurrection.

Communion Rite
We prepare to receive the Body and Blood of Jesus Christ.

The Lord's Prayer
We pray the Lord's Prayer.

Sign of Peace
We offer one another Christ's peace.

Lamb of God
We pray for forgiveness, mercy, and peace.

Communion
We receive the Body and Blood of Jesus Christ.

Prayer after Communion
We pray that the Eucharist will strengthen us to live as Jesus Christ did.

***Amen,* Laura James, 2010.**

***Amén,* Laura James, 2010.**

Concluding Rites
At the conclusion of Mass, we are blessed and sent forth.

Final Blessing
We receive God's blessing.

Dismissal
We go in peace to glorify the Lord in our lives.

Las devociones de nuestra fe

Oraciones para llevar en el corazón

Podemos rezar con nuestras propias palabras. A veces, cuando nos resulta difícil encontrar esas palabras, podemos recurrir a las oraciones tradicionales. De la misma manera, cuando rezamos en voz alta con otras personas, confiamos en las oraciones tradicionales para unir nuestras mentes, corazones y voces. Memorizar las oraciones tradicionales como las que se incluyen a continuación puede resultar muy útil. Cuando aprendemos las plegarias de memoria las grabamos en nuestro corazón, es decir, no sólo retenemos en la mente las palabras, sino que tratamos de comprenderlas y vivirlas.

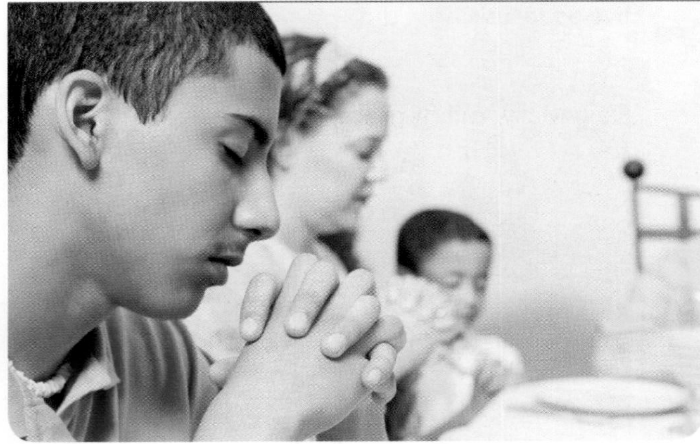

Oración de la mañana

Dios, Padre nuestro,
te ofrezco en este día
todos mis pensamientos y
palabras.
Te lo ofrezco junto con todo lo
hecho
en la tierra por tu Hijo
Jesucristo.
Amén.

Señal de la Cruz

En el nombre del Padre
y del Hijo
y del Espíritu Santo.
Amén.

Padrenuestro

Padre nuestro que estás
en el cielo,
santificado sea tu Nombre;
venga a nosotros tu Reino;
hágase tu voluntad
en la tierra como en el cielo.
Danos hoy
nuestro pan de cada día;
perdona nuestras ofensas,
como también nosotros
perdonamos a los que nos
ofenden;
no nos dejes caer en
la tentación,
y líbranos del mal.
Amén.

Gloria al Padre

Gloria al Padre
y al Hijo
y al Espíritu Santo.
Como era en el principio,
ahora y siempre,
por los siglos de los siglos.
Amén.

Avemaría

Dios te salve, María,
llena eres de gracia;
el Señor es contigo.
Bendita Tú eres
entre todas las mujeres,
y bendito es el fruto de tu
vientre, Jesús.
Santa María, Madre de Dios,
ruega por nosotros, pecadores,
ahora y en la hora de
nuestra muerte.
Amén.

Bendición de la mesa antes de comer

Bendícenos, Señor,
y bendice estos alimentos
que por tu bondad
vamos a tomar.
Por Jesucristo Nuestro Señor.
Amén.

Bendición de la mesa después de comer

Te damos gracias, Señor,
por todos tus beneficios.
Tú que vives y reinas por los
siglos de los siglos.
[El Señor nos de su paz
y la vida eterna.]
Amén.

Devotions of Our Faith

Prayers to Take to Heart

We can pray with any words that come to mind. Sometimes, when we find that choosing our own words is difficult, we can use traditional prayers. Likewise, when we pray aloud with others, we rely on traditional prayers to unite our minds, hearts, and voices. Memorizing traditional prayers such as the following can be very helpful. When we memorize prayers, we take them to heart, meaning that we not only learn the words but also try to understand and live them.

Sign of the Cross

In the name of the Father
and of the Son
and of the Holy Spirit.
Amen.

Lord's Prayer

Our Father, who art in heaven,
hallowed be thy name;
thy kingdom come,
thy will be done
on earth as it is in heaven.
Give us this day our daily bread,
and forgive us our trespasses,
as we forgive those who trespass against us;
and lead us not into temptation,
but deliver us from evil.
Amen.

Glory Be to the Father

Glory be to the Father
and to the Son
and to the Holy Spirit,
as it was in the beginning
is now, and ever shall be
world without end.
Amen.

Hail Mary

Hail, Mary, full of grace,
the Lord is with thee.
Blessed art thou among women,
and blessed is the fruit of thy womb, Jesus.
Holy Mary, Mother of God,
pray for us sinners,
now and at the hour of our death.
Amen.

Morning Prayer

God, our Father, I offer you today all that I think
and do and say.
I offer it with what was done on earth
by Jesus Christ, your Son.
Amen.

Grace Before Meals

Bless us, O Lord, and
these thy gifts,
which we are about to
receive from thy
bounty,
Through Christ our
Lord.
Amen.

Grace After Meals

We give thee thanks
for all thy benefits,
Almighty God, who live
and reign for ever.
And may the souls of
the faithful departed,
through the mercy of
God, rest in peace.
Amen.

prayers

Credo Niceno o de Constantinopla

Creo en un solo Dios,
Padre todopoderoso,
Creador del cielo y de la tierra,
de todo lo visible y lo invisible.

Creo en un solo Señor, Jesucristo,
Hijo único de Dios,
nacido del Padre antes de todos los siglos:
Dios de Dios, Luz de Luz,
Dios verdadero de Dios verdadero,
engendrado, no creado,
de la misma naturaleza del Padre,
por quien todo fue hecho;
que por nosotros, los hombres,
y por nuestra salvación bajó del cielo,
y por obra del Espíritu Santo
se encarnó de María, la Virgen, y se hizo hombre;
y por nuestra causa fue crucificado
en tiempos de Poncio Pilato;
padeció y fue sepultado,
y resucitó al tercer día, según las Escrituras,
y subió al cielo,
y está sentado a la derecha del Padre;
y de nuevo vendrá con gloria
para juzgar a vivos y muertos,
y su reino no tendrá fin.

Creo en el Espíritu Santo,
Señor y dador de vida,
que procede del Padre y del Hijo,
que con el Padre y el Hijo
recibe una misma adoración y gloria,
y que habló por los profetas.

Creo en la Iglesia,
que es una, santa, católica y apostólica.
Confieso que hay un solo Bautismo
para el perdón de los pecados.
Espero la resurrección de los muertos
y la vida del mundo futuro.
Amén.

Credo (o Símbolo) de los Apóstoles

Creo en Dios, Padre todopoderoso,
Creador del cielo y de la tierra.
Creo en Jesucristo, su único Hijo,
    nuestro Señor,
que fue concebido por obra y gracia
    del Espíritu Santo,
nació de santa María Virgen,
padeció bajo el poder de Poncio Pilato,
fue crucificado, muerto y sepultado,
descendió a los infiernos,
al tercer día resucitó de entre los muertos,
subió a los cielos
y está sentado a la derecha de Dios,
    Padre todopoderoso.
Desde allí ha de venir a juzgar a vivos y muertos.

Creo en el Espíritu Santo,
la santa Iglesia católica,
la comunión de los santos,
el perdón de los pecados,
la resurrección de la carne
y la vida eterna.
Amén.

Nicene Creed

I believe in one God,
the Father almighty,
maker of heaven and earth,
of all things visible and invisible.

I believe in one Lord Jesus Christ,
the Only Begotten Son of God,
born of the Father before all ages.
God from God, Light from Light,
true God from true God,
begotten, not made, consubstantial with the Father;
through him all things were made.
For us men and for our salvation
he came down from heaven,
and by the Holy Spirit was incarnate of the Virgin Mary,
and became man.

For our sake he was crucified under Pontius Pilate,
he suffered death and was buried,
and rose again on the third day
in accordance with the Scriptures.
He ascended into heaven
and is seated at the right hand of the Father.
He will come again in glory
to judge the living and the dead
and his kingdom will have no end.

I believe in the Holy Spirit, the Lord, the giver of life,
who proceeds from the Father and the Son,
who with the Father and the Son is adored and glorified,
who has spoken through the prophets.

I believe in one, holy, catholic and apostolic Church.
I confess one Baptism for the forgiveness of sins
and I look forward to the resurrection of the dead
and the life of the world to come.
Amen.

The Apostles' Creed

I believe in God,
the Father almighty,
Creator of heaven and earth,
and in Jesus Christ, his only Son, our Lord,
who was conceived by the Holy Spirit,
born of the Virgin Mary,
suffered under Pontius Pilate,
was crucified, died and was buried;
he descended into hell;
on the third day he rose again from the dead;
he ascended into heaven,
and is seated at the right hand of God the Father almighty;
from there he will come to judge the living and the dead.

I believe in the Holy Spirit,
the holy catholic Church,
the communion of saints,
the forgiveness of sins,
the resurrection of the body,
and life everlasting.
Amen.

Acto de Contrición (u Oración del Penitente)

Dios mío,
me arrepiento de todo corazón
de todo lo malo que he hecho
y de todo lo bueno que he dejado de
hacer,
porque pecando te he ofendido a ti,
que eres el sumo bien
y digno de ser amado sobre todas las
cosas.
Propongo firmemente, con tu gracia,
cumplir la penitencia,
no volver a pecar y evitar las ocasiones de
pecado.
Perdóname, Señor,
por los méritos de la pasión
de nuestro salvador Jesucristo.
Amén.

Acto de Fe

Señor Dios, creo firmemente
y confieso todas y cada una de las verdades
que la Santa Iglesia Católica propone,
porque tú las revelaste,
oh Dios, que eres la eterna Verdad y
Sabiduría,
que ni se engaña
ni nos puede engañar.
Quiero vivir y morir en esta fe.
Amén.

Acto de Esperanza

Señor Dios mío, espero por tu gracia
la remisión de todos mis pecados;
y después de esta vida, alcanzar la eterna
felicidad,
porque tú lo prometiste que eres
infinitamente poderoso, fiel, benigno y
lleno de misericordia.
Quiero vivir y morir en esta esperanza.
Amén.

Acto de Caridad

Dios mío, te amo sobre todas las cosas
y al prójimo por ti,
porque Tú eres el infinito,
sumo y perfecto Bien,
digno de todo amor.
Quiero vivir y morir en este amor.
Amén.

Oración al Espíritu Santo

Ven Espíritu Santo, llena los corazones
de tus fieles.
Y enciende en ellos el fuego de tu amor.
Envía tu Espíritu y serán creadas
todas las cosas.
Y renovarás la faz de la tierra.

Oremos:
¡Oh Dios, que has instruido
los corazones de tus fieles
con luz del Espíritu Santo!,
concédenos que sintamos rectamente
con el mismo Espíritu
y gocemos siempre
de su divino consuelo.
Por Jesucristo Nuestro Señor.
Amén.

Ángelus

V. El ángel del Señor anunció a María.
R. Y concibió
por obra y gracia del Espíritu Santo.

Dios te salve, María. . .

V. He aquí la esclava del Señor.
R. Hágase en mí según tu palabra.

Dios te salve, María. . .

V. Y el Verbo de Dios se hizo carne.
R. Y habitó entre nosotros.

Dios te salve, María. . .

V. Ruega por nosotros, Santa Madre de Dios,
R. para que seamos dignos de alcanzar las
promesas de Jesucristo.
Oremos:
Infunde, Señor,
tu gracia en nuestras almas,
para que, los que hemos conocido,
por el anuncio del Ángel,
la Encarnación de tu Hijo Jesucristo,
lleguemos por los Méritos de su Pasión y su Cruz,
a la gloria de la Resurrección.
Por Jesucristo Nuestro Señor.
Amén.

beliefs

Act of Contrition (or Prayer of the Penitent)

My God,
I am sorry for my sins with all my heart.
In choosing to do wrong
and failing to do good,
I have sinned against you
whom I should love above all things.
I firmly intend, with your help,
to do penance,
to sin no more,
and to avoid whatever leads me to sin.
Our Savior Jesus Christ
suffered and died for us.
In his name, my God, have mercy.
Amen.

Act of Faith

O my God, I firmly believe
that you are one God in three divine Persons,
Father, Son, and Holy Spirit.
I believe that your divine Son became man
and died for our sins, and that he will come
to judge the living and the dead.
I believe these and all the truths
which the Holy Catholic Church teaches,
because you have revealed them
who are eternal truth and wisdom,
who can neither deceive nor be deceived.
In this faith I intend to live and die.
Amen.

Act of Hope

O Lord God,
I hope by your grace for the pardon
of all my sins
and after life here to gain
eternal happiness
because you have promised it
who are infinitely powerful,
faithful, kind,
and merciful.
In this hope I intend to live and die.
Amen.

Act of Love

O Lord God, I love you above all things
and I love my neighbor for your sake
because you are the highest, infinite
and perfect good, worthy of all my love.
In this love I intend to live and die.
Amen.

Prayer to the Holy Spirit

Come, Holy Spirit, fill the hearts of
your faithful.
And kindle in them the fire of your love.
Send forth your Spirit and they shall
be created.
And you shall renew the face of the earth.

Let us pray:
O God, by the light of the Holy Spirit you have taught the hearts of your faithful. In the same Spirit, help us to know what is truly right and always rejoice in your consolation. We ask this through Christ, Our Lord.
Amen.

Angelus

V. The Angel of the Lord declared unto Mary.
R. And she conceived of the Holy Spirit.
Hail, Mary, full of grace, . . .

V. Behold the handmaid of the Lord.
R. Be it done unto me according to thy word.
Hail Mary.

V. And the Word was made flesh.
R. And dwelt among us.
Hail Mary.

V. Pray for us, O holy Mother of God,
R. That we may be made worthy of the promises of Christ.

Let us pray;
Pour forth, we beseech thee, O Lord, thy grace into our hearts; that we, to whom the Incarnation of Christ, thy Son, was made known by the message of an angel, may by his Passion and Cross be brought to the glory of his Resurrection. Through the same Christ our Lord.
Amen.

Acordaos (Memorare)

Acordaos, oh piadosísima Virgen María, que jamás se ha oído decir que ninguno de los que haya acudido a tu protección, implorando tu asistencia y reclamando tu socorro, haya sido abandonadode ti. Animado con esta confianza, a ti también acudo, oh Madre, Virgen de las vírgenes, y aunque gimiendo bajo el peso de mis pecados, me atrevo a comparecer ante tu presencia soberana. No deseches mis humildes súplicas, oh Madre del Verbo divino, antes bien, escúchalas y acógelas benignamente.
Amén.

Regina Caeli

Reina del cielo alégrate; aleluya.
Porque el Señor a quien has merecido llevar;
    aleluya.
Ha resucitado según su palabra; aleluya.
Ruega al Señor por nosotros; aleluya.
Gózate y alégrate, Virgen María; aleluya.
Porque verdaderamente ha resucitado el Señor;
    aleluya.

Oremos:
Oh Dios, que por la resurrección de tu
    Hijo, nuestro Señor Jesucristo,
has llenado el mundo de alegría,
concédenos, por intercesión de su Madre,
la Virgen María,
llegar a alcanzar los gozos eternos.
Por nuestro Señor Jesucristo.
Amén.

Magnificat

Proclama mi alma la grandeza del Señor,
se alegra mi espíritu en Dios, mi salvador;
porque ha mirado la humillación de su esclava.
Desde ahora me felicitarán
    todas las generaciones,
porque el Poderoso ha hecho
obras grandes por mí: su nombre es santo,
y su misericordia llega a sus fieles
    de generación en generación.
Él hace proezas con su brazo:
    dispersa a los soberbios de corazón,
derriba del trono a los poderosos
    y enaltece a los humildes,
a los hambrientos los colma de bienes
    y a los ricos los despide vacíos.
Auxilia a Israel, su siervo,
    acordándose de la misericordia
–como lo había prometido a nuestros padres–
en favor de Abrahán
    y su descendencia por siempre.

Salve Regina

Dios te salve, Reina
y Madre de misericordia,
vida, dulzura y esperanza nuestra;
Dios te salve.
A ti llamamos
los desterrados hijos de Eva;
a ti suspiramos, gimiendo y llorando
en este valle de lágrimas.
Ea, pues, Señora, abogada nuestra,
vuelve a nosotros esos tus ojos
misericordiosos;
y después de este destierro,
muéstranos a Jesús,
fruto bendito de tu vientre.
¡Oh, clementísima, oh piadosa,
oh dulce Virgen María!

Memorare

Remember, O most gracious Virgin Mary,
that never was it known
that anyone who fled to thy protection,
implored thy help,
or sought thy intercession,
was left unaided.
Inspired by this confidence
I fly unto thee,
O Virgin of virgins, my Mother.
To thee do I come,
before thee I stand,
sinful and sorrowful.
O Mother of the Word Incarnate,
despise not my petitions,
but in thy mercy hear and answer me.
Amen.

Queen of Heaven (Regina Caeli)

Queen of heaven, rejoice. alleluia.
The Son whom you merited to bear, alleluia,
has risen as he said, alleluia.
Rejoice and be glad, O Virgin Mary, alleluia.
For the Lord has truly risen, alleluia.

Let us pray;
O God, who through the resurrection of your Son, our Lord Jesus Christ, did vouchsafe to give joy to the world; grant, we beseech you, that through his Mother, the virgin Mary, we may obtain the joys of everlasting life.
Through the same Christ our Lord.
Amen.

Magnificat

My soul proclaims the greatness of the Lord,
my spirit rejoices in God my Savior,
for he has looked with favor on his lowly servant.
From this day all generations will call me blessed:
the Almighty has done great things for me,
and holy is his Name.
He has mercy on those who fear him
in every generation.
He has shown the strength of his arm,
he has scattered the proud in their conceit.
He has cast down the mighty from their thrones,
and has lifted up the lowly.
He has filled the hungry with good things,
and the rich he has sent away empty.
He has come to the help of his servant Israel
for he has remembered his promise of mercy,
the promise he made to our fathers,
to Abraham and his children forever.

Hail Holy Queen (Salve Regina)

Hail, Holy Queen, Mother of Mercy,
our life, our sweetness and our hope.
To you do we cry,
poor banished children of Eve.
To you do we send up our sighs,
mourning and weeping in this valley of tears.
Turn then, most gracious advocate,
your eyes of mercy toward us,
and after this exile
show unto us the blessed fruit
of thy womb, Jesus.
O clement, O loving,
O sweet Virgin Mary.

Rezar el Rosario

El Rosario nos ayuda a rezar a Jesús por medio de María. Cuando rezamos el Rosario pensamos en los sucesos especiales, o misterios, de la vida de Jesús y María.

El rosario es de una sarta de cuentas y un crucifijo. Sostenemos el crucifijo en una mano mientras rezamos la Señal de la Cruz. Luego rezamos el Credo o Símbolo de los Apóstoles.

Partiendo del crucifijo hay una cuenta sola, seguida por un grupo de tres cuentas, y, a continuación, otra cuenta sola. Rezamos el Padrenuestro al tiempo que sostenemos la primera cuenta, y un Avemaría por cada cuenta del grupo de tres que le siguen. Luego, rezamos el Gloria al Padre. Al llegar a la próxima cuenta separada pensamos en el primer misterio y rezamos el Padrenuestro.

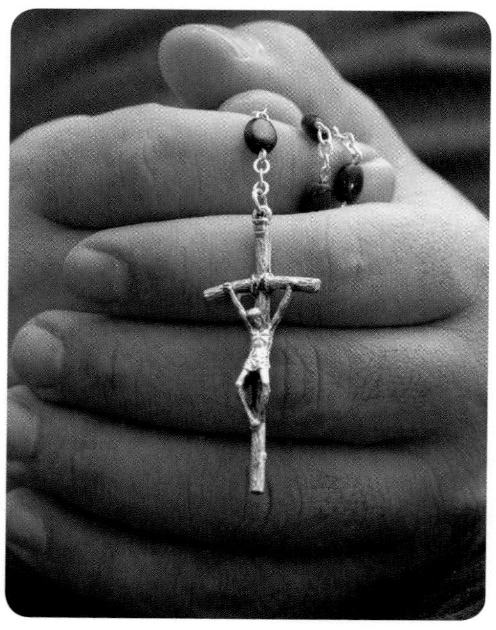

El Rosario incluye cinco series de 10 cuentas cada una; cada serie se denomina "decena". Rezamos un Avemaría por cada cuenta de la decena mientras reflexionamos sobre un misterio concreto de la vida de Jesús y María. Al final de cada decena rezamos un Gloria al Padre. Entre decena y decena hay una cuenta separada para rezar un Padrenuestro mientras pensamos en uno de los misterios. Terminamos sosteniendo el crucifijo en ambas manos al tiempo que hacemos la Señal de la Cruz.

The Fifteen Mysteries and the Virgin of the Rosary, **anonymous Netherlandish painter, 1515–20.**

Los quince misterios y la Virgen del Rosario, **pintura anónima holandesa, 1515–20.**

Praying the Rosary

The Rosary helps us pray to Jesus through Mary. When we pray the Rosary, we think about the special events, or mysteries, in the lives of Jesus and Mary.

The Rosary is made up of a string of beads and a crucifix. We hold the crucifix in our hand as we pray the Sign of the Cross. Then we pray the Apostles' Creed.

Following the crucifix there is a single bead, followed by a set of three beads and another single bead. We pray the Lord's Prayer as we hold the first single bead, and a Hail Mary at each bead in the set of three that follows. Then we pray the Glory Be to the Father. On the next single bead, we think about the first mystery and pray the Lord's Prayer.

There are 5 sets of 10 beads; each set is called a decade. We pray a Hail Mary on each bead of a decade as we reflect on a particular mystery in the lives of Jesus and Mary. The Glory Be to the Father is prayed at the end of each decade. Between decades is a single bead on which we think about one of the mysteries and pray the Lord's Prayer. We end by holding the crucifix in our hands as we pray the Sign of the Cross.

rosary

R EL ROSARIO

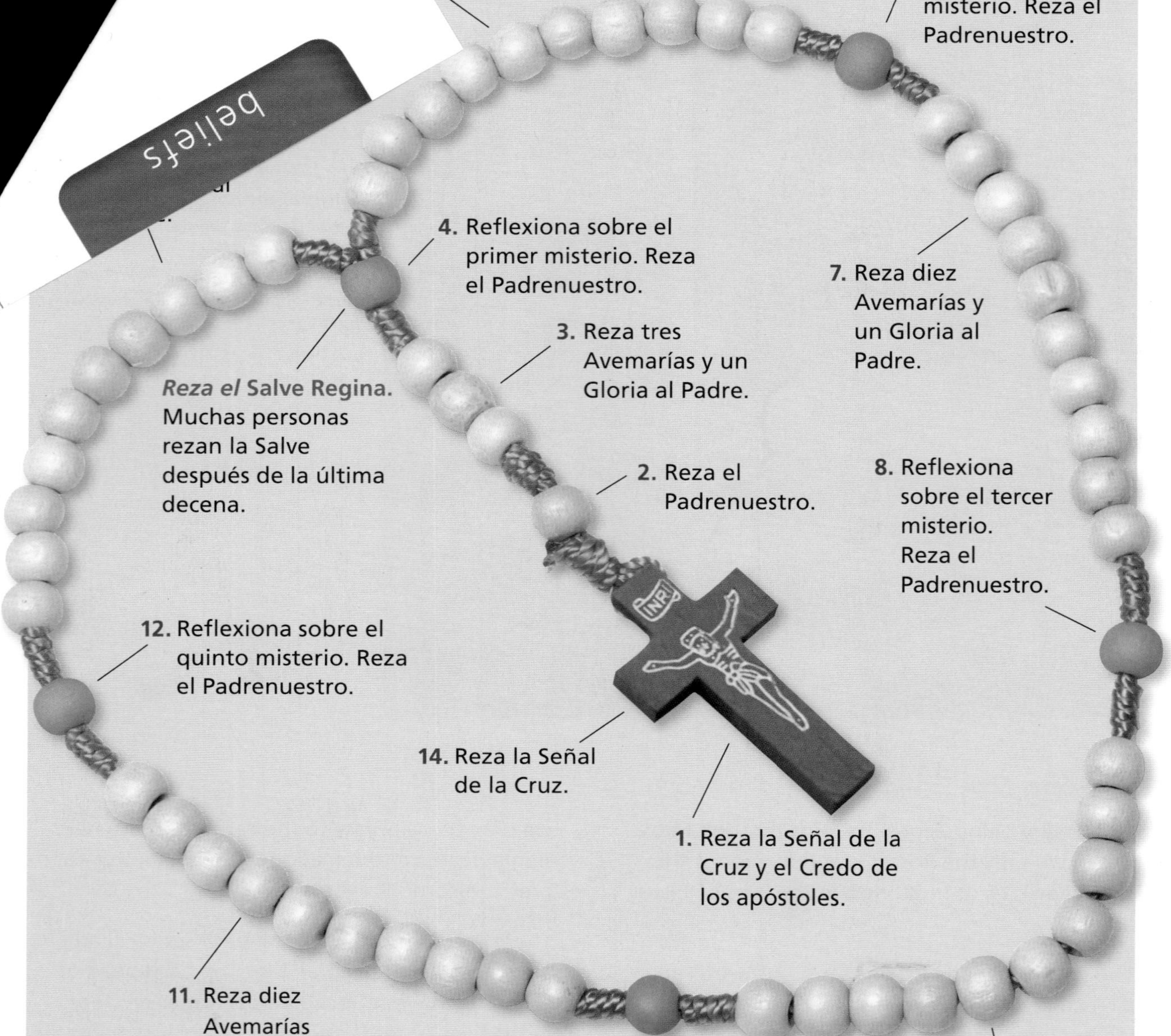

beliefs

Avemarías
al Padre.

1. Reza la Señal de la Cruz y el Credo de los apóstoles.

2. Reza el Padrenuestro.

3. Reza tres Avemarías y un Gloria al Padre.

4. Reflexiona sobre el primer misterio. Reza el Padrenuestro.

6. Reflexiona sobre el segundo misterio. Reza el Padrenuestro.

7. Reza diez Avemarías y un Gloria al Padre.

8. Reflexiona sobre el tercer misterio. Reza el Padrenuestro.

9. Reza diez Avemarías y un Gloria al Padre.

10. Reflexiona sobre el cuarto misterio. Reza el Padrenuestro.

11. Reza diez Avemarías y un Gloria al Padre.

12. Reflexiona sobre el quinto misterio. Reza el Padrenuestro.

Reza el **Salve Regina.** Muchas personas rezan la Salve después de la última decena.

14. Reza la Señal de la Cruz.

rosario

STEPS IN PRAYING THE ROSARY

1. Pray the Sign of the Cross and the Apostles' Creed.
2. Pray the Lord's Prayer.
3. Pray three Hail Marys and one Glory Be to the Father.
4. Think about the first mystery. Pray the Lord's Prayer.
5. Pray ten Hail Marys and one Glory Be to the Father.
6. Think about the second mystery. Pray the Lord's Prayer.
7. Pray ten Hail Marys and one Glory Be to the Father.
8. Think about the third mystery. Pray the Lord's Prayer.
9. Pray ten Hail Marys and one Glory Be to the Father.
10. Think about the fourth mystery. Pray the Lord's Prayer.
11. Pray ten Hail Marys and one Glory Be to the Father.
12. Think about the fifth mystery. Pray the Lord's Prayer.
13. Pray ten Hail Marys and one Glory Be to the Father.
14. Pray the Sign of the Cross.
Pray the Hail, Holy Queen.
Many people pray the Hail, Holy Queen after the last decade.

creencias

Los misterios del Rosario

Durante años la Iglesia ha utilizado tres grupos de misterios. En el 2002, el papa Juan Pablo II propuso incluir un cuarto grupo de misterios: los misterios de la luz o misterios luminosos. También recomendó rezar los misterios de la siguiente manera: lunes y sábado, los misterios gozosos; martes y viernes, los misterios dolorosos; miércoles y domingo, los misterios gloriosos; y jueves, los misterios luminosos.

Los misterios gozosos

1. **La Anunciación**
   María descubre de que ha sido elegida para convertirse en la madre de Jesús.
2. **La Visitación**
   María visita a Isabel, quien la llama bendita entre todas las mujeres.
3. **El Nacimiento**
   Jesús nace en el portal de Belén.
4. **La Presentación**
   María y José presentan al Niño Jesús en el Templo.
5. **El Niño Jesús perdido y hallado en el templo**
   Encuentran a Jesús en el templo dialogando con los maestros de la fe.

Los misterios luminosos

1. **El Bautismo de Jesús en el Jordán**
   Dios Padre proclama que Jesús es su Hijo muy querido.
2. **La autorrevelación de Jesús en las bodas de Caná**
   Jesús obra su primer milagro por intercesión de María.
3. **El anuncio del Reino de Dios**
   Jesús llama a la conversión y al servicio del reino.
4. **La Transfiguración**
   Jesús revela su gloria ante Pedro, Santiago y Juan.
5. **La institución de la Eucaristía**
   Jesús ofrece su Cuerpo y su Sangre en la Última Cena.

Los misterios dolorosos

1. **La oración de Jesús en el huerto**
   Jesús reza en el huerto de Getsemaní la noche antes de morir.
2. **La flagelación del Señor**
   Jesús es azotado.
3. **La Coronación de espinas**
   Jesús es objeto de burlas y humillado con una corona de espinas.
4. **Jesús, con la cruz a cuestas, camino del Calvario**
   Jesús lleva a cuestas la cruz en que será crucificado.
5. **La crucifixión y muerte de Jesús**
   Jesús es clavado en la cruz y muere.

Los misterios gloriosos

1. **La Resurrección del Hijo de Dios**
   Dios Padre resucita a su Hijo Jesús de entre los muertos.
2. **La Ascensión del Señor a los cielos**
   Jesús regresa al cielo para estar con su Padre.
3. **La venida del Espíritu Santo sobre los apóstoles**
   El Espíritu Santo viene a traer vida nueva a los discípulos.
4. **La Asunción de Nuestra Señora a los cielos**
   Al término de su paso por la tierra, María asciende al cielo en cuerpo y alma.
5. **La coronación de la Santísima Virgen como Reina de los cielos y tierra**
   María es coronada como Reina de los cielos y la tierra.

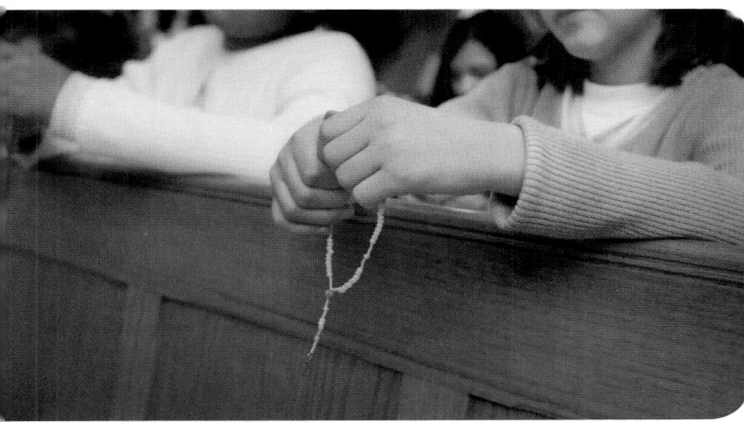

The Mysteries of the Rosary

The Church has used three sets of mysteries for many years. In 2002 Pope John Paul II proposed a fourth set of mysteries, the Mysteries of Light, or the Luminous Mysteries. According to his suggestion, the mysteries might be prayed on the following days: the Joyful Mysteries on Monday and Saturday, the Sorrowful Mysteries on Tuesday and Friday, the Glorious Mysteries on Wednesday and Sunday, and the Luminous Mysteries on Thursday.

The Joyful Mysteries

1. **The Annunciation**
   Mary learns that she has been chosen to be the mother of Jesus.
2. **The Visitation**
   Mary visits Elizabeth, who tells Mary that she will always be remembered.
3. **The Nativity**
   Jesus is born in a stable in Bethlehem.
4. **The Presentation**
   Mary and Joseph bring the infant Jesus to the Temple to present him to God.
5. **The Finding of Jesus in the Temple**
   Jesus is found in the Temple discussing his faith with the teachers.

The Luminous Mysteries

1. **The Baptism of Jesus in the River Jordan**
   God the Father proclaims that Jesus is his beloved Son.
2. **The Wedding Feast at Cana**
   At Mary's request, Jesus performs his first miracle.
3. **The Proclamation of the Kingdom of God**
   Jesus calls all to conversion and service to the kingdom.
4. **The Transfiguration of Jesus**
   Jesus is revealed in glory to Peter, James, and John.
5. **The Institution of the Eucharist**
   Jesus offers his Body and Blood at the Last Supper.

The Sorrowful Mysteries

1. **The Agony in the Garden**
   Jesus prays in the Garden of Gethsemane on the night before he dies.
2. **The Scourging at the Pillar**
   Jesus is lashed with whips.
3. **The Crowning with Thorns**
   Jesus is mocked and crowned with thorns.
4. **The Carrying of the Cross**
   Jesus carries the cross that will be used to crucify him.
5. **The Crucifixion**
   Jesus is nailed to the cross and dies.

The Glorious Mysteries

1. **The Resurrection**
   God the Father raises Jesus from the dead.
2. **The Ascension**
   Jesus returns to his Father in Heaven.
3. **The Coming of the Holy Spirit**
   The Holy Spirit comes to bring new life to the disciples.
4. **The Assumption of Mary**
   At the end of her life on earth, Mary is taken body and soul into Heaven.
5. **The Coronation of Mary**
   Mary is crowned as Queen of Heaven and Earth.

El *Vía Crucis*

Las catorce estaciones del *Vía Crucis* representan diferentes momentos de la Pasión y muerte de Jesús. En cada estación usamos nuestros sentidos e imaginación para reflexionar en oración sobre el misterio del sufrimiento, muerte y Resurrección de Jesús.

1

Jesús es condenado a muerte.
Poncio Pilato condena a Jesús a muerte.

2

Jesús carga con su cruz.
Jesús acepta llevar con paciencia la cruz.

3

Jesús cae por primera vez.
Debilitado por los tormentos y la pérdida de sangre, Jesús cae bajo el peso de su cruz.

4

Jesús se encuentra con su dolorida madre.
Jesús encuentra a su madre, María, llena de dolor.

5

Simón el cirineo ayuda a Jesús a cargar la cruz.
Los soldados obligan a Simón el cirineo a cargar la cruz.

6

Verónica limpia el rostro de Jesús.
Verónica se abre paso entre la multitud para limpiar el rostro de Jesús.

Continúa en la página 98

Vía Crucis

Stations of the Cross

The 14 Stations of the Cross represent events from Jesus' Passion and Death. At each station, we use our senses and imaginations to reflect prayerfully on the mystery of Jesus' suffering, Death, and Resurrection.

1

Jesus Is Condemned to Death.
Pontius Pilate condemns Jesus to death.

2

Jesus Takes Up His Cross.
Jesus willingly accepts and patiently bears his cross.

3

Jesus Falls the First Time.
Weakened by torments and loss of blood, Jesus falls beneath his cross.

4

Jesus Meets His Sorrowful Mother.
Jesus meets his mother, Mary, who is filled with grief.

5

Simon of Cyrene Helps Jesus Carry the Cross.
Soldiers force Simon of Cyrene to carry the cross.

6

Veronica Wipes the Face of Jesus.
Veronica steps through the crowd to wipe the face of Jesus.

Continued on page 98

Stations

7

Jesús cae por segunda vez.
Jesús cae por segunda vez bajo el peso de la cruz.

8

Jesús se encuentra con las mujeres de Jerusalén.
Jesús les dice a las mujeres que no lloren por él sino por ellas mismas y sus hijos.

9

Jesús cae por tercera vez.
Debilitado, casi al borde de la muerte, Jesús cae por tercera vez.

10

Jesús es despojado de sus vestiduras.
Los soldados despojan a Jesús de sus vestiduras y lo tratan como un delincuente común.

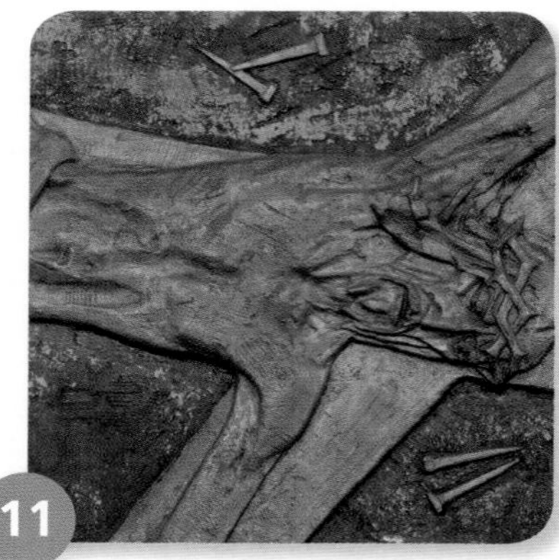

11

Jesús es clavado en la cruz.
Las manos y los pies de Jesús son clavados en la cruz.

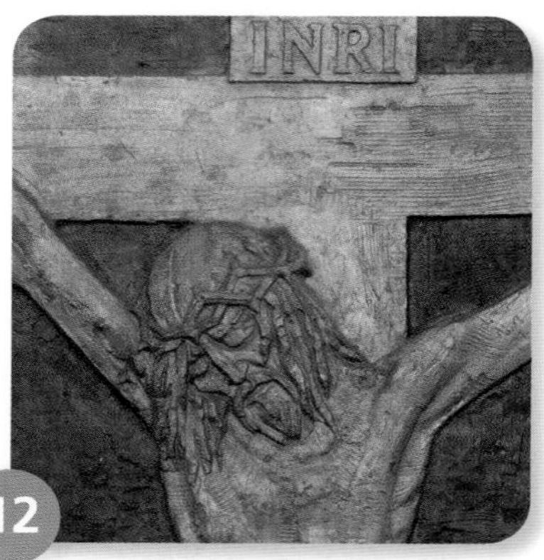

12

Jesús muere en la cruz.
Después de tanto sufrimiento en la cruz, Jesús inclina la cabeza y muere.

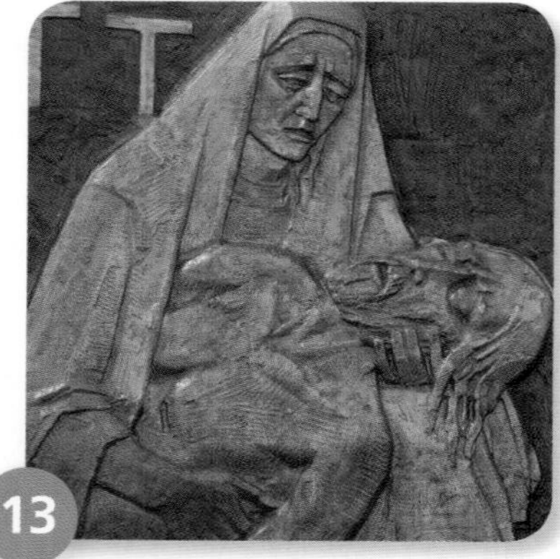

13

Jesús es bajado de la cruz.
El cuerpo sin vida de Jesús es depositado amorosamente en los brazos de María, su madre.

14

Jesús es sepultado.
Los discípulos de Jesús colocan su cuerpo en el sepulcro.

La oración de cierre, que a veces se incluye como decimoquinta estación, reflexiona sobre la Resurrección de Jesús.

7

Jesus Falls a Second Time.
Jesus falls beneath the weight of the cross a second time.

8

Jesus Meets the Women of Jerusalem.
Jesus tells the women not to weep for him but for themselves and their children.

9

Jesus Falls the Third Time.
Weakened almost to the point of death, Jesus falls a third time.

10

Jesus Is Stripped of His Garments.
The soldiers strip Jesus of his garments, treating him as a common criminal.

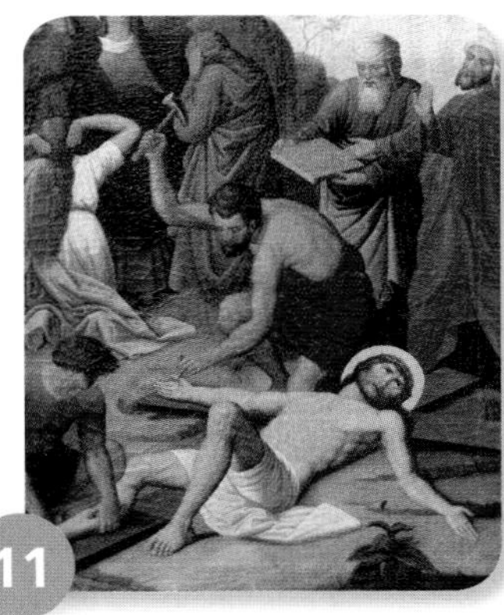

11

Jesus Is Nailed to the Cross.
Jesus' hands and feet are nailed to the cross.

12

Jesus Dies on the Cross.
After suffering greatly on the cross, Jesus bows his head and dies.

13

Jesus Is Taken Down from the Cross.
The lifeless body of Jesus is tenderly placed in the arms of Mary, his mother.

14

Jesus Is Laid in the Tomb.
Jesus' disciples place his body in the tomb.

The closing prayer—sometimes included as a 15th station—reflects on the Resurrection of Jesus.

glosario

A

Acto penitencial acto ceremonial formal por el que se le pide a Dios perdón por los pecados. Los ritos penitenciales se pueden encontrar en muchas liturgias, especialmente en el Ritual de la Unción de los Enfermos y en la misa. [Penitential Rite]

adoración el acto de rendir culto a Dios con el cuerpo, el pensamiento y el alma. Reconocer y venerar a Dios en el Santísimo Sacramento se suele denominar adoración. [adoration]

año litúrgico la celebración a lo largo del año de los misterios asociados con el nacimiento, vida, muerte, Resurrección y Ascensión del Señor. El ciclo del año litúrgico marca el ritmo básico de la vida de oración de los cristianos. [liturgical year]

apostólica el atributo de la Iglesia que indica que Jesús continúa guiando a la Iglesia a través del papa y los obispos. El papa y los obispos son los sucesores de los apóstoles. [Apostolic]

Asunción María llevada al cielo en cuerpo y alma. María tenía una relación especial con su Hijo, Jesús, desde el momento en que lo concibió. Por esta relación María participa de forma especial en la Resurrección de Jesús y fue elevada al cielo, donde ahora vive con él. Celebramos este hecho en la solemnidad de la Asunción el 15 de agosto. [Assumption]

atributos de la Iglesia las características principales que distinguen a la Iglesia. Los cuatro atributos son la base desde la que reconocemos a la Iglesia católica. La Iglesia es una, santa, católica y apostólica. [Marks of the Church]

B

Bautismo el primero de los siete sacramentos. El Bautismo nos libera del pecado original y es necesario para la Salvación. El Bautismo nos da una vida nueva en Jesucristo a través del Espíritu Santo. El celebrante bautiza a la persona con agua en el nombre del Padre, del Hijo y del Espíritu Santo. [Baptism]

bien común la suma total de las condiciones sociales que permiten a las personas, de forma individual o colectiva, alcanzar todo su potencial. Requiere paz, seguridad, respeto por los derechos de todas las personas y cubrir las necesidades espirituales y terrenales de todos los seres humanos. Las personas tienen la responsabilidad de contribuir al bien de toda la sociedad. Es uno de los principios centrales básicos de la doctrina social de la Iglesia. [common good]

Bienaventuranzas las enseñanzas de Jesús en el Sermón de la Montaña que figuran en el Evangelio según san Mateo. Las Bienaventuranzas son ocho maneras de vivir una vida cristiana. Son la realización de los mandamientos transmitidos a Moisés. Estas enseñanzas nos muestran el camino hacia la verdadera felicidad. [Beatitudes]

C

canonizado el estado de una persona a quien la Iglesia ha declarado santa. Para que una persona sea canonizada debe haberse demostrado que llevó una vida cristiana santa y virtuosa y deben haberse atribuido a su intercesión al menos dos milagros. [canonized]

católica uno de los cuatro atributos de la Iglesia. La Iglesia es católica porque Jesús está totalmente presente en ella, porque proclama la plenitud de la fe y porque Jesús le dio la Iglesia al mundo entero. La Iglesia es universal. [catholic]

conciencia voz interna que nos ayuda a juzgar la moralidad de nuestras acciones. Nos guía para seguir la ley de Dios haciendo el bien y evitando el mal. [conscience]

confesión acto por el que decimos nuestros pecados a un sacerdote en el sacramento de la Penitencia y la Reconciliación. A veces se alude al sacramento en sí como confesión. [confession]

Confirmación sacramento que completa la gracia que recibimos en el Bautismo. Sella, o confirma, esta gracia por medio de los siete dones del Espíritu Santo que recibimos como parte de la Confirmación. Este sacramento hace que podamos participar mejor en el culto y la vida apostólica de la Iglesia. [Confirmation]

contemplación el acto de centrarse en Dios de manera continua y en oración. Muchas comunidades religiosas y espiritualidades de la Iglesia se dedican a la contemplación. [contemplation]

contrición la pena que sentimos cuando sabemos que hemos pecado, seguido por la decisión de no volver a pecar. La contrición es el acto más importante del penitente que se prepara para celebrar el sacramento de la Penitencia y la Reconciliación. [contrition]

Credo breve resumen de lo que creen las personas. La palabra *credo* viene del latín y significa "yo creo". El Credo Niceno y el Credo de los Apóstoles son el resumen más importante de las creencias cristianas. [Creed]

Cuerpo de Cristo en el sacramento de la Eucaristía, el Señor Jesucristo resucitado en su totalidad, cuerpo, sangre, alma y divinidad, está presente bajo la apariencia de pan y vino. Si una persona recibe un solo elemento del sacramento, es decir, solo el Cuerpo o solo la Sangre, esa persona todavía recibe a Jesús en su totalidad: cuerpo, sangre, alma y divinidad. [Body of Christ]

D

Diez Mandamientos las diez reglas que Dios transmitió a Moisés en el Monte Sinaí que resumen la ley de Dios y nos muestran lo que se necesita para amar a Dios y a nuestro prójimo. Al seguir los Diez Mandamientos los judíos aceptaron su alianza con Dios. [Ten Commandments]

glossary

A

adoration the act of giving reverence to God in body, mind, and soul. Recognizing and worshiping God in the Blessed Sacrament is often called adoration. [adoración]

Anointing of the Sick one of the seven sacraments. In this sacrament a sick person has holy oil applied and receives the strength, peace, and courage to overcome the difficulties associated with illness. Through this sacrament Jesus brings the recipient spiritual healing and forgiveness of sins. If it is God's will, healing of the body is given as well. [Unción de los Enfermos]

apostolic the Mark of the Church that indicates that Jesus continues to lead the Church through the pope and the bishops. The pope and the bishops are the successors of the Apostles. [apostólica]

Assumption Mary's being taken, body and soul, into Heaven. Mary had a special relationship with her Son, Jesus, from the very beginning when she conceived him. Because of this relationship, she enjoys a special participation in Jesus' Resurrection and has been taken into Heaven where she now lives with him. We celebrate this event in the Feast of the Assumption on August 15. [Asunción]

B

Baptism the first of the seven sacraments. Baptism frees us from Original Sin and is necessary for Salvation. Baptism gives us new life in Jesus Christ through the Holy Spirit. The celebrant baptizes the person with water in the name of the Father, the Son, and the Holy Spirit. [Bautismo]

baptismal promises the promises made by a person about to be baptized, or by the parents or godparents on behalf of an infant or a child unable to make promises on his or her own. The baptismal promises renounce Satan and commit the person to living a faithful Christian life. [promesas bautismales]

Beatitudes the teachings of Jesus in the Sermon on the Mount in Matthew's Gospel. The Beatitudes are eight ways of living the Christian life. They are the fulfillment of the commandments given to Moses. These teachings present the way to true happiness. [Bienaventuranzas]

Body of Christ In the Sacrament of the Eucharist, all the risen Lord Jesus Christ—body, blood, soul, and divinity—is present under the appearances of bread and wine. If a person receives only one element of the sacrament, that is, only the Body or only the Blood, that person still receives Jesus completely—body, blood, soul, and divinity. [Cuerpo de Cristo]

C

canonized the state of a person who has been declared a saint by the Church. A canonized person has been found to have lived a holy and virtuous Christian life and has had two miracles attributed to his or her intercession. [canonizado]

Cardinal Virtues the four virtues that help a person live in relationship with God and with others: prudence, justice, fortitude, and temperance. [virtudes cardinales]

catholic one of the four Marks of the Church. The Church is catholic because Jesus is fully present in it, because it proclaims the fullness of faith, and because Jesus has given the Church to the whole world. The Church is universal. [católica]

centering prayer a popular form of contemplation that opens our heart to God's grace. Centering prayer uses a word or phrase to focus our mind and heart. [oración centrante]

common good the sum total of the social conditions that allow people, individually and as a group, to reach their full potential. It requires peace, security, respecting everyone's rights, and meeting everyone's spiritual and worldly needs. People have a responsibility to contribute to the good of the entire society. It is one of the basic principles at the center of Catholic Social Teaching. [bien común]

confession the act of telling our sins to a priest in the Sacrament of Penance and Reconciliation. The sacrament itself is sometimes referred to as confession. [confesión]

Confirmation the sacrament that completes the grace we receive in Baptism. It seals, or confirms, this grace through the seven Gifts of the Holy Spirit that we receive as part of Confirmation. This sacrament also makes us better able to participate in the worship and apostolic life of the Church. [Confirmación]

conscience the inner voice that helps each of us judge the morality of our own actions. It guides us to follow God's law by doing good and avoiding evil. [conciencia]

contemplation the act of prayerfully and continuously focusing on God. Many religious communities and spiritualities in the Church are devoted to contemplation. [contemplación]

contrition the sorrow we feel when we know that we have sinned, followed by the decision not to sin again. Contrition is the most important act of the penitent preparing to celebrate the Sacrament of Penance and Reconciliation. [contrición]

Corporal Works of Mercy kind acts by which we help our neighbors with their everyday material needs. Corporal Works of Mercy include feeding the hungry, giving drink to the thirsty, finding a home for the homeless, clothing the naked, visiting the sick and those in prison and burying the dead. [obras de misericordia corporales]

Creed a brief summary of what people believe. The word *creed* comes from the Latin *credo,* "I believe." The Nicene Creed and the Apostles' Creed are the most important summaries of Christian beliefs. [Credo]

E

Espíritu Santo tercera Persona de la Trinidad que nos fue enviada para ayudarnos y llenarnos de la vida de Dios a través del Bautismo y la Confirmación. Junto al Padre y al Hijo, el Espíritu Santo completa el plan divino de Salvación. [Holy Spirit]

Eucaristía sacramento por el que damos las gracias a Dios por darnos el Cuerpo y la Sangre de Cristo. Jesucristo resucitado tiene presencia real en la Eucaristía. Esto significa que su cuerpo, sangre, alma y divinidad están presentes de manera plena y total. La presencia real de Jesucristo resucitado en la Eucaristía se llama transubstanciación. [Eucharist]

examen diario meditación en forma de oración desarrollada por Ignacio de Loyola que nos ayuda a ver a Dios en acción en nuestra vida diaria. En el examen diario rezamos para pedir luz, dar gracias, repasar la jornada, considerar lo que hemos hecho mal y tomar resoluciones para el día siguiente. [daily examen]

F

fe don de Dios que nos ayuda a creer en él. Profesamos nuestra fe en el Credo, la celebramos en los sacramentos, vivimos conforme a ella por medio de nuestra buena conducta al amar a Dios y a nuestro prójimo, y la expresamos en oración. Es la adhesión individual plena de cada persona a Dios, quien se nos ha revelado por medio de palabras y obras a lo largo de la historia. [faith]

H

Hijo título revelado por Jesús que indica su relación única con Dios Padre. La Revelación de esta divina relación filial es el desarrollo dramático principal de la historia de Jesús de Nazaret que se relata en el Evangelio. [Son]

I

incienso sustancia de aroma dulce que se quema durante la liturgia. Así como los judíos quemaban incienso para honrar a Dios en el Templo, la Iglesia usa incienso para honrarlo durante el culto. El incienso se eleva a Dios y nos recuerda cómo nuestras plegarias ascienden hasta el cielo. [Incense]

Inmaculada Concepción dogma de la Iglesia que dice que María estuvo libre de pecado original desde el momento que fue concebida. Fue preservada por los méritos de su Hijo, Jesús, el Salvador de la raza humana. Fue declarado dogma de la Iglesia católica por el papa Pío IX en 1854 y se celebra el 8 de diciembre. [Immaculate Conception]

interceder rezar por otra persona, normalmente para satisfacer una necesidad. Podemos pedirle a otros que intercedan por nosotros, ya sea a personas vivas en la tierra o a quienes se encuentran con Dios en el cielo. [intercede]

intercesión oración que pide por las necesidades de otra persona. Podemos pedir la intercesión de quienes están en el cielo, como María y los santos, o de quienes todavía están en la tierra con nosotros. [intercesión]

L

laicos todos aquellos que mediante el Bautismo se han convertido en miembros de Cristo y participan en las funciones sacerdotales, proféticas y reales de Cristo en su misión para todo el mundo. El laicado es distinto del clero, cuyos miembros son distinguidos como ministros para servir a la Iglesia. [laity]

Ley del Amor, la los mandamientos de Dios, que constituyen una guía para amar a Dios y al prójimo. La Ley del amor nos hace libres para vivir de la forma correcta, de acuerdo con la voluntad de Dios. [Law of Love, the]

libre voluntad la facultad de elegir hacer el bien porque estamos hechos a imagen y semejanza de Dios. La libre voluntad nos hace verdaderamente humanos. Poner en práctica la libre voluntad para obrar bien nos hace más libres. Hacer uso de la libre voluntad para pecar nos hace esclavos del pecado. [free will]

liturgia oración pública de la Iglesia que celebra las cosas maravillosas que Dios ha hecho por nosotros a través de Jesucristo, nuestro sacerdote supremo, y la manera en que continúa la obra de nuestra Salvación. El significado original de la palabra *liturgia* era “obra o servicio público que se realiza en favor del pueblo”. [liturgy]

M

Matrimonio acuerdo solemne entre un hombre y una mujer para ser compañeros durante toda la vida, por su propio bien y para la crianza de sus hijos. El Matrimonio es un sacramento cuando el acuerdo se hace de forma apropiada entre cristianos bautizados. [Matrimony]

meditación forma de oración que consiste en guardar silencio y escuchar para lograr entender a través de la imaginación, la emoción y el deseo cómo seguir a Dios y responder a lo que él nos pide. Al concentrarnos en una palabra o imagen vamos más allá de nuestros pensamientos, vaciamos la mente de todo aquello que se interpone entre Dios y nosotros y simplemente descansamos siendo conscientes de Dios. [meditation]

misericordia don que nos hace capaces de responder a los necesitados y ofrecerles cuidados y compasión. La misericordia de Dios es una realidad para nosotros porque él siempre está dispuesto a perdonar nuestros pecados. El don de la misericordia es una gracia que nos otorgó Jesucristo. [mercy]

D

daily examen a prayerful meditation developed by Ignatius of Loyola that helps us see God at work in our daily lives. In the daily examen, we pray for light, give thanks, review the day, look at what we have done wrong, and make resolutions for the day to come. [examen diario]

E

Eucharist the sacrament in which we give thanks to God for giving us the Body and Blood of Christ. The risen Jesus Christ has Real Presence in the Eucharist. This means his body, blood, soul, and divinity are wholly and entirely present. We call the Real Presence of the risen Jesus Christ in the Eucharist transubstantiation. [Eucaristía]

F

faith a gift of God that helps us believe in him. We profess our faith in the Creed, celebrate it in the sacraments, live by it through our good conduct of loving God and our neighbor, and express it in prayer. It is a personal adherence of the whole person to God, who has revealed himself to us through words and actions throughout history. [fe]

Father the first Person of the Trinity as revealed to us by Jesus, his only begotten Son [Padre]

Fathers of the Church the leaders of the Church in the first centuries after the time of the Apostles. The Fathers were important early thinkers and writers who continue to influence and inspire the Church. [Padres de la Iglesia]

free will the ability to choose to do good because we are made in the image of God. Our free will is what makes us truly human. Our exercise of free will to do good increases our freedom. Using free will to choose sin makes us slaves to sin. [libre voluntad]

G

godparents witnesses to Baptism who assume the responsibility for helping the baptized person along the road of Christian life [padrinos]

H

Holy Orders the sacrament through which the mission given by Jesus to his Apostles continues in the Church. The sacrament has three degrees: deacon, priest, and bishop. Through the laying on of hands in the Sacrament of Holy Orders, men receive a permanent sacramental mark that calls them to minister to the Church. [Orden, sacramento del]

Holy Spirit the third Person of the Trinity, who is sent to us as our helper and, through Baptism and Confirmation, fills us with God's life. Together with the Father and the Son, the Holy Spirit brings the divine plan of Salvation to completion. [Espíritu Santo]

I

imaginative prayer a prayer that uses the Gospels or other Scripture readings to focus our thoughts on God and his will for our lives. In imaginative prayer, we can put ourselves in the situation from the passage to help make God present to us. [oración imaginativa]

Immaculate Conception the Church teaching that Mary was free from Original Sin from the first moment of her conception. She was preserved through the merits of her Son, Jesus, the Savior of the human race. It was declared a dogma of the Catholic Church by Pope Pius IX in 1854 and is celebrated on December 8. [Inmaculada Concepción]

incense a sweet-smelling substance that is burned during the liturgy. Just as Jews burned incense to honor God in the Temple, the Church uses incense to honor him during worship. Incense ascends to God, reminding us of how our prayers rise up to Heaven. [incienso]

intercede to pray on someone else's behalf, usually to fulfill some need. We can ask others to intercede for us, whether they are alive on earth or in Heaven with God. [interceder]

intercession a prayer that asks for the fulfillment of another's needs. We can ask for the intercession of those in Heaven, such as Mary and the saints, or those still with us here on earth. [intercesión]

L

laity those who have been made members of Christ in Baptism and who participate in the priestly, prophetic, and kingly functions of Christ in his mission to the whole world. The laity is distinct from the clergy, whose members are set apart as ministers to serve the Church. [laicos]

Law of Love, the the commandments of God that are a guide to loving God and other people. The Law of Love sets us free to live in the right way in accordance with the will of God. [Ley del Amor, la]

liturgical year the celebration throughout the year of the mysteries of the Lord's birth, life, Death, Resurrection, and Ascension. The cycle of the liturgical year constitutes the basic rhythm of the Christian's life of prayer. [año litúrgico]

liturgy the public prayer of the Church that celebrates the wonderful things God has done for us in Jesus Christ, our high priest, and the way in which he continues the work of our Salvation. The original meaning of *liturgy* was "a public work or service done for the people." [liturgia]

Misterio Pascual la obra de salvación lograda por Jesucristo a través de su Pasión, muerte, Resurrección y Ascensión. El Misterio Pascual se celebra en la liturgia de la Iglesia y experimentamos sus efectos redentores en los sacramentos. En cada liturgia de la Iglesia Dios Padre es bendecido y adorado como fuente de todas las bendiciones que hemos recibido a través de su Hijo para hacernos hijos suyos por medio del Espíritu Santo. [Paschal Mystery]

O

obras de misericordia corporales actos de bondad con los que ayudamos a nuestro prójimo a satisfacer sus necesidades materiales diarias. Las obras de misericordia corporales incluyen dar de comer al hambriento, dar de beber al sediento, dar posada al peregrino, vestir al desnudo, visitar a los enfermos y a los presos y enterrar a los muertos. [Corporal Works of Mercy]

obras de misericordia espirituales actos de bondad con los que ayudamos a nuestro prójimo a satisfacer las necesidades que van más allá de lo material. Las obras de misericordia espirituales incluyen dar buen consejo al que lo necesita, enseñar al que no sabe, corregir al que yerra, consolar al triste, perdonar las injurias, sufrir con paciencia los defectos de los demás y rogar a Dios por vivos y difuntos. [Spiritual Works of Mercy]

oración centrante forma de contemplación muy popular que abre nuestro corazón a la gracia de Dios. La oración centrante usa una palabra o frase para enfocar nuestra mente y nuestro corazón. [centering prayer]

oración imaginativa oración que emplea el Evangelio u otras lecturas de las Sagradas Escrituras para enfocar nuestro pensamiento en Dios y en su voluntad para nuestra vida. En la oración imaginativa podemos situarnos mentalmente en la escena del pasaje bíblico para ayudar a que Dios se haga presente ante nosotros. [imaginative prayer]

oración vocal oración que usa palabras para hablar con Dios. La oración vocal es la forma más común y natural de hablar con Dios. [vocal prayer]

oraciones espontáneas el acto de reflexionar con nuestras propias palabras sobre nuestra relación con Dios o sobre su obra en nuestra vida. La oración espontánea puede ser para dar gracias, para hacer una petición, mostrar contrición o meditar. [spontaneous prayer]

oraciones tradicionales las oraciones que la Iglesia ha transmitido a través de los siglos que permiten a las personas rezar al unísono. Los salmos y el Rosario son ejemplos de oraciones tradicionales. [traditional prayers]

Orden, sacramento del sacramento mediante el cual la misión encomendada por Jesús a sus apóstoles continúa en la Iglesia. El sacramento tiene tres grados u órdenes: diácono, sacerdote y obispo. Los varones reciben, a través de la imposición de las manos, una marca sacramental que los llama a ser ministros de la Iglesia. [Holy Orders]

P

Padre primera Persona de la Trinidad, que se nos revela por medio de Jesús, su único Hijo. [Father]

Padres de la Iglesia los líderes de la Iglesia durante los primeros siglos que siguieron al tiempo de los Apóstoles. Los Padres de la Iglesia fueron importantes pensadores y escritores de esa época temprana, que continúan influenciando e inspirando a la Iglesia. [Fathers of the Church]

padrinos testigos del Bautismo que asumen la responsabilidad de ayudar al que se bautiza a lo largo del camino de la vida cristiana. [godparents]

papa el obispo de Roma, sucesor de san Pedro y líder de la Igleisa católica romana. Se le llama Vicario de Cristo porque tiene la autoridad de actuar en nombre de Cristo. El papa junto con todos los obispos conforman la autoridad docente viva de la Iglesia, el Magisterio. [pope]

pecado pensamiento, palabra, acción u omisión deliberada que ofende a Dios y daña nuestra relación con los demás. Algunos pecados son mortales y deben confesarse en el sacramento de la Penitencia y la Reconciliación. Otros pecados son veniales, o menos graves. [sin]

pecado mortal la decisión seria de apartarnos de Dios haciendo algo que sabemos que es malo. Para que un pecado sea considerado mortal debe ser una ofensa muy grave, la persona debe conocer la gravedad de su acción y a pesar de ello haber elegido libremente llevarla a cabo. [mortal sin]

pecado original la consecuencia de la desobediencia de los primeros seres humanos. Desobedecieron a Dios y eligieron hacer su propia voluntad en lugar de respetar la voluntad de Dios. Como resultado, los seres humanos perdieron la bendición original de Dios y quedaron sujetos al pecado y a la muerte. En el Bautismo recuperamos la vida con Dios por medio de Jesucristo, aunque aún padecemos los efectos del pecado original. [Original Sin]

pecado venial elegir hacer algo que debilita nuestra relación con Dios o con otras personas. El pecado venial hiere y limita la vida divina que hay en nosotros. Si no nos esforzamos por mejorar, el pecado venial puede conducir a pecados más serios. Por medio de nuestra participación en la Eucaristía, y si estamos arrepentidos, los pecados veniales son perdonados y se fortalece nuestra relación con Dios y el prójimo. [venial sin]

pecados de obra falta que se comete al actuar en forma pecaminosa, como robar o mentir. [sins of comission]

pecados de omisión falta que se comete al no hacer algo cuando se tiene la responsabilidad de hacerlo. Cometemos pecados de omisión cuando nos mantenemos al margen y no hacemos nada mientras observamos que lastiman a otra persona, cuando no realizamos nuestro trabajo o cuando no obecedemos a nuestros padres o a otras personas con autoridad legítima. [sins of omission]

M

Marks of the Church the main characteristics that distinguish the Church. The four Marks are the foundation of how we recognize the Catholic Church. The Church is *one, holy, catholic,* and *apostolic.* [atributos de la Iglesia]

Matrimony a solemn agreement between a woman and a man to be partners for life, for their own good and for bringing up children. Marriage is a sacrament when the agreement is properly made between baptized Christians. [Matrimonio]

meditation a form of prayer using silence and listening that seeks through imagination, emotion, and desire to understand how to adhere and respond to what God is asking. By concentrating on a word or an image, we move beyond thoughts, empty the mind of contents that get in the way of our experience of God, and rest in simple awareness of God. [meditación]

mercy the gift to be able to respond to those in need with care and compassion. In always being ready to forgive our sins, God's mercy is a reality for us. The gift of mercy is a grace given to us by Jesus Christ. [misericordia]

mortal sin a serious decision to turn away from God by doing something that we know is wrong. For a sin to be mortal, it must be a very serious offense, the person must know how serious it is, and the person must freely choose to do it anyway. [pecado mortal]

O

Ordinary Time the periods of the Church calendar between the end of the Christmas season and Ash Wednesday and between the end of the Easter season and the beginning of Advent. Our growth as disciples in our commitment to Jesus is one focus of Ordinary Time. [Tiempo Ordinario]

Original Sin the consequence of the disobedience of the first human beings. They disobeyed God and chose to follow their own will rather than God's will. As a result, human beings lost the original blessing God had intended and became subject to sin and death. In Baptism we are restored to life with God through Jesus Christ, although we still experience the effects of Original Sin. [pecado original]

P

Paschal Mystery the work of Salvation accomplished by Jesus Christ through his Passion, Death, Resurrection, and Ascension. The Paschal Mystery is celebrated in the liturgy of the Church, and we experience its saving effects in the sacraments. In every liturgy of the Church, God the Father is blessed and adored as the source of all blessings we have received through his Son in order to make us his children through the Holy Spirit. [Misterio Pascual]

penance physical and spiritual acts that express our turning away from sin with a desire to change our lives and more closely live the way God wants us to live. We express our penance externally by praying, fasting, and helping those who are poor. Penance is also the name of the action that the priest asks us to take or the prayers that he asks us to pray after he absolves us in the Sacrament of Penance and Reconciliation. [penitencia]

Penance and Reconciliation the sacrament in which we celebrate God's forgiveness of sin and our reconciliation with God and the Church. Penance includes sorrow for the sins we have committed, confession of sins, absolution by the priest, and doing the penance that shows our willingness to amend our ways and atone for our sins. [Penitencia y Reconciliacón]

penitent a person who is sorry for his or her sins. A person who receives the Sacrament of Penance and Reconciliation is known as a penitent. [penitente]

Penitential Rite a formal ceremonial act that asks God's forgiveness for sin. Penitential Rites can be found in many liturgies, especially the Rite of Anointing of the Sick and in the Mass. [Acto penitencial]

Pentecost the 50th day after Jesus was raised from the dead. On this day the Holy Spirit was sent from Heaven, and the Church was born. It is also a Jewish feast, called *Shavuot* in Hebrew, that celebrated the giving of the Ten Commandments on Mount Sinai 50 days after the Exodus. [Pentecostés]

People of God another name for the Church. In the same way that the people of Israel were God's people through the Covenant he made with them, the Church is a priestly, prophetic, and royal people through the new and eternal Covenant with Jesus Christ. [pueblo de Dios]

petition a request to God, asking him to fulfill a need. When we share in God's saving love, we understand that every need is one that we can ask God to help us with through petition. [petición]

pope the Bishop of Rome, successor of Saint Peter, and leader of the Roman Catholic Church. Because he has the authority to act in the name of Christ, the pope is called the Vicar of Christ. The pope and all the bishops together make up the living, teaching office of the Church, the Magisterium. [papa]

R

Real Presence the way in which the risen Jesus Christ is present in the Eucharist under the form of bread and wine. Jesus Christ's presence is called real because in the Eucharist his Body and Blood, soul and divinity, are wholly and entirely present. This is called transubstantiation. [presencia real]

Resurrection the bodily raising of Jesus Christ from the dead on the third day after his Death on the cross. The Resurrection is the crowning truth of our faith. [Resurrección]

penitencia acciones físicas y espirituales que expresan nuestro rechazo del pecado con el deseo de cambiar nuestra vida y vivir más cerca de la forma en que Dios quiere que vivamos. Manifestamos nuestra penitencia externamente al rezar, ayunar y ayudar a los pobres. Es también el nombre de la acción que el sacerdote nos pide que realicemos o las oraciones que nos pide que recemos después de absolvernos en el sacramento de la Reconciliación. [penance]

Penitencia y Reconciliación sacramento en el que celebramos que Dios perdona los pecados y nuestra reconciliación con Dios y con la Iglesia. La Penitencia incluye arrepentimiento por los pecados cometidos, confesión de los pecados, la absolución del sacerdote y cumplir la penitencia para demostrar la voluntad de enmendar nuestra manera de proceder. [Penance and Reconciliation]

penitente persona arrepentida de sus pecados. Se denomina penitente a la persona que recibe el sacramento de la Penitencia y la Reconciliación. [penitent]

Pentecostés cincuenta días después de la Resurrección de Jesús de entre los muertos. Ese día el Espíritu Santo fue enviado desde el cielo y nació la Iglesia. También es la festividad judía llamada *Shavuot* en hebreo, en la que se celebra la entrega de los Diez Mandamientos en el Monte Sinaí cincuenta días después del Éxodo. [Pentecost]

petición solicitud que le hacemos a Dios pidiéndole que nos conceda algo que necesitamos. Cuando somos partícipes del amor salvífico de Dios, comprendemos que podemos pedirle cualquier cosa que necesitemos por medio de una petición. [petition]

presencia real la manera en la que Jesucristo resucitado se hace presente en la Eucaristía bajo la forma de pan y vino. La presencia de Jesucristo se denomina real porque en la Eucaristía están presentes su cuerpo y sangre, alma y divinidad de manera plena y total. Esto se conoce como transubstanciación. [Real Presence]

promesas bautismales promesas que hace la persona que va a ser bautizada, o los padrinos en nombre de un recién nacido o niño que no puede hacer las promesas por sí mismo. En las promesas bautismales se renuncia a Satanás y la persona se compromete a vivir una vida cristiana de fe. [baptismal promises]

pueblo de Dios otro nombre para la Iglesia. De la misma manera en que el pueblo de Israel era el pueblo de Dios por la Alianza que hizo con ellos, la Iglesia es un pueblo de sacerdocio, profético y soberano por medio de la alianza nueva y eterna con Jesucristo. [People of God]

R

Resurrección el levantamiento del cuerpo de Jesucristo de entre los muertos tres días después de su muerte en la cruz. La Resurrección es la verdad suprema de nuestra fe. [Resurrection]

Revelación la forma en que Dios se comunica con nosotros a través de las palabras y las obras realizadas a lo largo de la historia para mostrarnos el misterio de su plan para nuestra Salvación. Esta Revelación alcanza su realización al enviarnos a su Hijo, Jesucristo. [Revelation]

Ritual de la Iniciación Cristiana de Adultos (RICA) proceso formal por el cual los adultos se convierten en miembros de la Iglesia. El RICA incluye diferentes tipos de formación espiritual que conducen al Bautismo, la Confirmación y a recibir la Sagrada Comunión durante la Vigilia Pascual. [Rite of Christian Initiation for Adults (RCIA)]

S

sacramentales objetos, oraciones o bendiciones otorgadas por la Iglesia para ayudarnos a crecer en nuestra vida espiritual. [sacramentals]

sacramentos los siete rituales oficiales por los que la vida de Dios entra en nuestra vida en la liturgia mediante la obra del Espíritu Santo. La obra de Cristo en la liturgia es sacramental porque su misterio se hace presente por el poder del Espíritu Santo. Jesús nos dio tres sacramentos que nos hacen parte de la Iglesia: el Bautismo, la Confirmación y la Eucaristía. Nos dio dos sacramentos que nos traen la sanación: la Penitencia y la Reconciliación y la Unción de los Enfermos. También nos dio dos sacramentos que ayudan a los miembros a servir a la comunidad: el Matrimonio y el Orden. [sacraments]

sacramentos de la Iniciación sacramentos que constituyen la base de nuestra vida cristiana. Volvemos a nacer en el Bautismo, nos fortalecemos con la Confirmación y recibimos el alimento de la vida eterna en la Eucaristía. Por medio de estos sacramentos recibimos una medida creciente de la vida divina y avanzamos hacia la perfección de la caridad. [Sacraments of Initiation]

Sagradas Escrituras los escritos sagrados de los judíos y los cristianos, recopilados en el Antiguo y el Nuevo Testamento de de la Biblia. [Scripture]

Salvación el don que solo Dios puede dar de perdonar los pecados y reparar nuestra amistad con él. [Salvation]

Señal de la Cruz gesto que hacemos que expresa nuestra creencia en Dios Padre, Hijo y Espíritu Santo. Es una señal de bendición y una manifestación de fe que nos identifica como seguidores de Jesucristo. [Sign of the Cross]

solidaridad actitud de fortaleza y unidad que lleva a compartir los bienes espirituales y materiales. La solidaridad une a ricos y pobres, a débiles y fuertes, para fomentar una sociedad en la que todos den lo que puedan y reciban lo que necesiten. La idea de la solidaridad se basa en el origen común de toda la humanidad. [solidarity]

subsidiaridad principio que dice que las mejores instituciones para responder a una tarea social en particular son aquellas que están más cerca de los afectados. Es responsabilidad de la institución política o privada más cercana asistir a las personas necesitadas. Solo cuando los problemas no pueden resolverse a nivel local deben ser resueltos desde un nivel superior. [subsidiarity]

Revelation God's communication of himself to us through the words and deeds he has used throughout history to show us the mystery of his plan for our Salvation. This Revelation reaches its completion in his sending of his Son, Jesus Christ. [Revelación]

Rite of Christian Initiation of Adults (RCIA) the formal process by which adults become members of the Church. RCIA includes different types of spiritual formation that lead to Baptism, Confirmation, and receiving Holy Communion for the first time at the Easter Vigil. [Ritual de la Iniciación Cristiana de Adultos (RICA)]

S

sacramental an object, a prayer, or a blessing given by the Church to help us grow in our spiritual life [sacramental]

sacraments the seven official rites through which God's life enters our lives in the liturgy through the work of the Holy Spirit. Christ's work in the liturgy is sacramental because his mystery is made present there by the power of the Holy Spirit. Jesus gave us three sacraments that bring us into the Church: Baptism, Confirmation, and the Eucharist. He gave us two sacraments that bring us healing: Penance and Reconciliation and Anointing of the Sick. He also gave us two sacraments that help members serve the community: Matrimony and Holy Orders. [sacramentos]

Sacraments of Initiation the sacraments that are the foundation of our Christian life. We are born anew in Baptism, strengthened by Confirmation, and receive in the Eucharist the food of eternal life. By means of these sacraments, we receive an increasing measure of the divine life and advance toward the perfection of charity. [sacramentos de la Iniciación]

Salvation the gift, which God alone can give, of forgiveness of sin and the restoration of friendship with him [Salvación]

Scripture the holy writings of Jews and Christians collected in the Old and New Testaments of the Bible [Sagradas Escrituras]

Sign of the Cross the gesture we make that signifies our belief in God the Father, the Son, and the Holy Spirit. It is a sign of blessing and a confession of faith, identifying us as followers of Jesus Christ. [Señal de la Cruz]

sin a deliberate thought, word, deed, or failure to act that offends God and hurts our relationships with other people. Some sin is mortal and needs to be confessed in the Sacrament of Penance and Reconciliation. Other sin is venial, or less serious. [pecado]

sins of commission a sin that is sinful because of something we do, such as stealing or lying [pecados de obra]

sins of omission a sin that is sinful because of something we fail to do when we have the responsibility to do so. We commit sins of omission when we stand by and do nothing when someone is being hurt, when we neglect our work, or when we fail to obey our parents or others in lawful authority. [pecados de omisión]

solidarity the attitude of strength and unity that leads to the sharing of spiritual and material goods. Solidarity unites rich and poor, weak and strong, to foster a society in which all give what they can and receive what they need. The idea of solidarity is based on the common origin of all humanity. [solidaridad]

Son the title revealed by Jesus that indicates his unique relationship to God the Father. The revelation of Jesus' divine sonship is the main dramatic development of the story of Jesus of Nazareth as it unfolds in the Gospels. [Hijo]

Spiritual Works of Mercy the kind acts through which we help our neighbors meet their needs that are more than material. The Spiritual Works of Mercy include counseling the doubtful, instructing the ignorant, admonishing sinners, comforting the afflicted, forgiving offenses, bearing wrongs patiently, and praying for the living and the dead. [obras de misericordia espirituales]

spontaneous prayer the act of reflecting in our own words on our relationship with God or on his action in our lives. Spontaneous prayers can be of thanksgiving, petition, contrition, or meditation. [oraciones espontáneas]

subsidiarity the principle that the best institutions for responding to a particular social task are those closest to it. It is the responsibility of the closest political or private institution to assist those in need. Only when issues cannot be resolved at the local level should they be resolved at a higher level. [subsidiaridad]

T

Ten Commandments the ten rules given by God to Moses on Mount Sinai that sum up God's law and show us what is required to love God and our neighbor. By following the Ten Commandments, the Hebrews accepted their Covenant with God. [Diez Mandamientos]

theologians experts in the study of God and his Revelation to the world [teólogos]

Theological Virtues the three virtues of faith, hope, and charity that are gifts from God and not acquired by human effort. The virtue of faith helps us believe in him, the virtue of hope helps us desire eternal life and the Kingdom of God, and the virtue of charity helps us love God and our neighbor as we should. [virtudes teologales]

Tradition the beliefs and practices of the Church that are passed down from one generation to the next under the guidance of the Holy Spirit. What Christ entrusted to the Apostles was handed on to others both orally and in writing. Tradition and Scripture together make up the single deposit of faith, which remains present and active in the Church. [Tradición]

T

teólogos expertos en el estudio de Dios y su Revelación al mundo. [Theologians]

Tiempo Ordinario los períodos del calendario eclesiástico que se extienden desde el final de la Navidad hasta el Miércoles de Ceniza y desde el final de la Pascua hasta el comienzo del Adviento. Uno de los objetivos del Tiempo Ordinario es que crezcamos como discípulos en nuestro compromiso con Jesús. [Ordinary Time]

Tradición las creencias y prácticas de la Iglesia que se transmiten de generación en generación con la guía del Espíritu Santo. Lo que Cristo confió a los apóstoles fue transmitido a otras personas de forma oral y escrita. La Tradición y las Sagradas Escrituras constituyen el legado único de nuestra fe que sigue presente y activo en la Iglesia. [Tradition]

Trinidad, Santísima el misterio de la existencia de Dios en tres Personas, el Padre, el Hijo y el Espíritu Santo. Cada Persona es Dios, completa y enteramente. Cada una es distinta solo en su relación con cada una de las otras. Seguimos a Jesús, Dios Hijo, porque Dios Padre nos llama y Dios Espíritu Santo nos impulsa. [Trinity, Holy]

U

Unción de los Enfermos uno de los siete sacramentos. En este sacramento se aplica óleo santo al enfermo, que recibe la fortaleza, la paz y el coraje para superar las dificultades asociadas con la enfermedad. Por medio de este sacramento Jesús lleva al enfermo la sanación espiritual y el perdón de los pecados. Si es la voluntad de Dios, también se da curación del cuerpo. [Anointing of the Sick]

V

vestiduras atuendo simbólico especial que usan los obispos, sacerdotes y diáconos durante la liturgia. Los colores y diseños de las vestiduras nos recuerdan los misterios y las verdades de nuestra fe. [vestments]

viático la Eucaristía que recibe una persona que está a punto de morir. Es el alimento espiritual para el viaje final que hacemos como cristianos, el viaje a través de la muerte a la vida eterna. [viaticum]

virtudes una actitud firme o modo de actuar que nos permite hacer el bien. [virtues]

virtudes cardinales las cuatro virtudes que ayudan a una persona a vivir en relación con Dios y con los demás: prudencia, justicia, fortaleza y templanza. [Cardinal Virtues]

virtudes teologales las tres virtudes de la fe, la esperanza y la caridad que recibimos de Dios sin haber sido adquiridas por el esfuerzo humano. La fe nos ayuda a creer en Dios, la esperanza nos ayuda a desear la vida eterna y el reino de Dios y la caridad nos ayuda a amar a Dios y a nuestro prójimo como debemos. [Theological Virtues]

traditional prayers the prayers the Church has passed down through the centuries that enable people to pray in unison. The Psalms and the Rosary are examples of traditional prayers. [oraciones tradicionales]

Trinity, Holy the mystery of the existence of God in the three Persons—the Father, the Son, and the Holy Spirit. Each Person is God, whole and entire. Each is distinct only in the relationship of each to the others. We follow Jesus, God the Son, because God the Father calls us and God the Holy Spirit moves us. [Trinidad, Santísima]

V

venial sin a choice we make that weakens our relationship with God or with other people. Venial sin wounds and lessens the divine life in us. If we make no effort to do better, venial sin can lead to more serious sin. Through our participation in the Eucharist, venial sin is forgiven when we are repentant, strengthening our relationship with God and with others. [pecado venial]

vestments special symbolic garments used by bishops, priests, and deacons during the liturgy. The colors and designs of vestments remind us of the mysteries and truths of our faith. [vestiduras]

viaticum the Eucharist that a sick or dying person receives. It is spiritual food for the last journey we make as Christians, the journey through death to eternal life. [viático]

virtues a firm attitude or way of acting that enables us to do good. [virtudes]

vocal prayer a prayer that uses words to talk to God. Vocal prayer is the most common and natural form of talking to God. [oración vocal]

Índice temático

A

B

C

D

E

F

G

H

I

J

L

M

index

N

O

P

R

S

T

U

V

Reconocimientos

Las citas bíblicas han sido tomadas de *La Biblia de nuestro pueblo* © 2007 Pastoral Bible Foundation y © Ediciones Mensajero. Reservados todos los derechos.

"Acto de Contrición", "*Magnificat*", "*Memorare*", "*Regina Caeli*" y "*Salve Regina*" han sido tomados del *Compendio del Catecismo de la Iglesia Católica* © 2005, Librería Editrice Vaticana. Con los debidos permisos. Reservados todos los derechos.

"Bendición de la mesa antes de comer", "Bendición de la mesa después de comer" y "Oración al Espíritu Santo" han sido tomados del *Catecismo Católico de los Estados Unidos para los Adultos* © 2006, Conferencia de Obispos Católicos de los Estados Unidos (USCCB, por sus siglas en inglés). Con los debidos permisos. Reservados todos los derechos.

"Símbolo de los Apóstoles" y "Credo de Nicea-Constantinopla" han sido tomados de *Misal Romano* © 2003, Conferencia Episcopal Mexicana. Con los debidos permisos. Reservados todos los derechos.

Loyola Press ha hecho todos los intentos posibles por localizar a los propietarios de los derechos de autor de las obras citadas en el presente trabajo a fin de hacer un reconocimiento pleno de la autoría de su trabajo. En caso de alguna omisión, Loyola Press se complacerá en reconocerlos en las ediciones futuras.

Acknowledgments

Excerpts from the *New American Bible, revised edition* © 2010, 1991, 1986, 1970 Confraternity of Christian Doctrine, Washington, D.C. and are used by permission of the copyright owner. All rights reserved. No part of the *New American Bible* may be reproduced in any form without permission in writing from the copyright owner.

The English translation of the Act of Contrition from *Rite of Penance* © 1974, International Commission on English in the Liturgy Corporation (ICEL); the English translation of the *Memorare*, Queen of Heaven, and *Salve Regina* from *A Book of Prayers* © 1982, ICEL; the English translation of the Prayer Before Meals and Prayer After Meals from *Book of Blessings* © 1988, ICEL; the English translation of the Nicene Creed and Apostles' Creed from *The Roman Missal* © 2010, ICEL. All rights reserved.

The English translation of the *Magnificat* by the International Consultation on English Texts.

The Prayer to the Holy Spirit from the *United States Catholic Catechism for Adults,* © 2006, U.S. Conference of Catholic Bishops. Used with permission. All rights reserved.

Loyola Press has made every effort to locate the copyright holders for the cited works used in this publication and to make full acknowledgment for their use. In the case of any omissions, the publisher will be pleased to make suitable acknowledgments in future editions.

Ilustraciones/Art Credits

Las páginas de la izquierda son identificadas con una **(a)**. Las páginas de la derecha, con una **(b)**. Cuando hay más de una imagen en una página, estas se mencionan de izquierda a derecha y de arriba hacia abajo.

Las fotos e ilustraciones que no son identificadas son propiedad de Loyola Press o proceden de fuentes sin regalías incluyendo, pero no limitadas a, Art Resource, Alamy, Bridgeman, Corbis/Veer, Getty Images, iStockphoto, Jupiterimages, Media Bakery, PunchStock, Shutterstock, Thinkstock y Wikipedia Commons. Loyola Press ha hecho todos los intentos posibles para identificar a los propietarios de los derechos de autor de las obras reproducidas en este libro y reconocerlos debidamente. En caso de omisión, Loyola Press se complacerá en reconocerlos apropiadamente en las ediciones futuras.

Left page numbers are indicated by an **(a).** Right page numbers are indicated by a **(b).** When there are multiple images on a page, they are listed left to right, top to bottom.

Photos and illustrations not acknowledged are either owned by Loyola Press or from royalty-free sources including but not limited to Art Resource, Alamy, Bridgeman, Corbis/Veer, Getty Images, iStockphoto, Jupiterimages, Media Bakery, PunchStock, Shutterstock, Thinkstock, and Wikipedia Commons. Loyola Press has made every effort to locate the copyright holders for the cited works used in this publication and to make full acknowledgment for their use. In the case of any omissions, the publisher will be pleased to make suitable acknowledgments in future editions

Introducción / Front Matter: iv Leungchopa/ Dreamstime.com. **v** Hemera/Thinkstock. **vi(a)** Olga A/ Shutterstock.com. **vi(b)** Warling Studios.

Capítulo / Chapter 1:

1 © iStockphoto.com/Maica. **2** Mel Curtis/Photodisc. **3(a)** Fancy Photography/Veer. **3(b)** cultura Photography/Veer. **4(a)** © iStockphoto.com/ jarenwicklund; © iStockphoto.com/dosrayitas. **4(b)** Warling Studios; © iStockphoto.com/dosrayitas. **5(a)** © iStockphoto.com/juanestey. **5(b)** © iStockphoto. com/Maica. **6(a)** © iStockphoto.com/kirin_photo; iStockphoto/Thinkstock. **6(b)** Pontino/Alamy; iStockphoto/Thinkstock. **7(a)** Abraham Leaving Home for Canaan, Adrian Kupman, 1910, Austrian. Super Stock/Alamy. **7(b)** "Abraham, Stained Glass, Mt. Olivet Lutheran Church, Minneapolis MN. The Crosiers/Gene Plaisted, OSC." **8** Granger Wootz/Media Bakery.

Capítulo / Chapter 2:

9 Ocean Photography/Veer. **10** iStockphoto/ Thinkstock. **11(a)** Private Collection/The Bridgeman Art Library. **11(b)** The Crosiers/Gene Plaisted, OSC. **12(a)** © iStockphoto.com/jjshaw14. **12(b)** iStockphoto/ Thinkstock. **13(a)** Asia Images Group Pte Ltd/Alamy. **13(b)** Patrick Lane/Veer; © iStockphoto.com/Shanina. **14(a)** Ocean Photography/Veer; Warling Studios. **14(b)** Corbis Photography/Veer. **15(a)** Dublin City Gallery, The Hugh Lane, Ireland/The Bridgeman Art Library. **15(b)** Saint Patrick, Laura James, 2011, (*acrílico sobre madera*/acrylic on wood). Private Collection/ The Bridgeman Art Library International. **16** Alloy Photography/Veer.

Capítulo / Chapter 3:

17 Fancy Photography/Veer. **18** Jupiterimages. **19(a)** © Look and Learn/The Bridgeman Art Library. **19(b)** © iStockphoto.com/johnwoodcock. **20(a)** Pjcross/Veer. **20(a)** Hemera/Thinkstock. **20(b)** ostill/Shutterstock.com. **21(a)** vadim kozlovsky/ Shutterstock.com; © iStockphoto.com/kevinjeon00. **21(b)** Bill Perry/Shutterstock.com. **22(a)** Warling Studios. **22(b)** Warling Studios. **23(a)** John Hammond/ The Bridgeman Art Library; testing/Shutterstock.com. **23(b)** St. Paul, *mosaico*/mosaic, Notre Dame Church, Louviers, France. The Crosiers/Gene Plaisted, OSC. **24** © iStockphoto.com/eyetoeyePIX.

Capítulo / Chapter 4:

25 LWA/Dann Tardif/Media Bakery. **26** © iStockphoto.com/adl21; © iStockphoto.com/ digitalhallway. **27(a)** Pascal Deloche/Godong/Corbis. **27(b)** sergiuleustean/Shutterstock.com. **28(a)** W.P. Wittman Limited. **28(b)** © iStockphoto.com/elapela; © iStockphoto.com/wynnter; © iStockphoto.com/ Jbryson; Comstock/Thinkstock. **29(a)** Phil Martin Photography; Loyola Press Photography. **29(b)** Loyola Press Photography. **30(a)** The Crosiers/Gene Plaisted, OSC. **30(b)** Private Collection/The Bridgeman Art Library International; © iStockphoto.com/princessdlaf. **31(a)** Rafael Lopez. **31(b)** Pierre Toussaint, 1825 (*grabado sobre marfil*/w/c on ivory), Meucci, Anthony (fl.1825)/© *Colección privada*/Collection of the New-York Historical Society, USA/The Bridgeman Art Library International. **32** Ocean Photography/Veer.

Capítulo / Chapter 5:

33 © iStockphoto/Nikada. **34** © iStockphoto/contour99; © iStockphoto/laflor. **35(a)** © iStockphoto/piccerella/ Kathryn Seckman Kirsch. **35(b)** Warling Studios. **36(a)** W. P. Wittman Limited; iStockphoto/Thinkstock; © iStockphoto/CEFutcher. **36(b)** W. P. Wittman Limited. **37(a)** W. P. Wittman Limited. **37(b)** The Crosiers/Gene Plaisted, OSC; © iStockphoto/duckycards; Warling Studios; iStockphoto/Thinkstock. **38(a)** Warling Studios; © iStockphoto/digitalskillet. **38(b)** © iStockphoto/ jgroup. **39(a)** The Crosiers/Gene Plaisted, OSC. **39(b)** Guiseppe Sarto, Pope Pius X (1835–1914). Herbert Barraud/Stringer/Hulton Archive/Getty Images. **40** Ocean Photography/Veer.

Capítulo / Chapter 6:

41 Noel Hendrickson/Digital Vision/Thinkstock. **42** Martin Poole/Digital Vision/Thinkstock; Rubberball/ Alan Bailey/Getty Images. **43(a)** © iStockphoto. com/choja. **43(b)** iadamson/Thinkstock; Aaron Amat/Shutterstock.com. **44(a)** © iStockphoto.com/ azndc; Image Source/Getty Images. **44(b)** Caro/ Alamy. **45(a)** Phil Martin Photography. **45(b)** Rafael Lopez; blackpixel/Shutterstock.com. **46(a)** W.P. Wittman Limited; © iStockphoto.com/HelgaMariah. **46(b)** Zvonimir Atletic/Shutterstock.com; Warling Studios. **47(a)** Rafael Lopez. **47(b)** Mary MacKillop,1882, *foto cedida por los Trustees de las Sisters of St. Joseph*/ photo released by The Trustess of the Sisters of St. Joseph. AFP/Stringer/Getty Images. **48** © iStockphoto. com/juanestey.

Capítulo / Chapter 7:

49 Timothy Tadder/Media Bakery. **50** © iStockphoto.com/swilmor; © iStockphoto.com/DawnPoland. **51(a)** The Crosiers/Gene Plaisted, OSC; Kathryn Seckman Kirsch. **51(b)** Warling Studios. **52(a)** The Crosiers/Gene Plaisted, OSC; Warling Studios. **52(b)** The Crosiers/Gene Plaisted, OSC; Fancy Photography/Veer; © iStockphoto.com/Daxus. **53(a)** P Deliss/Corbis. Kathryn Seckman Kirsch. **53(b)** Michael Dwyer/Alamy. **54(a)** © iStockphoto.com/korinoxe; © iStockphoto.com/DraganSaponjic. **54(b)** Robert Harding Picture Library Ltd/Alamy. **55(a)** © iStockphoto.com/Erlon. **55(b)** St. Augustine in his Cell, Sandro Botticelli, c.1480, Ognissanti, Florence, Italy. Giraudon/The Bridgeman Art Library International. **56** Corbis Photography/Veer.

Capítulo / Chapter 8:

57 okea/Veer. **58** Hemera/Thinkstock; Nejc Vesel/Shutterstock.com. **59(a)** The Crosiers/Gene Plaisted, OSC. **59(b)** *Colección privada*/Private Collection/The Bridgeman Art Library International. **60(a)** Alloy Photography/Veer; Maran Garai/Shutterstock.com. **60(b)** Warling Studios; © iStockphoto.com/jaminwell; Warling Studios. **61(a)** © iStockphoto.com/mikewesson. **61(b)** Olly/Veer. **62(a)** Creatas ImagesThinkstock; © iStockphoto.com/strickke. **62(b)** Ocean Photography/Veer; Warling Studios. **63(a)** "Icon of St Monica *pintado por*/painted by Marice Sariola *y foto de*/ and photo by www.iconsbymarice.com.au;" chbaum/Shutterstock.com. **63(b)** Ignatius of Loyola, 1500s. Alfgar/Shutterstock.com. **64** © iStockphoto.com/adl21; (merged) iStockphoto/Thinkstock.

Capítulo / Chapter 9:

65 Creatista/Veer. **66** Perov Stanislav/Shutterstock.com; Warling Studios. **67(a)** Blend Images Photography/Veer. **67(b)** © iStockphoto.com/Moodboard_Images. iStockphoto/Thinkstock. **68(a)** Blend Images Photography/Veer; © iStockphoto.com/RapidEye; Warling Studios. **68(b)** Warling Studios. **69(a)** W. P. Wittman Limited. **69(b)** W.P. Wittman Limited. **70(a)** Warling Studios. **70(b)** © iStockphoto.com/carebott. © iStockphoto.com/jammydesign. **71(a)** The Crosiers/Gene Plaisted, OSC. **71(b)** St. Stephen's Episcopal Church, Orinda CA. The Crosiers/Gene Plaisted, OSC. **72** © iStockphoto.com/Pixel_Pig.

Capítulo / Chapter 10:

73 Warling Studios. **74** © iStockphoto.com/RonBailey. **74(b)** © iStockphoto.com/Juanmonino. **75(a)** © iStockphoto.com/forestpath. **75(b)** Warling Studios. **76(a)** © iStockphoto.com/dsharpie; IFK photo/Alamy. **76(b)** Copyright © 2009 *de las provincias jesuitas de Chicago, Detroit y Wisconsin*/by The Chicago, Detroit, and Wisconsin Provinces of the Society of Jesus; Warling Studios. **77(a)** The Crosiers/Gene Plaisted, OSC. **77(b)** Ian Shipley PRD/Alamy. **78(a)** Warling Studios; Royalty-free image; © iStockphoto.com/qingwa; W.P. Wittman Limited. **78(b)** Alloy Photography/Veer. **79(a)** © Ciao-Fotolia.com. **79(b)** Saint Thérèse of Lisieux, at 15 years,1818. © Office Central de Lisieux. **80** Alloy Photography/Veer.

Creencias y prácticas católicas / Catholic Beliefs and Practices:

81 © iStockphoto.com/jrroman. **81(a)** The Crosiers/Gene Plaisted, OSC. **81(b)** The Crosiers/Gene Plaisted, OSC. **82(a)** Johnny van Haeften Gallery, London, UK/The Bridgeman Art Library. **82(b)** Konstantin Sutyagin/Shutterstock.com; Phil Martin Photography; © iStockphoto.com/dlerick. **83(a)** Kim Karpeles/Alamy. **83(b)** Zacarias Pereira da Mata/Shutterstock.com; © iStockphoto.com/LordRunar. **84(a)** Hermitage, St. Petersburg, Russia/The Bridgeman Art Library. **84(b)** Jupiterimages/Photos.com/Thinkstock; Thinkstock/Comstock/Thinkstock. **85(a)** Charalambos Epaminonda, sacredartpilgrim.com. **85(b)** moodboard Photography/Veer; Birgid Allig/Media Bakery. **86(a)** Fotochip/Shutterstock.com. **86(b)** *(En el sentido de las agujas del reloj, empezando en la parte superior izquierda*/Clockwise from upper left.) platayregalo.com; Greg Kuepfer; Royalty-free image; Permission of CM Almy; Loyola Press Photography; © iStockphoto.com/princessdlaf; © iStockphoto.com/sebastianiov. **87(a)** © iStockphoto.com/jane. **87(b)** Warling Studios. **88(a)** © iStockphoto.com/kryczka. **88(b)** Warling Studios. **89(a)** Warling Studios. **89(b)** Warling Studios; Private Collection/The Bridgeman Art Library International. **90(a)** Somos/Media Bakery. **91(a)** Stockphoto/Thinkstock. **91(b)** OJO Images Photography/Veer. **92(b)** Sean Murphy/Lifesize/Thinkstock. **93(a)** Blacqbook/Shutterstock.com. **93(b)** Loyola Press Photography. **94(a)** iStockphoto/Thinkstock; Hemis/Alamy; vnlit/Veer. **94(b)** Weyden, Goswijn van der (1465–1535) *probablemente o por un pintor holandés anónimo*/possibly, or an anonymous Netherlandish painter. The Fifteen Mysteries and the Virgin of the Rosary. 1515–1520. Oil on wood. Image copyright © The Metropolitan Museum of Art. Image source: Art Resource, NY. **95(a)** Kletr/Vladimir Vitek/Bigstock.com. **95(b)** Greg Kuepfer. **96(a)** Zvonimir Atletic/Shutterstock.com; The Crosiers/Gene Plaisted, OSC; Jurand/Shutterstock.com; iStockphoto/Thinkstock. **96(b)** © 2012 Con Tanasiuk/Design Pics. **97(a)** zatletic/Bigstock.com. **97(b)** Zvonimir Atletic/Shutterstock.com. **98(a)** zatletic/Bigstock.com. **98(b)** Zvonimir Atletic/Shutterstock.com.